KB081918

QGIS 길라잡이

발 행 | 2024년 3월 12일
저 자 | 김태근
펴낸이 | 한건희
펴낸곳 | 주식회사 부크크
출판사등록 | 2014.07.15.(제2014-16호)
주 소 | 서울특별시 금천구 가산디지털1로 119 SK트윈타워 A동 305호
전 화 | 1670-8316
이메일 | info@bookk.co.kr

ISBN | 979-11-410-7623-8

www.bookk.co.kr

언제 어디서나 쉽게
실무위주로 이해하는

QGIS 길라잡이

김태근 지음

CONTENT

시작하기 전

현대의 디지털 시대에서 GIS(지리 정보 시스템)는 과학적 연구, 경영 의사 결정, 환경 모니터링 등 다양한 분야에서 빠질 수 없는 도구로 자리 잡았다. 그러나 그간 시중에 돌아다니고 있는 각종 GIS서적이나 특정기관에서 하는 교육 커리큘럼은 일반적인 설명과 함께 너무 보편적인 예제나 개요 위주로 구성되어 있어, 교육시간에 제공되는 교재나 자료를 이용하면 잘 되던 GIS작업이 실제 사용자가 가지고 있거나 직접 만든 자료를 이용하면 잘 안 되는 경험을 해 보았을 것이다.
따라서 이러한 한계를 극복하기 위해 그동안 나의 경험을 전달하여 누구나 쉽게 GIS기능을 분석목적에 맞게 활용할 수 있도록 하는 것이 이 책의 궁극적인 목적이다.

본 교재는 저자의 실제 경험과 연구 데이터를 기반으로 사용자가 직접 조사한 자료와 국가나 다른 사람이 생산하여 무료로 제공하는 데이터를 함께 이용하여 목적에 맞게 GIS를 효과적으로 활용할 수 있도록 길잡이 역할을 제공한다. 또한, 이 책은 GIS를 처음 접하는 입문자부터 중급자, 그리고 심화 연구자까지 넓은 범위의 독자를 대상으로 한다. 교육과 연구, 실제 현장 작업에 필요한 실용적인 지침과 팁을 제공하여, 여러분의 GIS 활용 능력을 한 단계 끌어올리는 데 도움을 드리고자 한다. 끝으로 자신만의 GIS데이터를 만들고 저장하고 수정, 편집하는 방법을 배워서 연구 목적에 따라 GIS 기능을 유연하게 활용하며, 지금까지 경험하지 못한 새로운 가능성을 발견해 보길 바란다.

이 책은 QGIS의 다양한 기능과 활용 방법을 체계적으로 소개하기 위해 두 부분, 즉 '기본편'과 '활용편'으로 구성되어 있다.

기본편은 제1장에서 제10장까지 QGIS의 핵심적인 기능과 개념에 대한 깊은 이해를 목표로 한다. 여기서는 GIS의 기본적인 원칙과 QGIS의 핵심 기능들에 대해 자세히 다룬다. 이 부분에서는 독자가 GIS를 사용할 때 필수적으로 알아야 할 핵심 기능들, 예를 들면 데이터 레이어의 관리, 공간 질의, 기본적인 공간 분석 도구 등에 대해 체계적으로 설명한다. 이러한 기본적인 지식은 QGIS를 활용하여 효과적인 분석과 작업을 수행하는 데 있어 기반이 될 것이다.

활용편은 제11장에서 제14장까지 기본편에서 습득한 지식을 바탕으로 QGIS를 실제로 활용하는 방법에 중점을 둔다. 특정 목적이나 프로젝트에 따라 QGIS의 다양한 기능을 어떻게 활용할 수 있는지, 예를 들어 토지 피복지도 제작, 야생동물의 지리적 분포 예측, 지방 소멸위험 지수 분석 등의 작업 과정을 구체적으로 설명한다. 각 챕터는 실제 사례와 함께 QGIS의 고급 기능들을 활용하는 방법을 상세하게 안내하여 독자가 자신의 프로젝트나 연구에 적용할 수 있도록 한다.

이 책은 QGIS를 처음 접하는 초보자부터 이미 사용 경험이 있는 전문가까지 모든 사용자를 대상으로 한다. '기본편'은 QGIS의 기초를 탄탄하게 다질 수 있도록 하며, '활용편'은 실제 문제 해결과 프로젝트 수행에 필요한 실용적인 노하우를 제공한다. 이 두 부분을 통해 독자는 QGIS의 모든 면모를 깊이 있게 이해하고, 자신만의 공간 분석 작업을 성공적으로 수행할 수 있을 것이다.

목차

제1장 QGIS 프로그램 설치하기

QGIS(Quantum GIS)는 공개 소스의 지리 정보 시스템(GIS) 소프트웨어로, 지리 공간 데이터를 편집하고 분석하며 시각화하는 데 사용된다. QGIS의 설치는 사용자가 GIS 작업을 수행하기 위해 첫 번째 단계이다. 아래는 QGIS를 설치하는 과정을 간략하게 설명하는 내용이다.

1.1 QGIS 프로그램 다운로드

QGIS 공식 웹사이트에 접속하여 다운로드 섹션을 찾는다. 웹사이트 URL은 https://qgis.org/ko/site/ 이다.

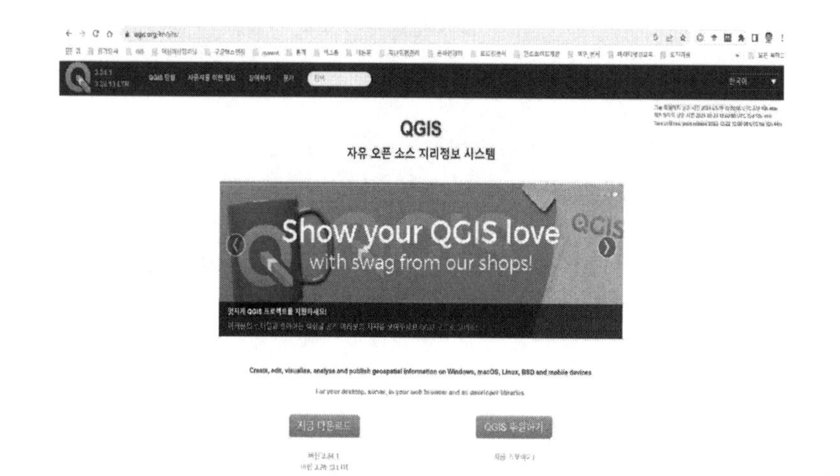

그림 1. QGIS 공식 사이트

QGIS 웹사이트에서는 여러 버전의 QGIS 프로그램을 제공한다. 현재 기준으로 최신 버전인 3.34.1을 다운로드할 수 있다. 그러나 장기적으로 안정성을 고려해서 실습은 안정된 버전인 QGIS 3.28.14 버전을 이용한다. 물론 최신의 기능을 위해서 3.34.1 버전을 이용해도 되지만 해결되지 않는 오류로 인해서 작업의 효율성이 낮아지기 때문에 가능한 안정된 버전을 이용하기를 권고한다.

QGIS 프로그램은 다음 사이트에서 안정화된 버전을 다운받아 설치할 수 있다.

QGIS 프로그램 다운로드 URL:

(https://qgis.org/ko/site/forusers/download.html)

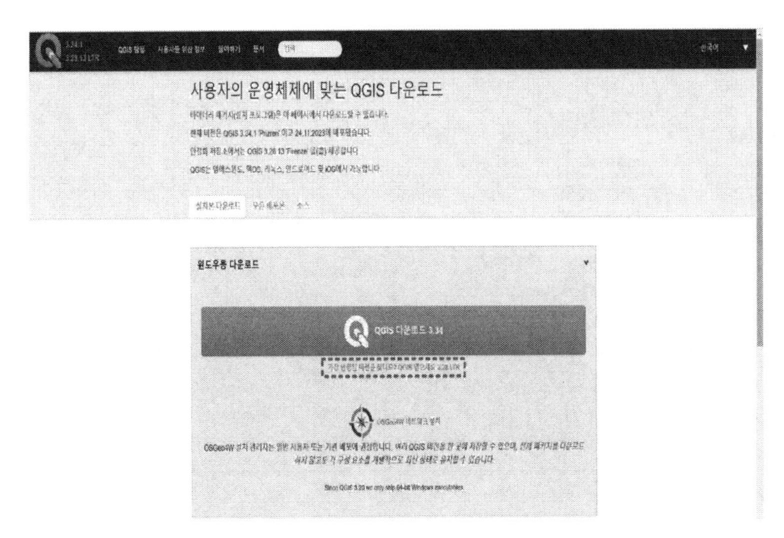

그림 2. QGIS 프로그램 다운로드

1.2 QGIS 프로그램 설치하기

QGIS 프로그램을 설치하는 과정은 비교적 간단하며 다운 받은 QGIS 프로그램의 설치화면에서 다음 버튼이나 Next 버튼을 클릭해서 기본 환경 설정으로 설치를 완료할 수 있다. 이는 필요한 파일들을 해당 위치에 올바르게 배치하고, 프로그램을 시스템에 등록하는 등의 작업을 수행한다. 다음은 설치 과정을 간략하게 요약한 내용이다.

QGIS 프로그램의 설치 파일을 다운로드 받은 후, 해당 파일을 실행하여 다음 그림과 같이 설치 과정을 시작하고 Next 버튼을 클릭한다.

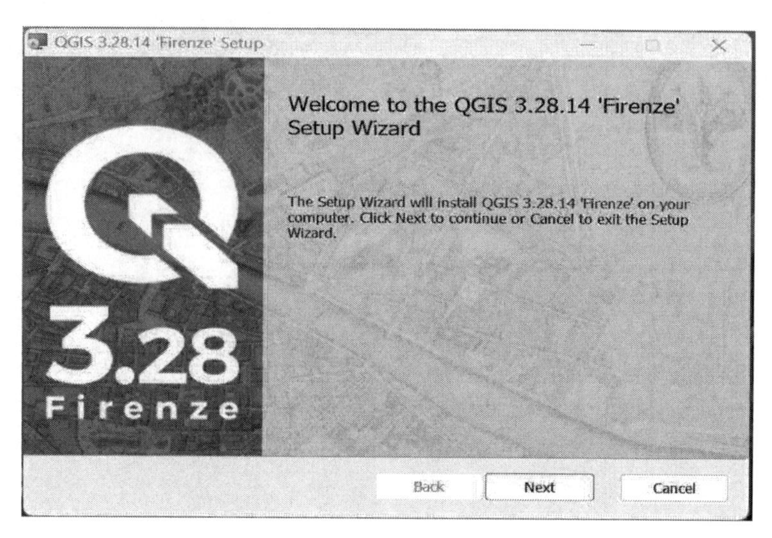

그림 3. QGIS 프로그램 설치

라이센스에 동의하고 Next 버튼을 클릭하여 다음으로 설치 과정을 이어나간다.

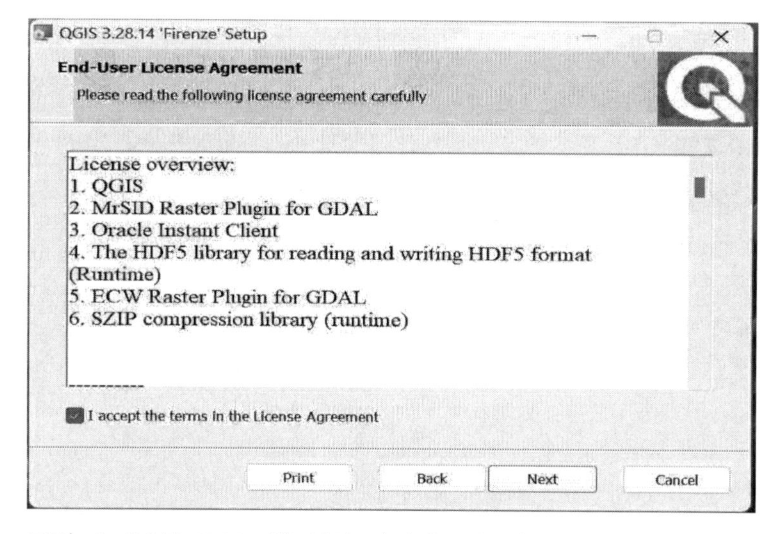

그림 4. QGIS 프로그램 설치 라이센스 동의

프로그램이 설치되는 폴더를 선택 확인하고 바탕화면에 실행아이콘을 볼 수 있도록 체크하고 Next 버튼을 클릭하여 설치 과정을 이어 나간다.

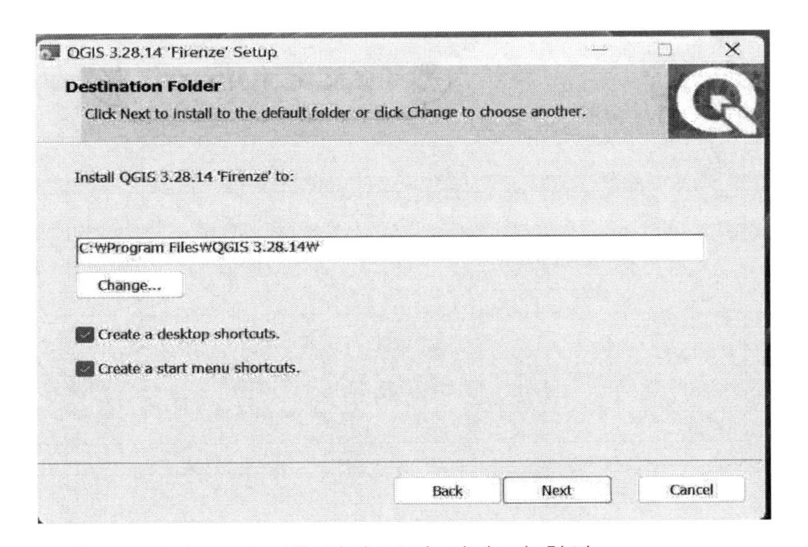

그림 5. QGIS 프로그램 설치 폴더 지정 및 확인

라이센스 동의, 설치폴더 확인 등 설치준비가 되었으면 Install 버튼을 클릭하여 프로그램 설치를 진행한다.

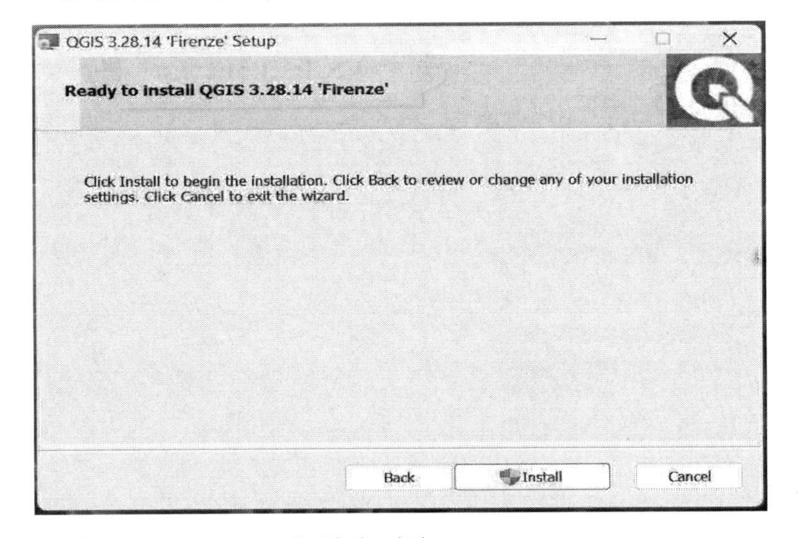

그림 6. QGIS 프로그램 설치 시작

프로그램 설치가 진행되면 설치가 완료될 때까지 일정시간이 걸린다.

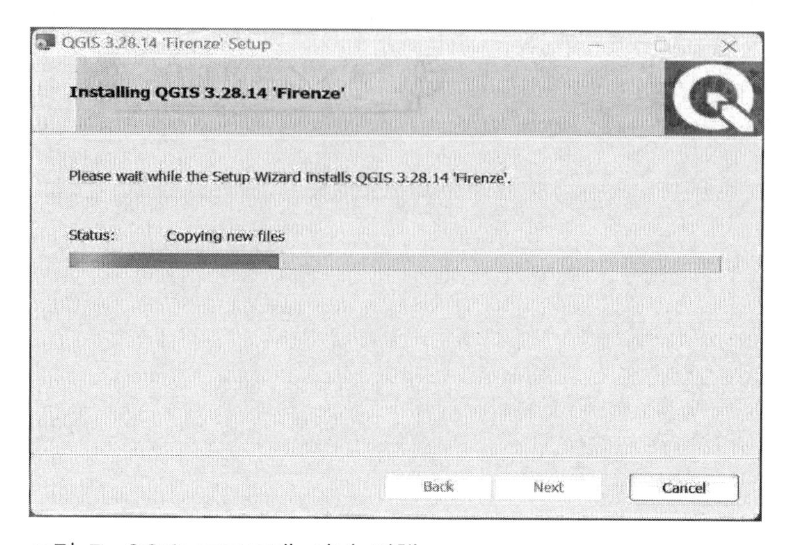

그림 7. QGIS 프로그램 설치 진행

프로그램 설치가 완료되면 Finish 버튼을 클릭하여 설치를 종료한다.

그림 8. QGIS 프로그램 설치 완료

프로그램 설치가 완료되면 QGIS 프로그램을 시작할 수 있다. 시작 메뉴나 바탕화면에 설치된 QGIS 폴더로 이동해서 QGIS Desktop 3.28.14 파일을 실행하면 된다.

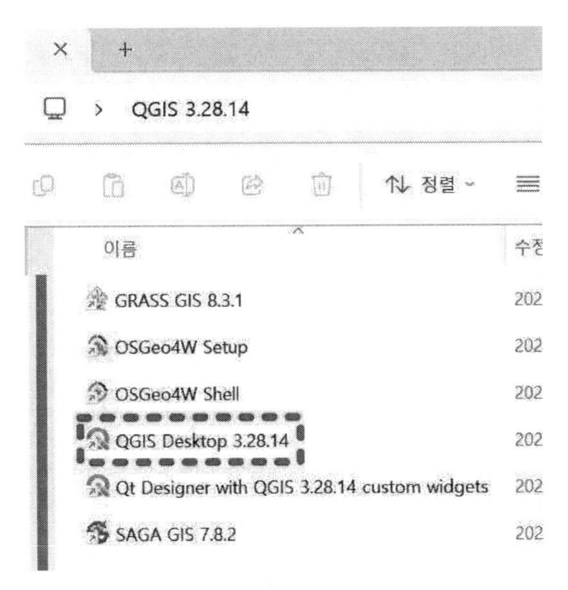

그림 9. QGIS 프로그램 폴더 내용

기본 환경 설정으로 설치하면 대부분의 기능과 기본 리소스가 올바르게 설치되어 사용 준비가 완료된다. 필요에 따라 추가적인 확장 기능이나 플러그인을 나중에 설치하여 QGIS 프로그램을 사용자의 요구에 맞게 사용할 수 있다.

이렇게 QGIS 프로그램을 설치하고 설정한 후에는 다양한 지리 공간 분석, 데이터 시각화, 지도 제작 등의 작업을 수행할 수 있다.

위의 일련의 과정은 다음 유투브에서 쉽게 확인할 수 있다.

유투브 동영상 URL: https://youtu.be/IFol8rHCKJI

제2장 QGIS 프로그램 작업환경 설정

QGIS 프로그램을 사용할 때 다양한 GIS자료를 불러와서 활용하는 경우가 많기 때문에 몇 가지 내용을 염두에 두고 작업을 해야 한다. 특히 좌표계에 대한 개념을 알고 있어야 한다. 사용자가 현재 있는 장소는 전 세계적으로 유일한 하나의 지점이지만 특정한 기준으로 바라보면 여러 개 지점으로 표현될 수 있다.

예를 들어 사용자가 서울시 시청에 있다고 할 때 누군가는 청량리역에서 시청의 위치를 말할 수 있고 또 다른 누군가는 서울역에서 시청의 위치를 말할 수 있습니다. 이 때 서울시 시청의 위치는 서로 상이할 수 있다.

2.1 GIS 작업환경 설정하기

사용자가 직접 만든 자료나 국가에서 만들어 배포하는 자료 등 다양한 GIS자료를 이용해서 QGIS 작업을 할 때는 사용자가 이용하는 GIS자료가 어떤 좌표계 기준으로 제작되었는지 반드시 알아야 한다. 이러한 과정을 QGIS에서 미리 설정해 둘 수 있다. 이 작업은 다음 그림같이 QGIS 메뉴의 설정에서 옵션(O)...을 선택한다.

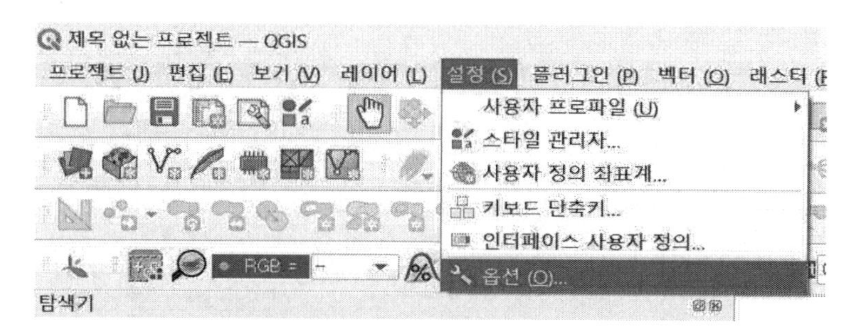

그림 1. QGIS 메뉴의 설정에서 옵션

옵션 대화상자에서 왼쪽 패널에 있는 좌표계와 변환을 선택한다. 오른쪽 패널에 있는 프로젝트 좌표계는 새 프로젝트 생성할 때를 첫 레이어의 좌표계를 사용에 체크한다. 레이어 좌표계에서 레이어 기본 좌표계를 EPSG:4326 - WGS84로 선택하고 좌표계 확인을 체크한다.

이와 같이 작업환경을 설정해두면 사용자가 맨 먼저 불러온 GIS자료의 좌표계가 WGS84 좌표계이면 프로젝트 좌표계는 WGS84 경위도 좌표계로 설정되지만 만약 좌표계가 확인되지 않는다면 GIS자료를 불러올 때 레이어 좌표계를 반드시 사용자에게 확인을 요청한다.

서로 다른 좌표계를 가진 여러 개의 GIS자료를 사용하기 위해서는 어느 하나의 GIS자료의 좌표계로 통일하여 사용하여야 한다.

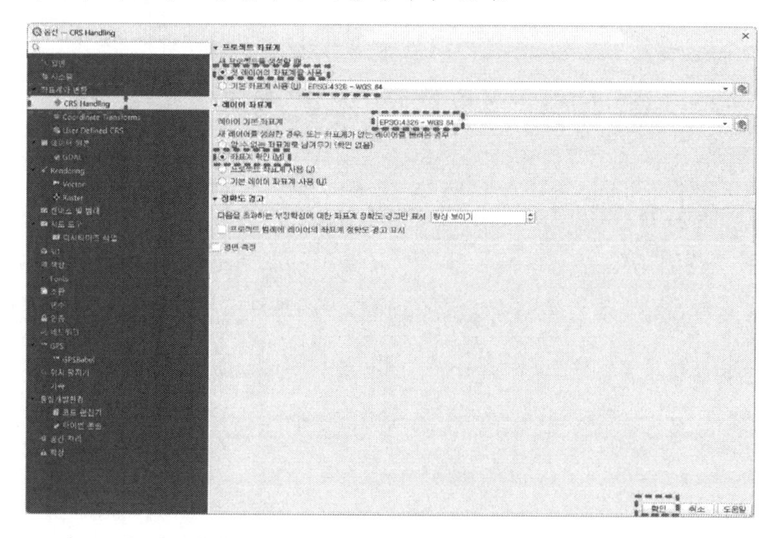

그림 2. 옵션 대화상자

2.2 QGIS 프로그램 실행 화면

QGIS 프로그램을 이용해서 효율적으로 실습하기 위해서 QGIS 프로그램이 실행된 화면 구성에 대해서 간단하게 알아 둘 필요가 있다.

QGIS 프로그램은 크게 5개 화면으로 구성된다. 메뉴 바는 파일관리, GIS 기능을 실행할 수 있는 방법을 제공한다. 툴바는 GIS 데이터를 불러오고, 가공·편집하는 기능을 제공한다. 파일 탐색 창은 작업하는 파일이나 GIS 데이터를 검색하는 기능을 제공한다. 레이어 창은 GIS 데이터를 레이어로 관리한다. 맵 창은 GIS 데이터가 시각화되는 화면이다.

그림 3. QGIS 프로그램 화면 구성

제3장 실습파일 다운로드

이번 과정은 QGIS 프로그램을 효과적으로 학습하고 실습하기 위해 필요한 실습 파일을 다운로드하는 방법에 대해 설명한다.

QGIS 프로그램의 다양한 GIS기능과 분석방법을 효과적으로 습득하기 위해서 사전에 제작된 실습 파일을 활용하여 학습하는 것을 권장한다. 물론 사용자가 직접 조사해서 GIS자료를 만들 수 도 있고 국가가 제공하는 자료를 웹사이트에서 다운로드하여 활용할 수 있지만 GIS기능을 습득하기 위해서는 실습파일을 이용하는 것이 다소 효율적일 수 있다. GIS 분석기술을 익히는데 최선의 방법은 사용자가 직접 GIS자료를 만들어서 분석하는 것이다.

3.1 Git 프로그램 다운로드 하기

실습 파일을 다운로드하려면 Git이라는 버전 관리 프로그램이 필요하다. 사용자는 Git 공식 웹사이트(https://git-scm.com/)에 접속해서 사용자 컴퓨터 사양에 맞는 버전을 다운로드 받을 수 있다. 여기서는 Windows 운영체제를 기준으로 설명하고 현재날짜(2023.1.12) 기준으로 Git 프로그램 버전은 2.43.0 이다.

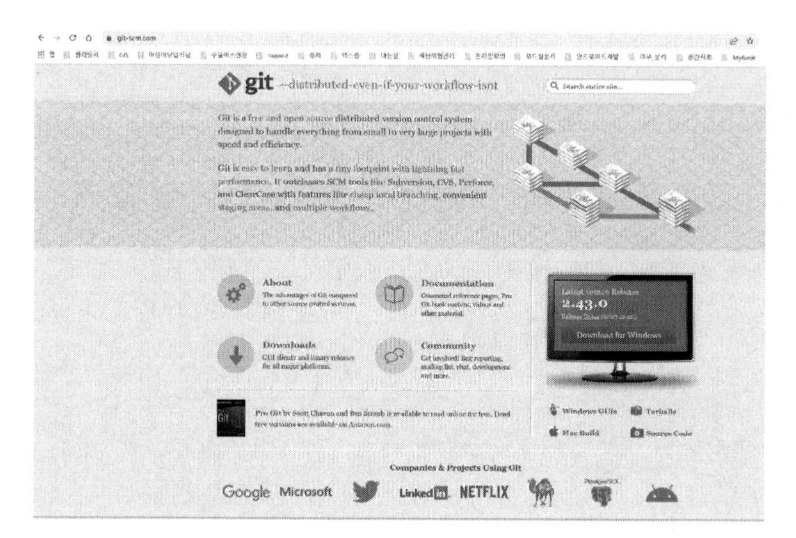

그림 1. Git 프로그램 공식 사이트

위의 그림에서 Download for Windows 버튼을 클릭해서 다음 사이트 (https://git-scm.com/download/win)로 이동해서 64-bit Git for windows Setup를 선택하여 Git-2.43.0-64-bit.exe 파일을 다운받는다.

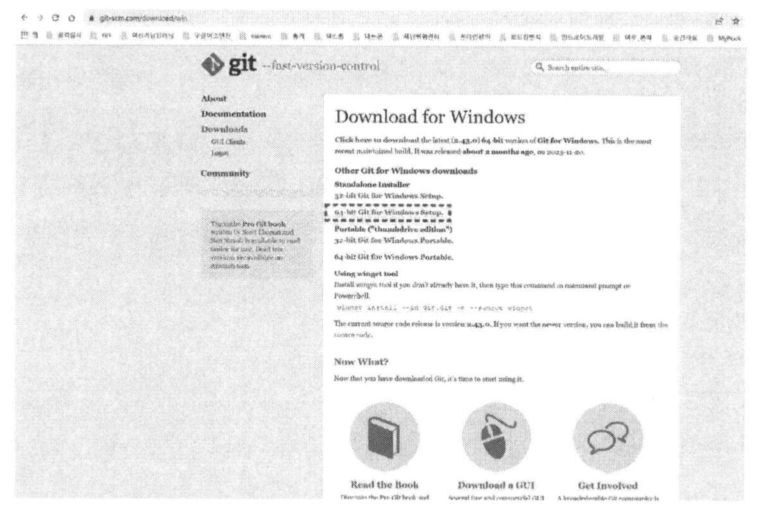

그림 2. Git 프로그램 다운로드

다운받은 Git-2.40.0-64-bit.exe 실행파일을 더블클릭해서 나온 설치화면에서 Install 버튼을 클릭한다.

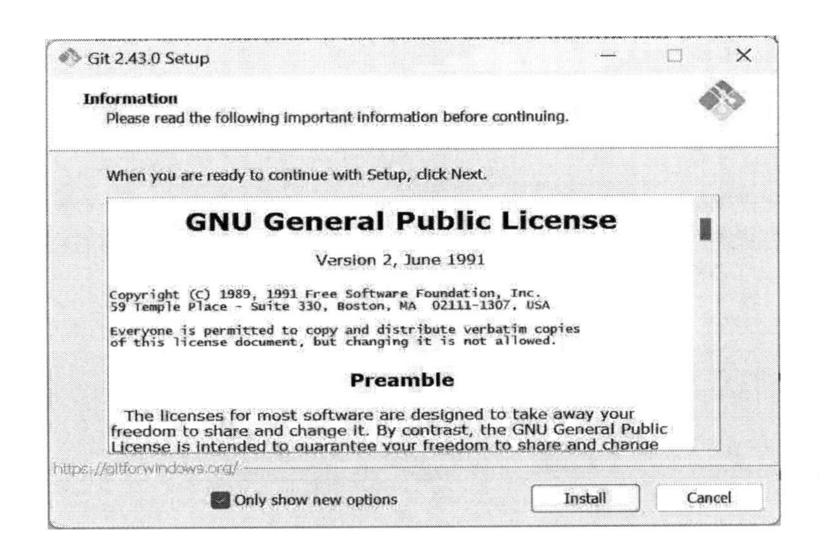

그림 3. Git 프로그램 설치

라이센스 정보를 보여주면서 프로그램 설치가 진행된다.

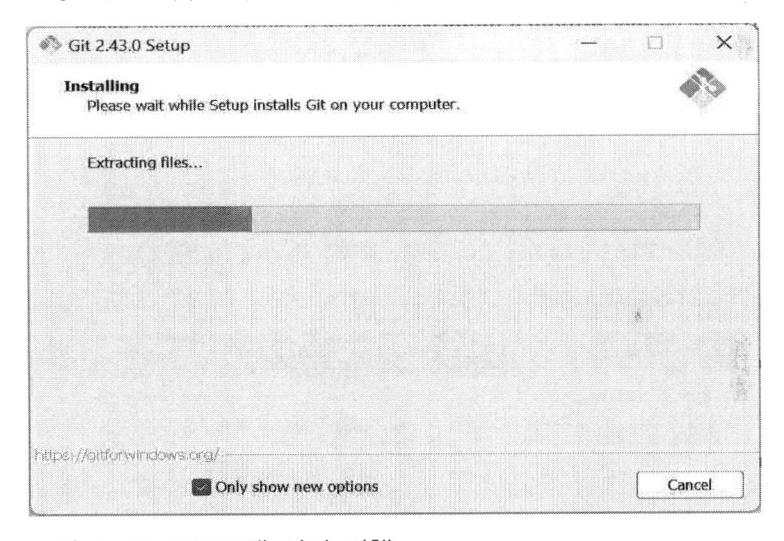

그림 4. Git 프로그램 설치 진행

설치가 완료되면 Finish 버튼을 클릭하여 프로그램 설치를 완료한다.

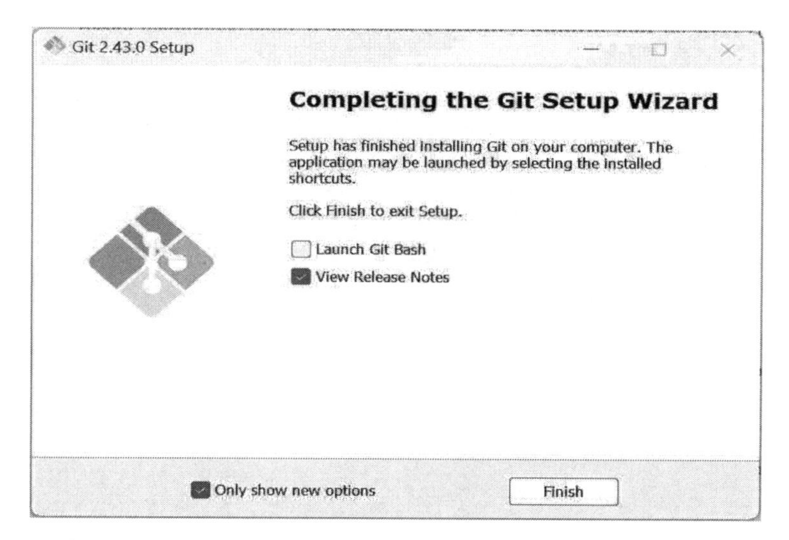

그림 5. Git 프로그램 설치 완료

3.2 실습파일 다운로드 하기

Git 프로그램을 설치완료 했다면 실습파일이 있는 github 사이트 주소를 입력해서 실습파일을 다운받아 GIS 학습에 활용할 수 있습니다. 실습파일이 있는 github 주소는 다음과 같다.

깃허브 주소(https://github.com/web1mhz/QGIS_ex_data.git)

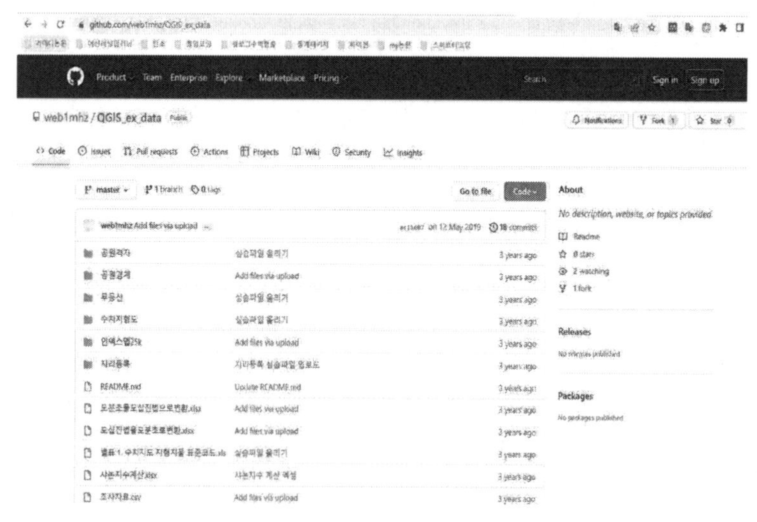

그림 6. 실습파일 다운로드 사이트

실습파일을 다운받기 위해서 우선 다운받을 폴더(예, c:\gis_work)를 생성하고 폴더로 이동해서 폴더 주소창에 cmd 명령어를 입력하고 엔터를 치면 그림 7과 같이 cmd 명령어 창이 실행된다.

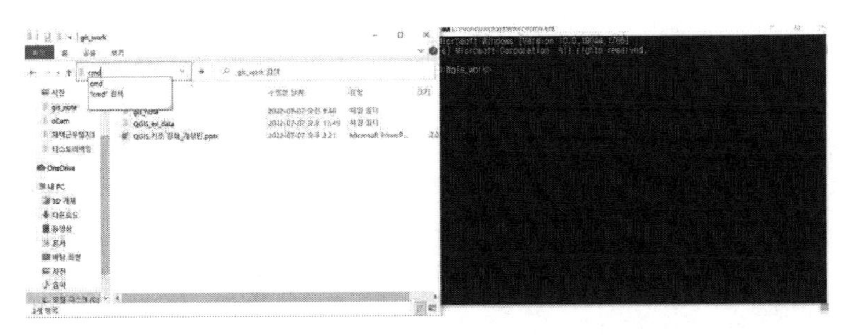

그림 7. cmd 명령어 창 실행하기

cmd 명령어 창에 다음 명령어 구문을 입력하고 실행하면 실습파일이 다운받아지는 것을 확인할 수 있다.

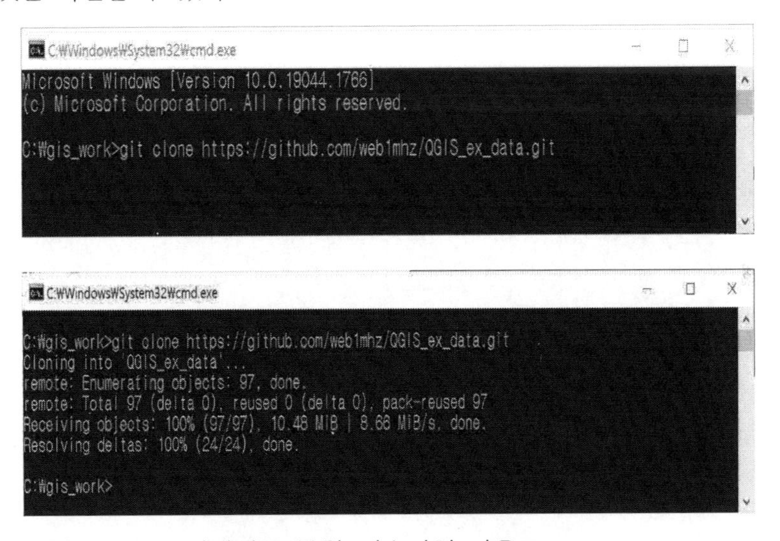

그림 8. cmd 명령어를 통한 실습파일 다운로드

실습파일 다운로드가 완료되면 다운받은 폴더(c:\gis_work)에 QGIS_ex_data 폴더가 생성되고 다운된 실습파일을 확인할 수 있다.

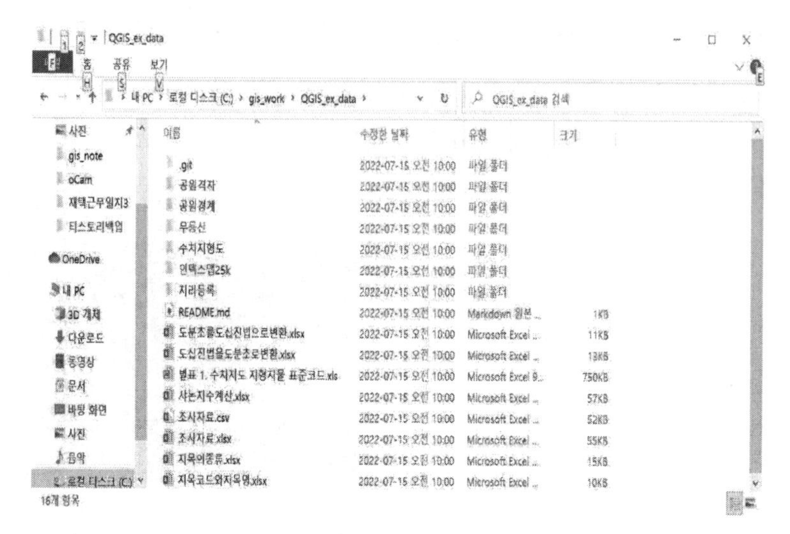

그림 9. QGIS_ex_data 폴더

위의 일련의 과정은 다음 유투브에서 쉽게 확인할 수 있다. 유투브 동영상 URL: https://youtu.be/4_X8YjKbz_s

제4장 엑셀파일을 GIS자료로 만들기

이 장에서 설명하는 엑셀 파일에 기록된 위치 정보를 GIS 파일로 변환하는 작업은 GIS 분석에서 아주 중요하며 핵심적인 부분이다. 실제로 이 과정은 QGIS 프로그램을 이용한 실습 과정에서 약 50%에 해당하며, 많은 GIS 공간 분석은 이 작업으로 시작한다고 해도 과언이 아니다.

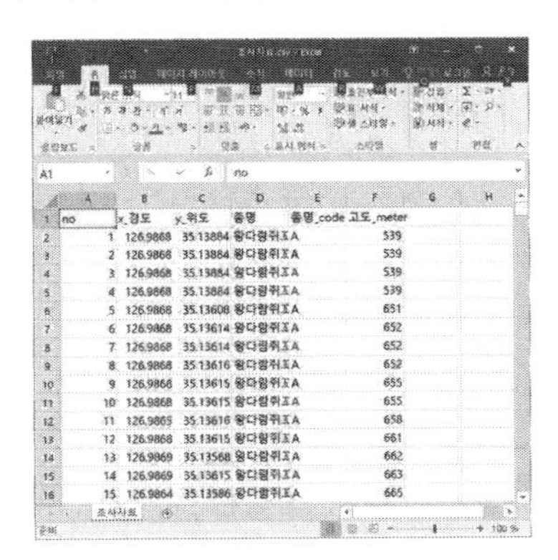

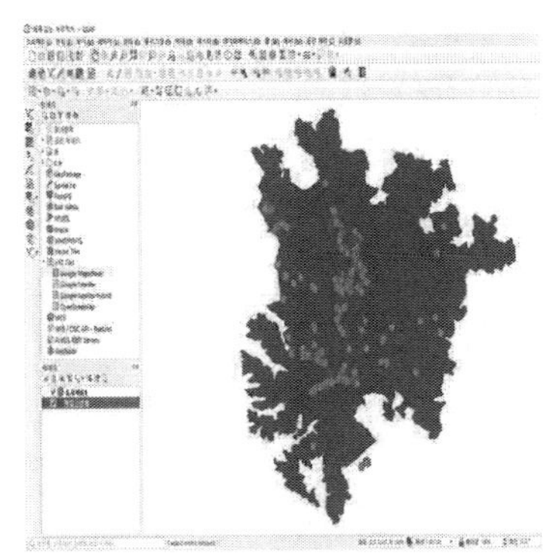

그림 1. 엑셀 파일과 GIS 데이터

엑셀 파일은 사용자가 조사한 위치 좌표와 해당 위치에 관련된 특징들을 포함해야 한다. 예를 들면, 일련번호, 경도, 위도, 포유류 종명, 해발고도와 같은 변수들로 구성될 수 있다.

위의 엑셀파일은 6개의 변수로 구성된 조사자료인데 no는 일련번호, x_경도는 x좌표, y_위도는 y좌표를 말하고 종명은 x좌표와 y좌표에 서식하는 포유류를 나타낸다. 고도는 이 지점의 해발고도를 기록한 경우이다. 이와 같이 모든 조사자료는 위치좌표와 이와 연결된 특징으로 구성되기 때문에 반드시 위의 엑셀 파일 형태로 조사자료를 기록해야 한다.

4.1 엑셀파일을 CSV 파일로 저장하기

QGIS 프로그램에서 엑셀파일을 불러오기 위해서는 그림 2와 같이 엑셀 파일을 CSV 파일형식으로 저장한 다음 QGIS에서 불러와야 한다. 왜냐하면 QGIS 프로그램은 엑셀파일을 직접적으로 불러올 수 없기 때문이다.

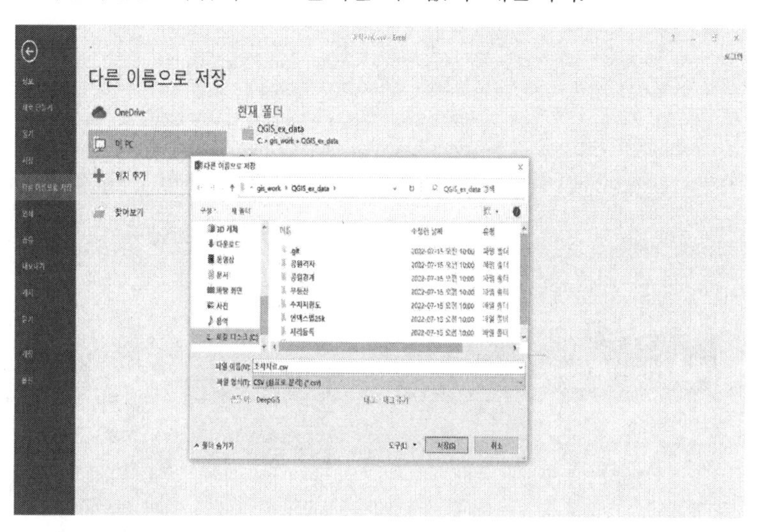

그림 2. 엑셀파일을 다른 이름으로 저장

4.2 CSV 파일을 GIS 데이터로 만들기

이제는 QGIS 프로그램에서 CSV파일을 불러오는 과정을 설명한다. CSV 파일을 불러오기 위해서 프로그램 메뉴에서 '레이어 → 레이어 추가 → 구분자로 분리된 텍스트 레이어를 추가...' 을 선택한다.

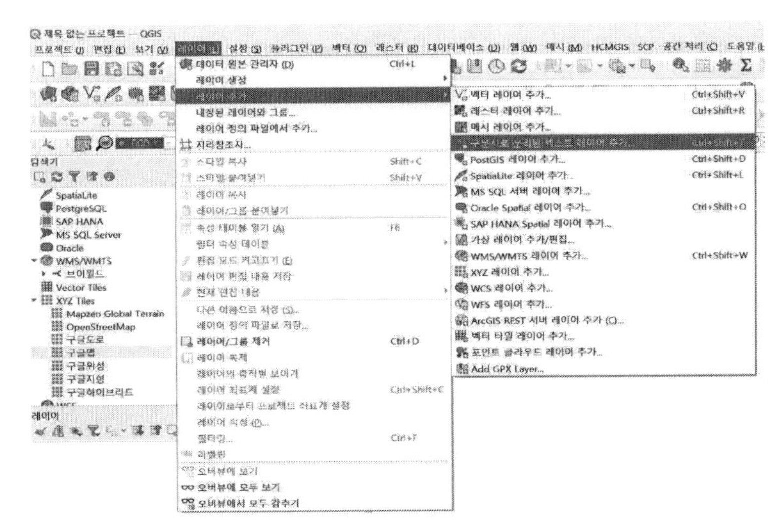

그림 3. 구분자로 분리된 텍스트 레이어를 추가

csv 파일을 선택하여 GIS파일로 생성할 수 있는 데이터 원본 관리자 | 구분자로 분리된 텍스트 대화상자가 나오게 된다. 파일이름 란의 맨 오른쪽 끝 버튼을 클릭하여 원하는 csv 파일을 선택하기 위한 대화상자를 불러온다.

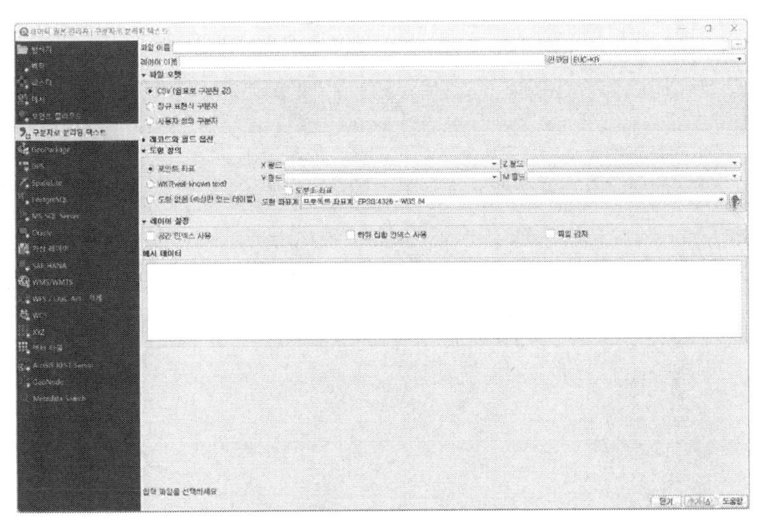

그림 4. 데이터 원본 관리자 대화상자

구분자로 분리된 텍스트 파일을 선택할 수 대화상자에서 해당하는 csv 파일을 선택한 후 열기 버튼을 클릭하면 해당 데이터가 파일이름 란에 등록된다.

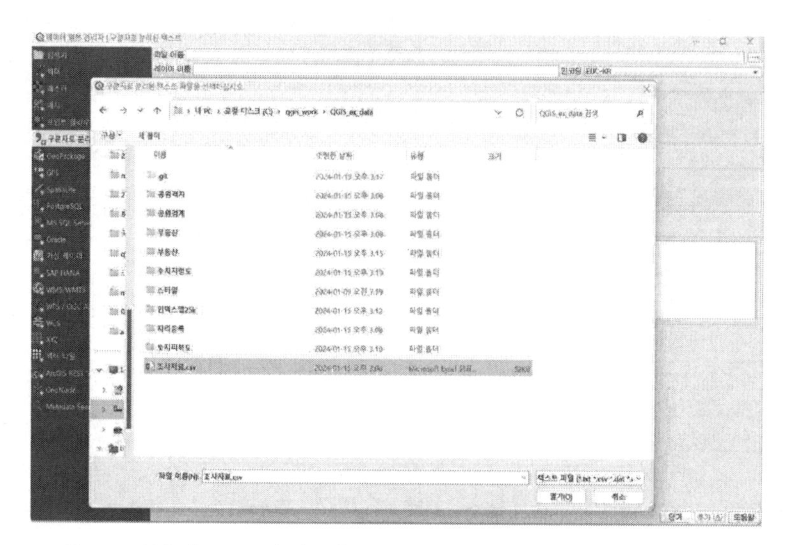

그림 5. 구분자로 분리된 텍스트 파일 선택

데이터 원본 관리자 | 구분자로 분리된 텍스트 대화상자에 조사자료.csv 파일이 등록된 후, 인코딩 Euc-KR로 설정하고 파일 포맷은 CSV(쉼표로 구분한 값)으로 한다. 도형정의에서 포인트 좌표를 체크하고 X 필드는 예시 데이터의 x_경도로 지정하고 Y필드는 y_위도로 설정한다. 도형좌표계는 EPSG:4326 - WGS84로 설정하고 추가 버튼을 선택하고 닫기 버튼을 선택한다.

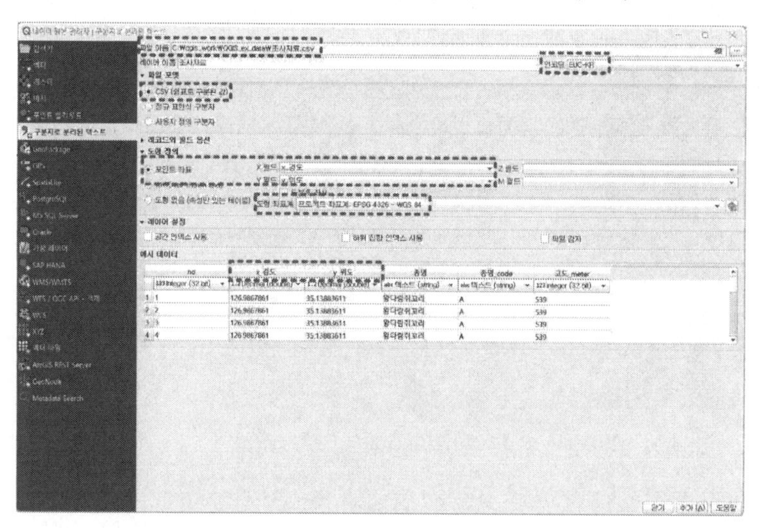

그림 6. 데이터 원본 관리자 대화상자

이렇게 추가된 GIS파일은 메모리에 임시적으로 생성되었기 때문에 영구적으로 사용하기 위해서 해당 파일을 마우스로 선택하고 마우스 오른쪽 버튼을 클릭해서 나온 팝업 메뉴에서 Export 기능 중에 객체를 다른 이름으로 저장을 선택하여 컴퓨터에 물리적으로 저장해야 한다.

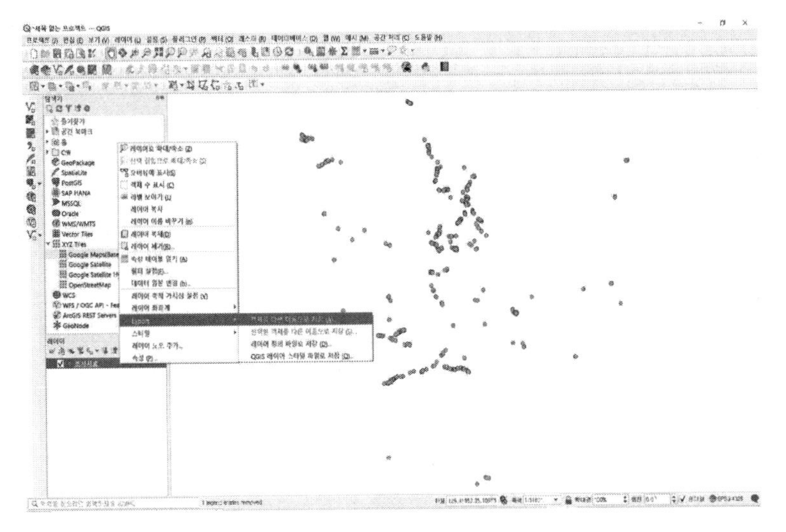

그림 7. 객체를 다른 이름으로 저장

벡터 레이어를 다른 이름으로 저장... 대화상자에서 포맷은 ESRI shapefile로 설정하고 원하는 파일이름으로 영구적으로 저장하기 위해서 파일이름 란의 맨 오른쪽 버튼을 선택한다.

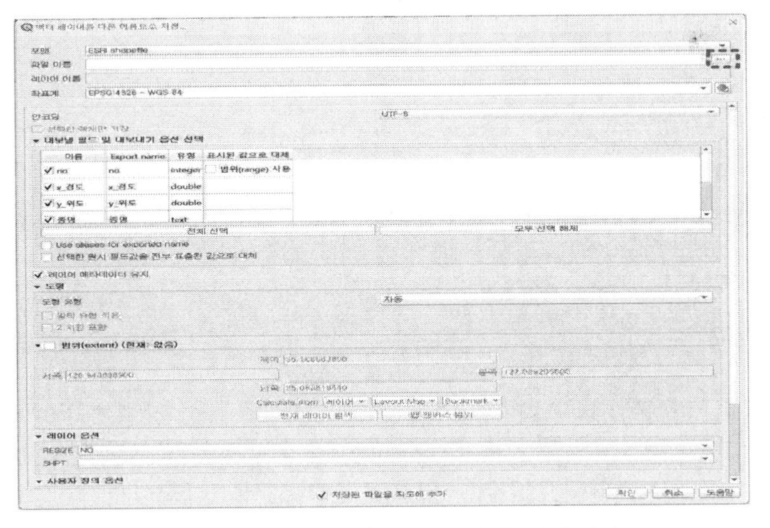

그림 8. 벡터 레이어를 다른 이름으로 저장 대화상자

레이어를 다른 이름으로 저장 대화상자에서 원하는 폴더로 이동해서 파일 형식은 ESRI shapefile(.shp, *.SHP)로 하고 파일 이름을 부여한 후 저장 버튼을 선택한다.

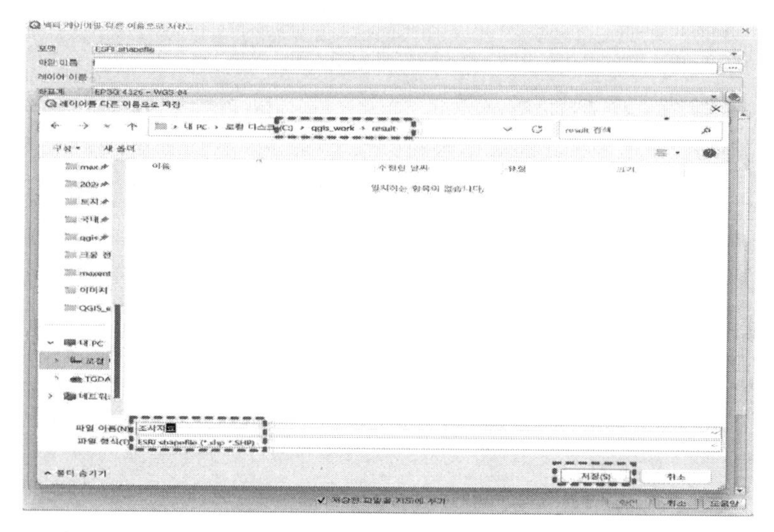

그림 9. 레이어를 다른 이름으로 저장 대화상자

파일 이름 란에 원하는 이름이 등록된 후 확인 버튼을 선택하면 영구적으로 저장된다.

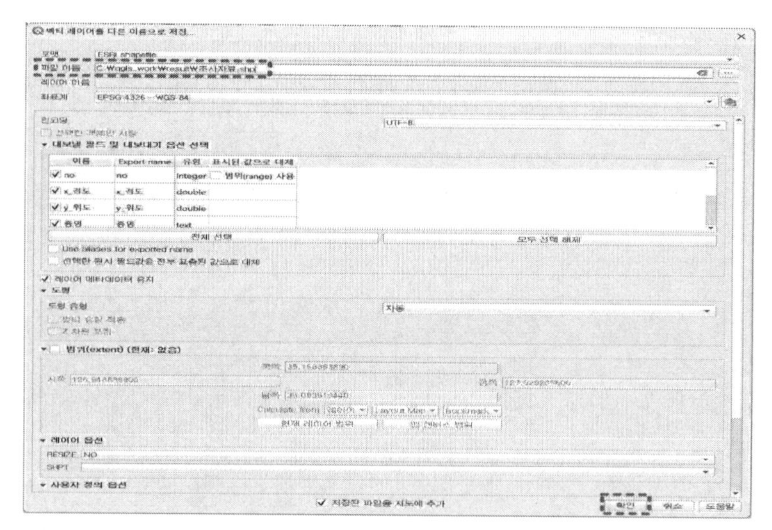

그림 10. 벡터 레이어를 다른 이름으로 저장 대화상자

최종적으로 임시로 생성된 파일은 레이어/그룹 제거 버튼을 선택하여 제거하

면 된다.

그림 11. 레이어/그룹 제거

최종적으로 csv파일이 GIS 데이터로 변환된 결과를 확인할 수 있다

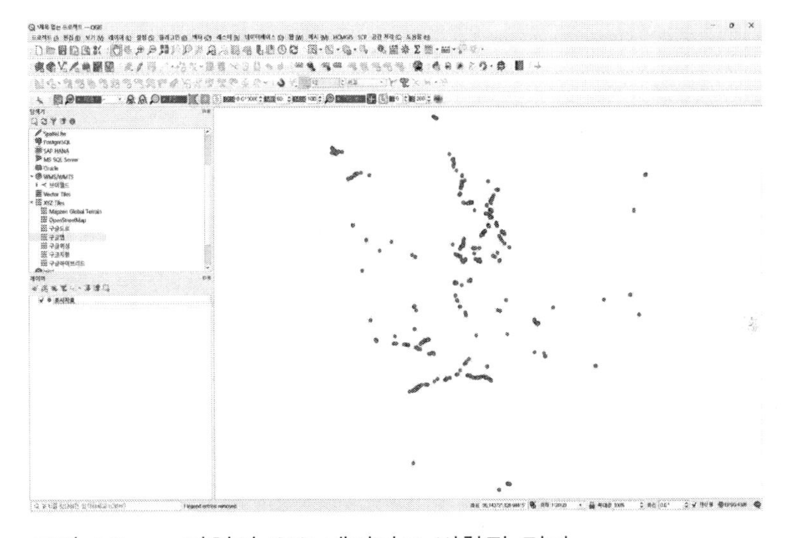

그림 12. csv파일이 GIS 데이터로 변환된 결과

위의 일련의 과정은 다음 유투브에서 쉽게 확인할 수 있다. 유투브 동영상 URL: https://youtu.be/YpzPr6XMnpU

이번 과정을 마친다. 머리로 하는 이해는 내일이면 잊혀 진다. 항상 몸으로 익숙해지도록 하길 바란다. 같은 내용을 100번 하면 자신의 내공으로 쌓인다.

제5장 기존 GIS 파일 불러오기

QGIS 프로그램을 이용해서 GIS 다양한 기능을 이용하기 위해서 다양한 데이터를 이용한다. GIS는 크게 두 가지 데이터 유형을 이용한다.

하나는 점, 선, 면 등 다각형 형태의 자료인 벡터 데이터와 그림이나 사진과 같은 픽셀 형태로 구성된 래스터 데이터이다.

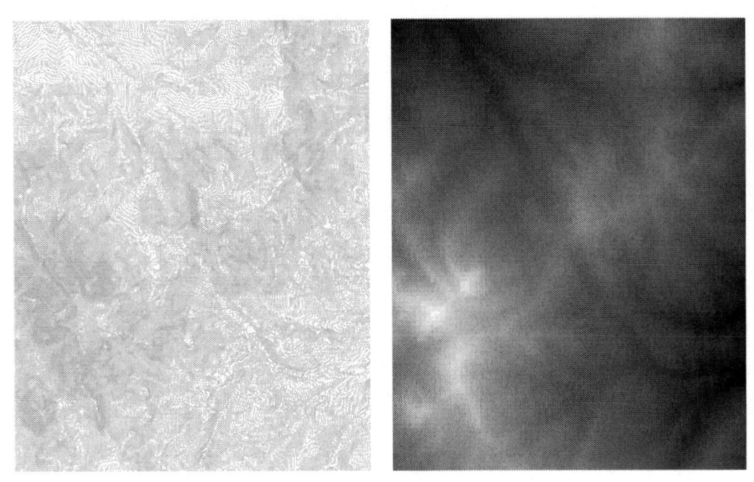

그림 1. 벡터 데이터와 래스터 데이터

이 장은 엑셀파일을 이용해서 GIS파일로 제작한 파일이나 기존에 제작된 파일을 불러오는 방법을 설명한다.

사용자가 현지에서 조사하거나 구글지도에서 획득한 위치좌표를 정리하고 기록한 엑셀파일로 GIS자료를 만들었다면 향후, GIS 분석 작업을 위해서 기존에 생성한 파일을 불러오거나 국가에서 제공하는 GIS자료, 다른 사용자가 제작한 자료를 불러오는 경우가 발생한다.

5.1 기존 GIS 벡터 데이터 불러오기

이를 위해서 그림 같이 레이어 메뉴의 레이어 추가 기능 중에서 벡터 레이어 추가를 선택한다.

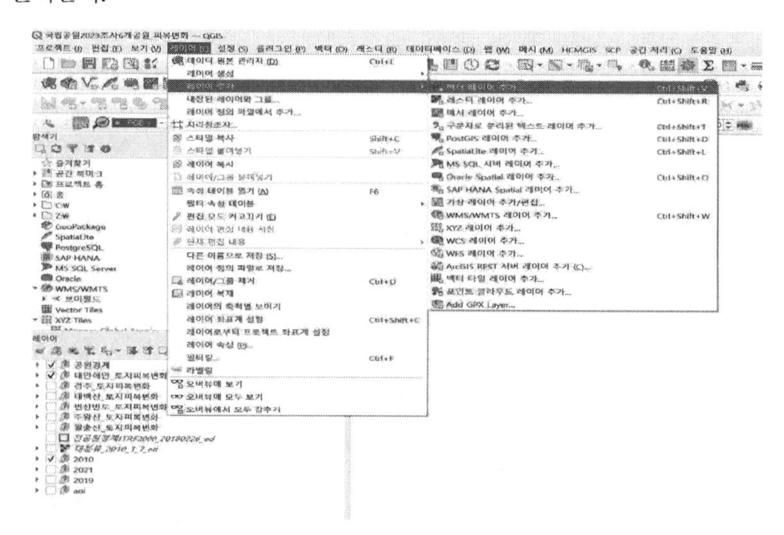

그림 2. 벡터 레이어 추가

또는 툴바에서 데이터 원본 관리자 열기 툴을 선택한다.

그림 3. 데이터 원본 관리자 열기 툴

데이터 원본 관리자 대화상자에서 왼쪽 패널에 벡터 데이터셋(들) 란의 오른쪽에 있는 버튼을 클릭한다.

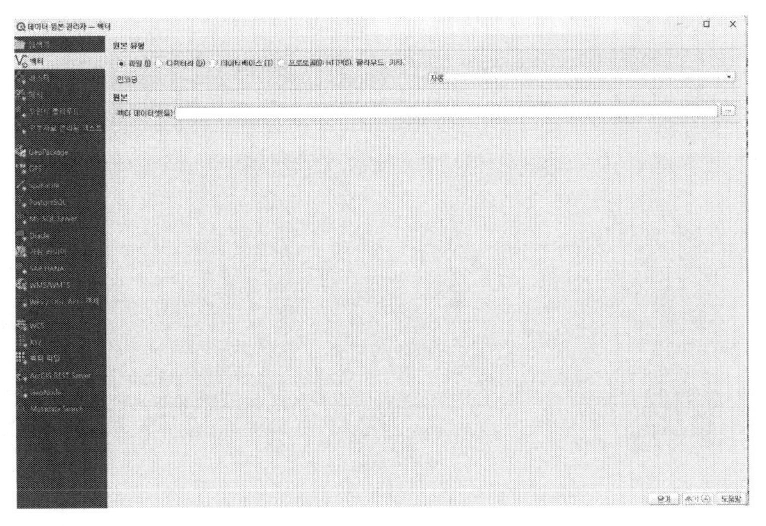

그림 4. 데이터 원본 관리자 대화상자

OGR 지원 벡터 데이터셋(을) 열기 대화상자에서 C:\qgis_work\QGIS_ex_data \토지피복도 폴더에 있는 월출산국립공원_세분류_2021.shp 파일을 선택하고 열기 버튼을 클릭한다.

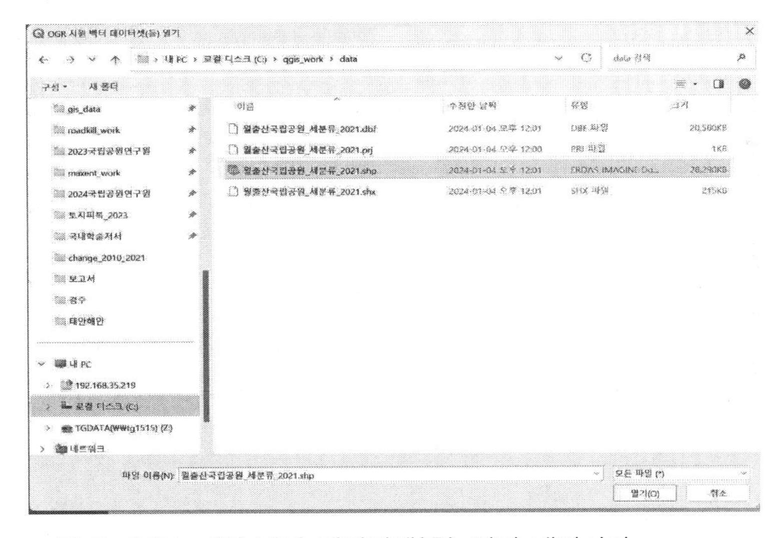

그림 5. OGR 지원 벡터 데이터셋(을) 열기 대화상자

데이터 원본 관리자 대화상자에서 불러오고자 하는 파일이 제대로 입력되었는지 확인하고 추가 버튼을 클릭한 후 닫기 버튼을 클릭한다.

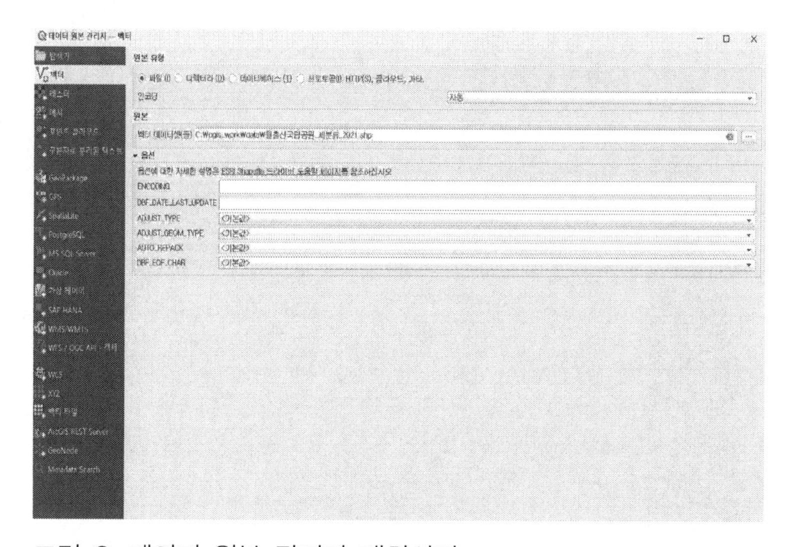

그림 6. 데이터 원본 관리자 대화상자

최종적으로 불러오고자 하는 벡터 파일을 확인할 수 있다.

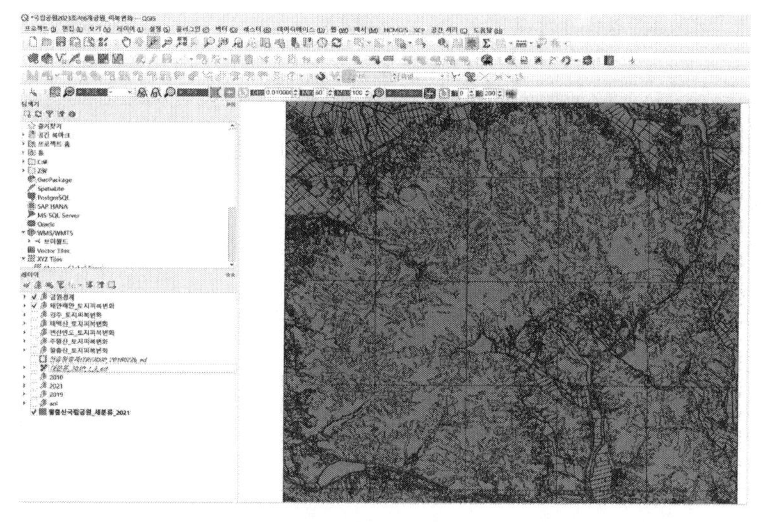

그림 7. 맵 창에 열린 벡터 데이터

5.2 기존 GIS 래스터 데이터 불러오기

래스터 데이터인 DEM 데이터를 불러오기 위해서 레이어→레이어 추가 →래스터 레이어 추가...을 선택한다.

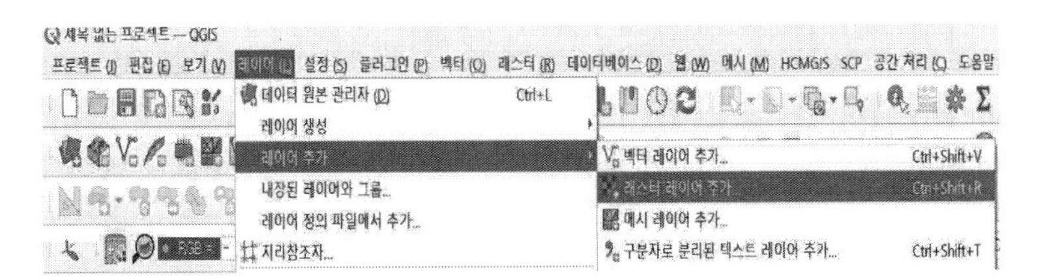

그림 8. 래스터 레이어 추가

데이터 원본 관리자 대화상자에서 래스터를 선택하고 래스터 데이터셋(들) 란의 오른쪽에 있는 버튼을 선택한다.

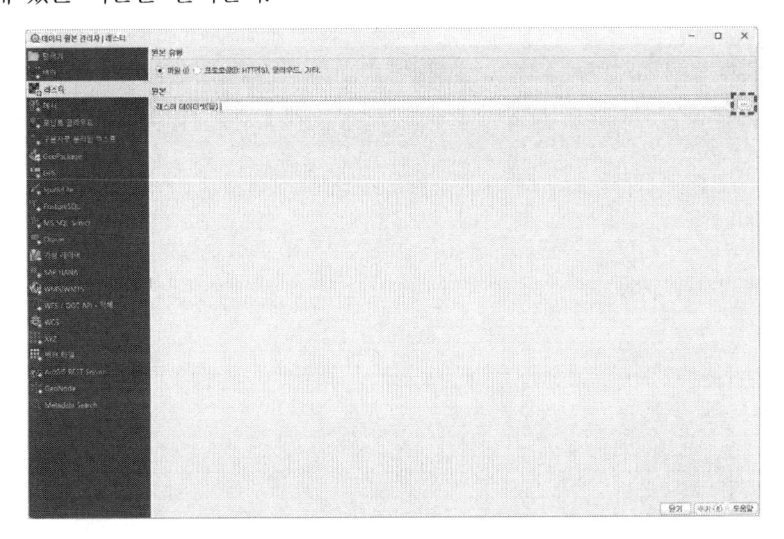

그림 9. 데이터 원본 관리자 대화상자

래스터 데이터셋(들) 열기 대화상자에서 앞서 생성한 DEM 데이터인 c:\qgis_work\QGIS_ex_data\수치지형도 폴더에 있는 tin30.tif 파일을 선택하고 열기 버튼을 선택한다.

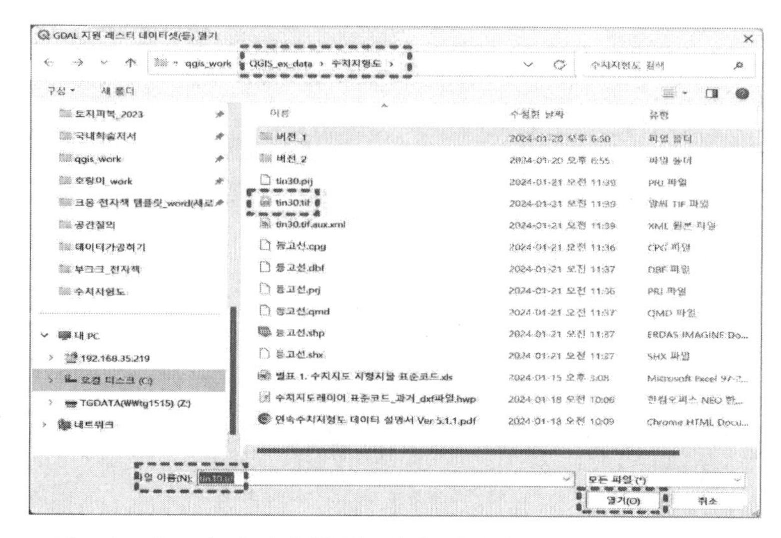

그림 10. 래스터 데이터셋(들) 열기 대화상자

데이터 원본 관리자 대화상자에서 등록된 내용을 확인하고 추가 버튼을 클릭하고 닫기 버튼을 선택한다.

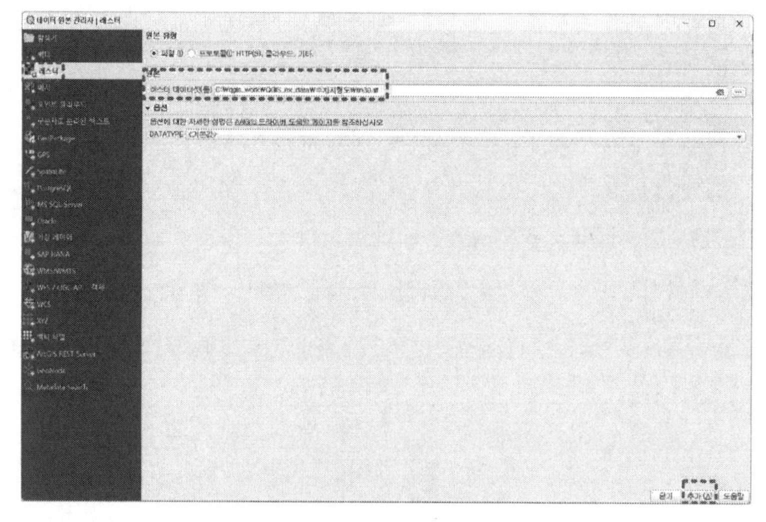

그림 11. 데이터 원본 관리자 대화상자

맵 창에서 흑백 색상의 DEM 레이어를 볼 수 있다.

그림 12. 흑백 색상의 DEM 레이어

위의 일련의 과정을 다음 유투브 강좌를 참고하기 바란다.

유투브 동영상 URL: https://youtu.be/G3SgG9axDL8

이번 강좌를 마친. 머리로 하는 이해는 내일이면 잊혀 진다. 항상 몸으로 익숙해지길 바란다. 같은 내용을 100번 하면 자신의 내공으로 쌓인다.

제6장 GIS 좌표계 변환하기

다양한 GIS자료를 함께 사용하기 위해서는 좌표계를 통일해야 한다. 좌표계 변환은 크게 3차원을 2차원으로 변경하는 작업이라고 생각하면 쉽다.

특히, 우리나라는 주로 3차원 좌표계로 WGS84 경위도좌표계를 사용하고 2차원 좌표계는 GRS80 타원체의 TM좌표계를 주로 활용하기 때문에 이 좌표계를 중심으로 기억하고 이해하면 된다.

흔히 GPS 기기나 스마트폰, 구글지도에서 나온 장소나 위치와 관련된 경위도 좌표(아래 그림 빨간색 사각박스)는 WGS84 타원체 경위도 좌표계로 3차원 좌표계이고 이를 이용해서 면적이나 거리를 재기 위해서 2차원으로 변경해야하는데 이때 사용하는 2차원좌표계는 GRS80 타원체 TM좌표계라고 생각하면 된다.

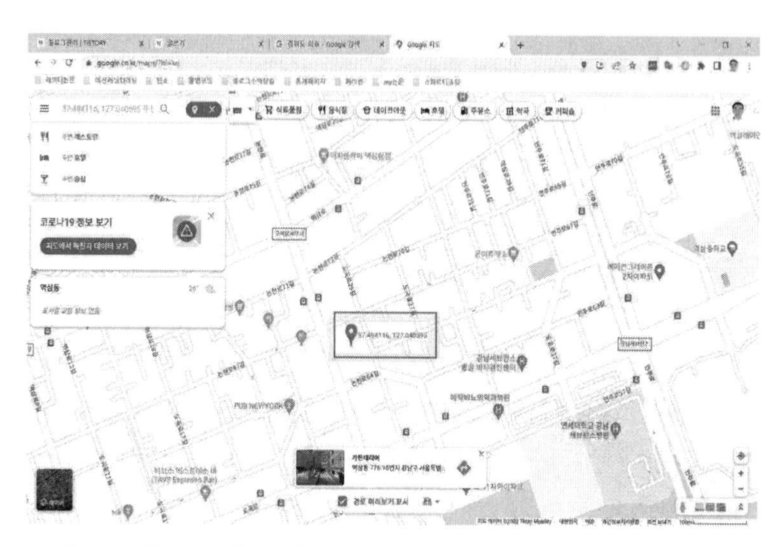

그림 1. 구글지도의 경위도 좌표

전 세계적으로 지리좌표계는 흔히 GPS 좌표계라고 하는 WGS84 경위도 좌표계(EPSG: 4326)를 사용한다. 우리나라 좌표계는 GRS80 TM 중부원점 좌표계(EPSG: 5186)를 널리 활용되지만 전국 단위는 GRS80 UTM-K 좌표계(EPSG: 5179)를 이용한다.

QGIS 프로그램에서 좌표계 명칭으로 본다면 WGS84 타원체 경위도 좌표계는 EPSG 4326으로 지칭하고 GRS80 타원체 TM좌표계는 EPSG 5186으로 지칭하고 있다. 두 가지 좌표계만 알아도 GIS 좌표변환에 대해서는 쉽게 처리할 수 있다.

6.1 GIS 좌표계 변환하기

이제 QGIS 프로그램에서 좌표계 변환하는 과정을 설명한다.

우선 기존에 제작된 GIS 파일을 불러온다. QGIS 프로그램의 툴바 중 데이터 원본 관리자 열기 툴을 선택한다.

그림 2. 데이터 원본 관리자 열기 툴

데이터 원본 관리자 대화상자에서 벡터 데이터셋(들) 입력란의 맨 오른쪽 버튼을 선택해서 기존 파일을 열기 위한 대화상자를 불러온다.

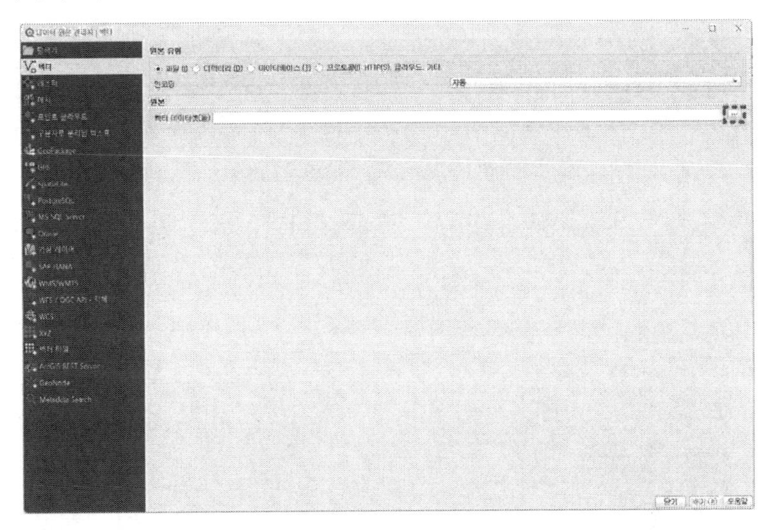

그림 3. 데이터 원본 관리자 대화상자

벡터 데이터셋(들) 열기 대화상자에서 파일을 검색하여 기존파일(조사자료.shp)을 선택하고 열기 버튼을 클릭한다.

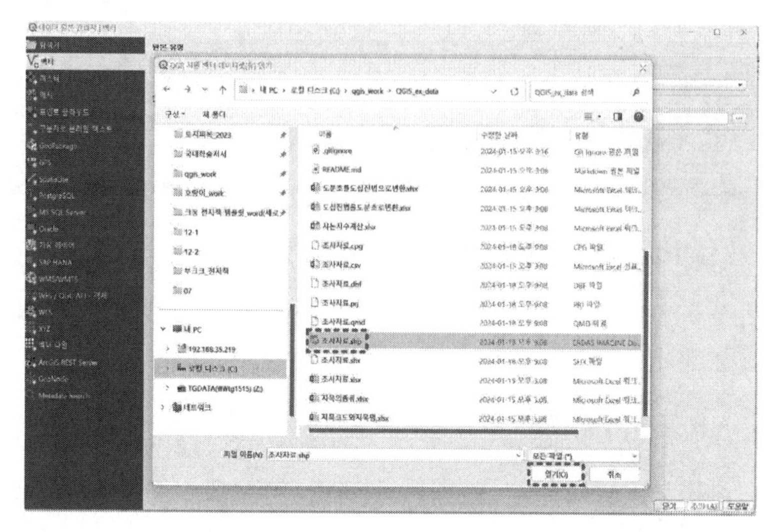

그림 4. 벡터 데이터셋(들) 열기 대화상자

데이터 원본 관리자 대화상자에서 벡터 데이터 셋(들) 란에 기존 파일일 등록된 것을 확인하고 추가 버튼을 선택한 후 닫기 버튼을 클릭한다.

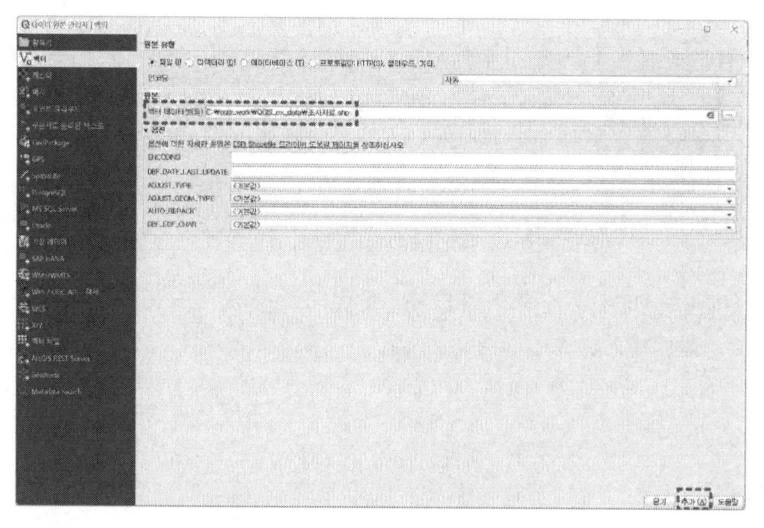

그림 5. 데이터 원본 관리자 대화상자

현재 불러온 파일의 좌표계를 확인하기 위해서 파일을 선택하고 마우스 오른쪽 버튼을 클릭해서 나온 팝업 메뉴에서 속성을 선택한다.

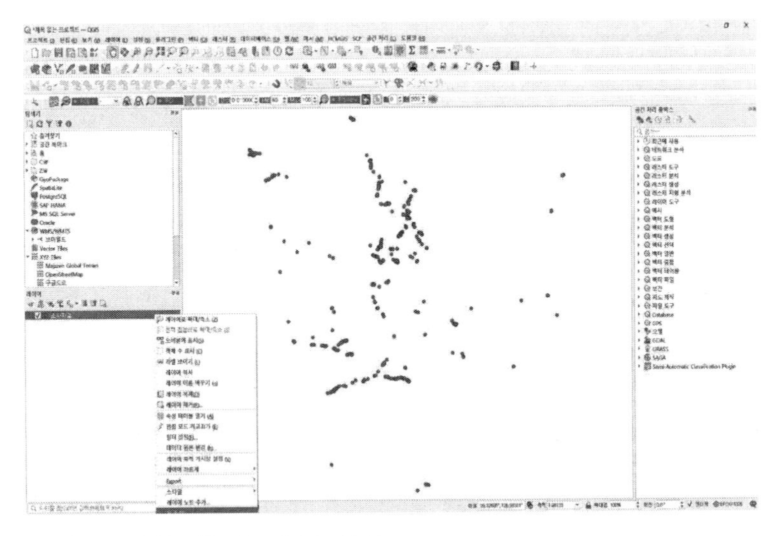

그림 6. 팝업 메뉴의 속성 선택

속성 대화상자의 왼쪽 패널에서 정보를 선택하고 좌표계(CRS)의 정보를 보면 WGS84 경위도 좌표계임을 알 수 있다.

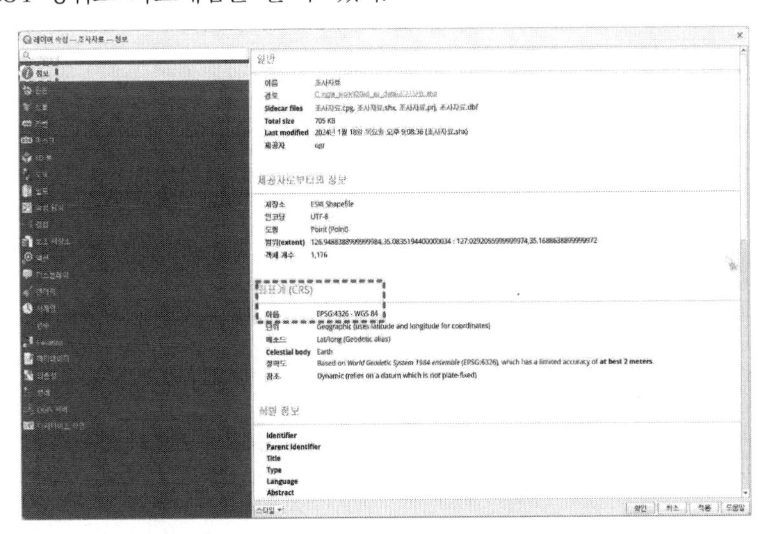

그림 7. 속성 대화상자의 좌표계 정보

WGS84 좌표계를 GRS80 TM좌표계로 변환하기 위해서는 파일이름을 선택하고 마우스 오른쪽 버튼을 클릭해서 나온 팝업 메뉴에서 Export 기능 중에서 객체를 다른 이름으로 저장(A)...을 선택한다.

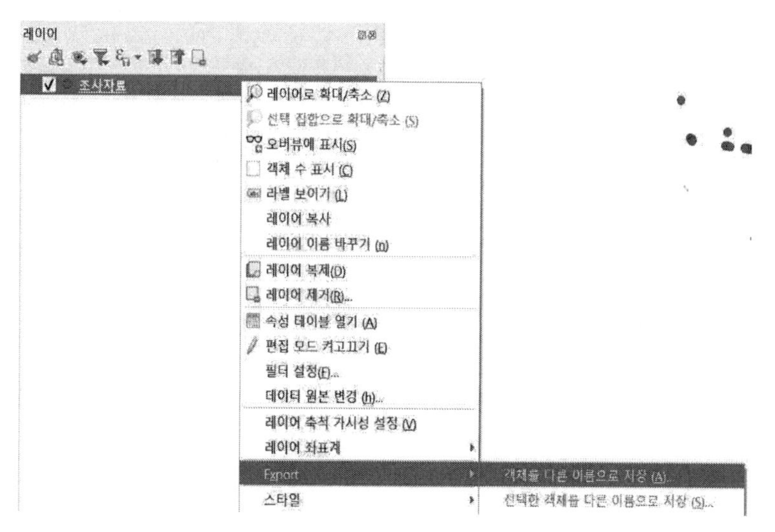

그림 8. 객체를 다른 이름으로 저장

벡터 레이어를 다른 이름으로 저장 대화상자에서 좌표계는 GRS80 TM좌표계 중부원점인 EPSG: 5186으로 선택하고 파일 이름 란의 맨 오른쪽 있는 버튼을 클릭한다.

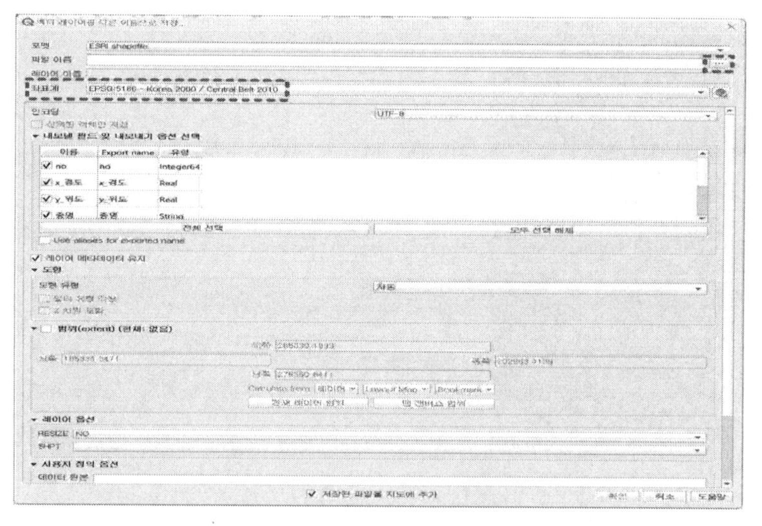

그림 9. 벡터 레이어를 다른 이름으로 저장

레이어를 다른 이름으로 저장 대화상자에서 사용자가 원하는 폴더로 이동해서 파일이름을 조사자료_e5186.shp으로 지정하고 저장 버튼을 선택한다.

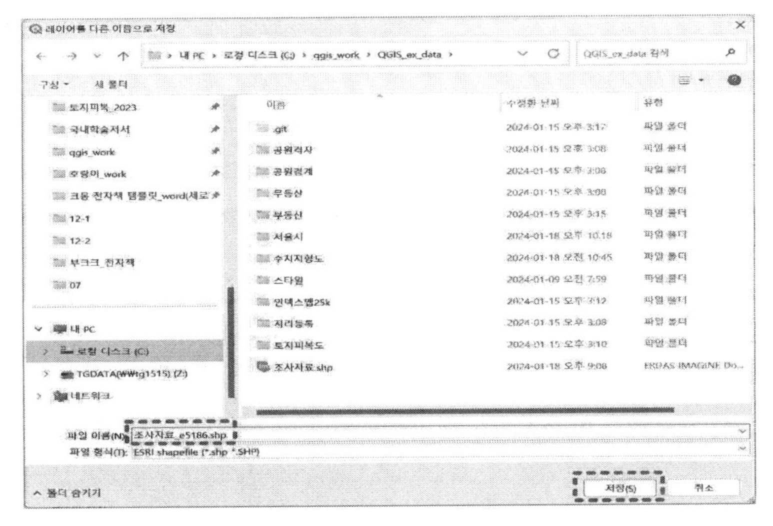

그림 10. 레이어를 다른 이름으로 저장 대화상자

결과적으로 조사자료.shp파일은 WGS84 좌표계이고 조사자료_e5186.shp 파일은 GRS80 TM좌표계이다.

앞으로 GIS 작업을 할 때는 이 두 좌표계 중 하나로 통일해서 작업을 진행해야 한다. 한 가지 유념할 것은 WGS84좌표계는 단위가 도이기 때문에 면적이나 길이 등 측량에 관한 정보를 미터법으로 직관적으로 알 수가 없다. 그래서 가능한 WGS84 좌표계는 GRS80 TM좌표계 변환해서 작업을 하는 것이 유리하다.

위의 일련의 과정은 다음 유투브에서 쉽게 확인할 수 있다.

유투브 동영상 URL: https://youtu.be/3AJ0FD6PkFw

제7장 구글지도와 GIS 파일 중첩하기

QGIS 프로그램에서 벡터 데이터만을 불러오면 실제 지리적 위치를 확인하기가 쉽지는 않다. 따라서 구글지도를 배경으로 사용하여 벡터 데이터가 지도상 어디에 해당하는지를 알아보기 위해서 구글지도와 같은 래스터 형태의 자료를 중첩해서 보면 지리적 위치를 확인하는데 보다 용이할 수 있다.

7.1 구글지도 불러오기

이 장에서는 QGIS 프로그램에서 구글지도를 불러오고 벡터파일과 중첩하는 과정을 설명한다.

구글지도를 배경으로 사용하기 위해서 QGIS 프로그램의 탐색기 창에서 XYZ Tiles 기능을 이용한다.

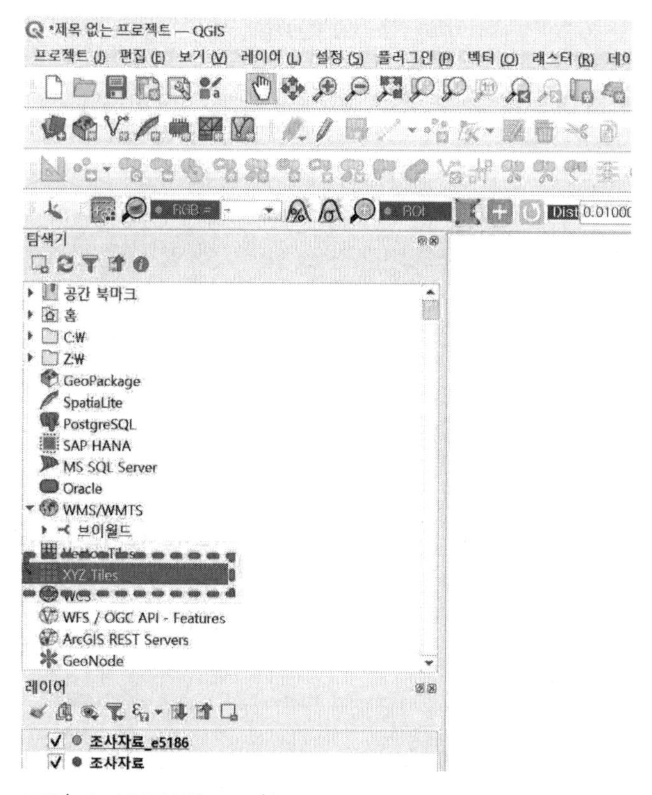

그림 1. XYZ Tiles 기능

마우스 오른쪽 버튼을 클릭하고 새 연결...기능을 선택하여 다음의 구문을 이용해서 구글지도를 다양한 형태로 불러올 수 있다.

- Google Maps: https://mt1.google.com/vt/lyrs=r&x={x}&y={y}&z={z}
- Google Satellite: http://www.google.cn/maps/vt?lyrs=s@189&gl=cn&x={x}&y={y}&z={z}
- Google Satellite Hybrid: https://mt1.google.com/vt/lyrs=y&x={x}&y={y}&z={z}
- Google Terrain: https://mt1.google.com/vt/lyrs=t&x={x}&y={y}&z={z}
- Google Roads: https://mt1.google.com/vt/lyrs=h&x={x}&y={y}&z={z}

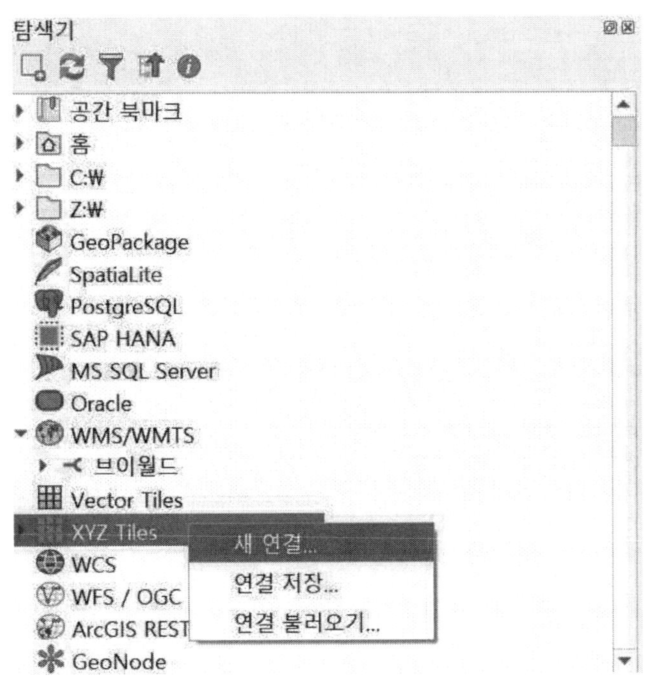

그림 2. XYZ Tiles의 새 연결

xyz 연결 대화상자에서 이름 란에 Google Maps를 입력하고 https://mt1.google.com/vt/lyrs=r&x={x}&y={y}&z={z}를 URL 란에 입력하면 구글 일반지도를 불러올 수 있다.

이와 같이 나머지 4가지 형태의 구글지도를 연결하여 사용할 수 있다. Google Satellite는 위성사진이고, Google Satellite Hybrid는 위성사진이과 일반지도가 함께 나오는 지도이다. Google Terrain은 지형의 형태를 보여주는 지도이고 Google Roads는 도로망을 보여주는 지도이다.

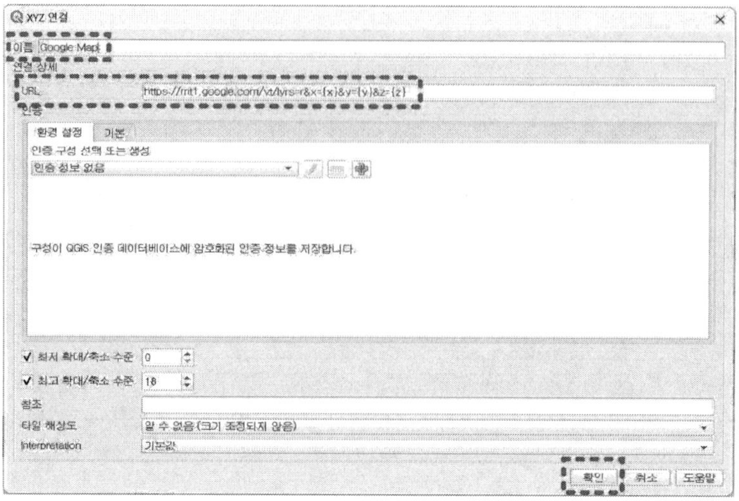

그림 3. XYZ 연결 대화상자

구글 일반지도를 불러오기 위해서 탐색기 창에서 XYZ Tiles에 등록된 Google Map을 더블 클릭하면 된다.

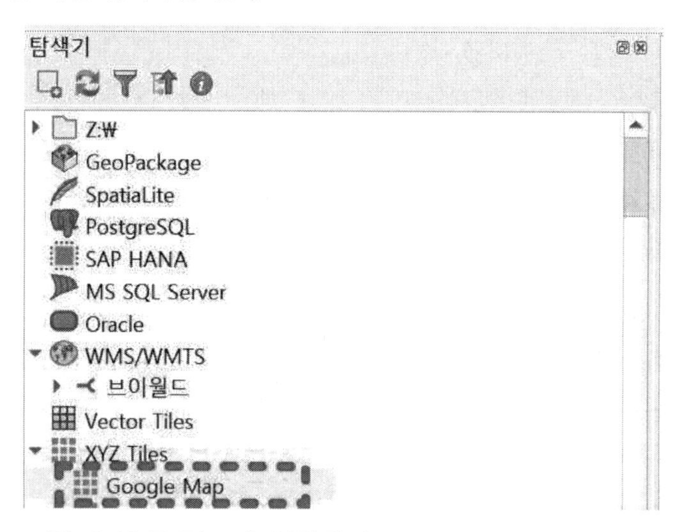

그림 4. XYZ Tiles에 연결된 Google Map

7.2 구글지도에 기존 벡터 데이터 불러오기

구글지도에 기존 조사자료.shp 파일을 불러온 결과 무등산국립공원에 위치한 데이터임을 알 수 있다.

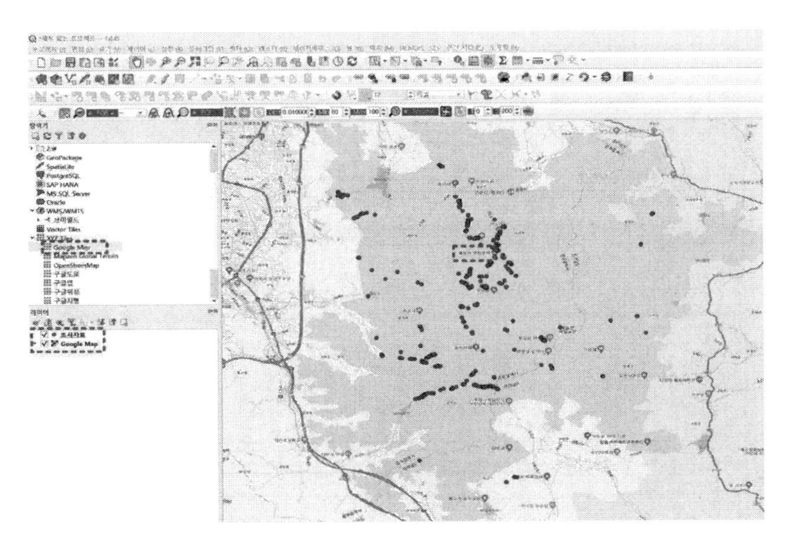

그림 5. 기존 조사자료와 구글지도 중첩 결과

위의 일련의 과정은 다음 youtube에서 쉽게 확인할 수 있다.

유투브 동영상 URL: https://youtu.be/3AJ0FD6PkFw

제8장 GIS 데이터 검색하기

QGIS 프로그램에서 GIS 데이터 검색은 크게 2가지 유형이 있다. 하나는 속성에 의해 검색하는 경우와 위치에 따른 검색이 그 경우이다. 전자는 속성질의, 후자는 공간질의라고도 한다.

이 장에서 속성질의와 공간질의에 대해서 설명한다. 속성질의는 23개 국립공원에서 북한산국립공원 경계만을 선택하는 예시로 설명하고 공간질의는 무등산국립공원의 생물자원 밀도를 구하는 예시로 설명한다.

8.1 속성질의 하기

속성질의를 설명하기 위해서 우선 국립공원 경계 데이터를 불러온다. 레이어 메뉴의 레이어 추가 기능 중에서 벡터 레이어 추가를 선택해서 불러올 수 있다.

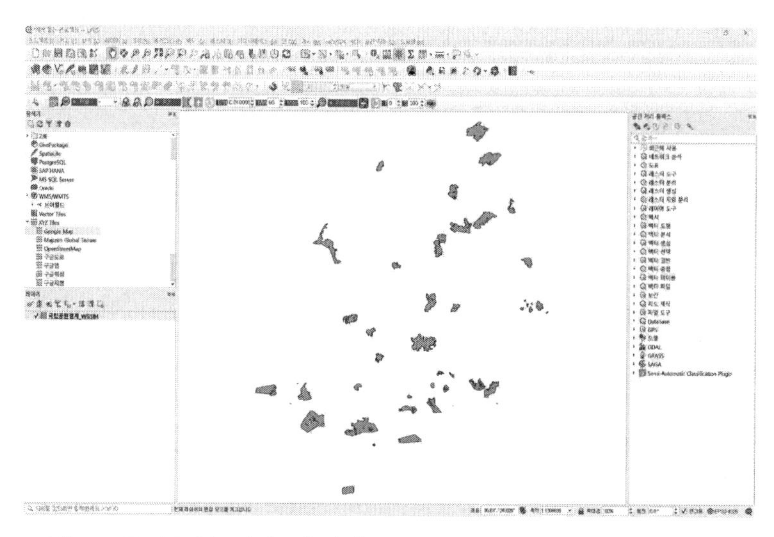

그림 1. 국립공원 경계 데이터

북한산국립공원 경계를 따로 선택하기 위해서 국립공원 경계 데이터를 선택하고 마우스 오른쪽 버튼을 클릭해서 나온 팝업 메뉴에서 속성테이블 열기(A)를 선택한다.

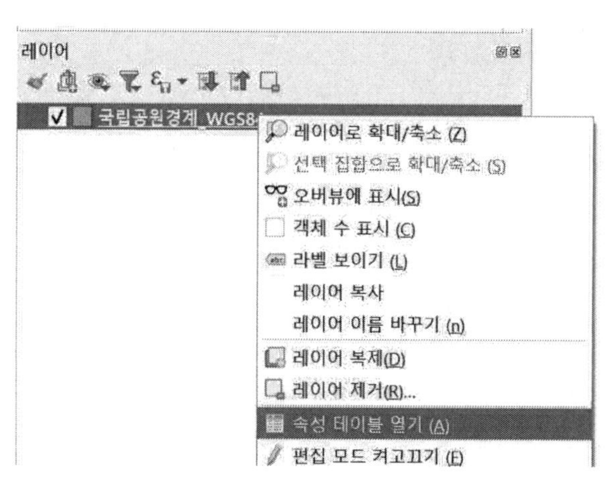

그림 2. 속성테이블 열기

속성테이블의 툴바에서 표현식으로 객체 선택 툴을 선택한다.

국립공원경계_WGS84 — Features Total: 22, Filtered: 22, Selected: 0

표현식을 이용해서 객체 선택

	OBJECTID	국립공원			고시면적	공원면적
1	1	가야산	09	1	76.25600000000	94578981
2	2	경주	02	1	136.550000000...	167477143
3	3	계룡산	03	1	65.33500000000	79896952
4	4	내장산	08	1	80.70800000000	98214448
5	5	다도해해상	14	1	2266.22100000...	2750602772
6	6	덕유산	10	1	229.430000000...	281543048
7	7	변산반도	20	1	153.934000000...	190282674
8	8	북한산	15	1	76.92200000000	98179065
9	9	설악산	05	1	398.237000000...	506919237
10	10	소백산	18	1	322.011000000...	403297850
11	11	속리산	06	1	274.766000000...	344890132
12	12	오대산	11	1	326.348000000...	414428185
13	13	월악산	17	1	287.571000000...	355283166
14	14	월출산	19	1	56.22000000000	68242298
15	15	주왕산	12	1	105.595000000...	131455835

그림 3. 표현식으로 객체 선택 툴

표현식으로 선택 대화상자의 중간패널에서 필드와 값은 속성으로 국립공원을 선택한다. 오른쪽 패널에서 모든 유일값 버튼을 클릭해서 국립공원 속성 값을 확인한다. 표현식에 "국립공원" = '북한산'을 입력하고 객체를 선택한다.

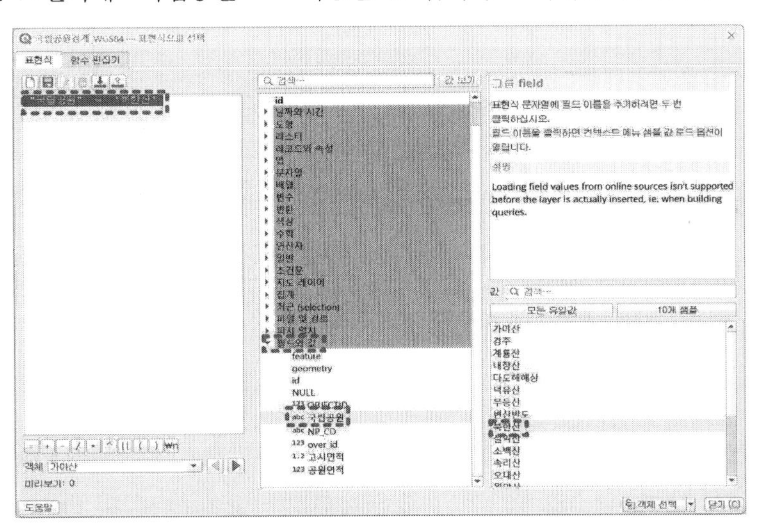

그림 4. 표현식으로 선택 대화상자

북한산국립공원 경계만 노란색으로 표현된다.

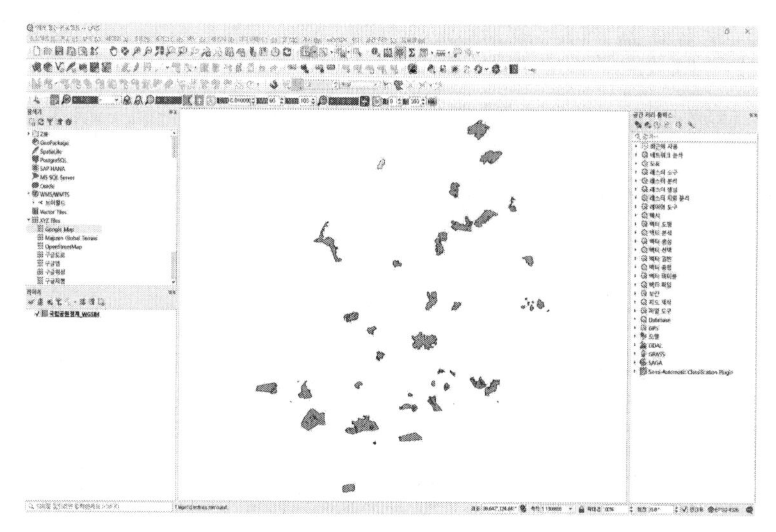

그림 5. 선택된 북한산국립공원 경계

또한 마우스로도 특정 국립공원경계를 선택할 수 있다. 그림 같이 전국 국립공원 경계파일을 선택하고 빨간 점선을 표시된 영역 또는 클릭으로 객체 선택 툴을 선택한다.

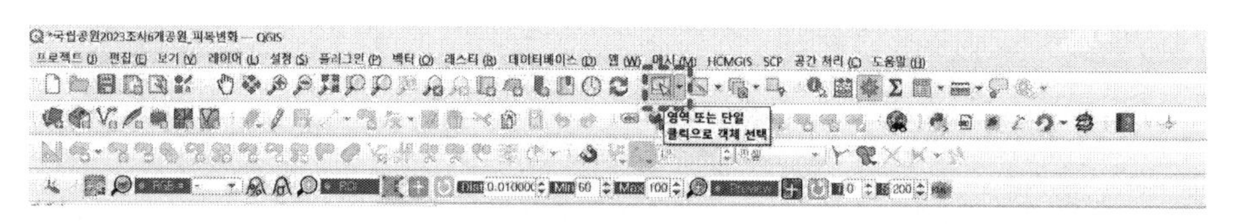

그림 6. 영역 또는 클릭으로 객체 선택 툴

QGIS 프로그램의 맵 창에서 해당하는 공원 경계를 포함할 수 있도록 마우스로 좌측상단 지점과 우측하단 지점을 클릭해서 선택한다.

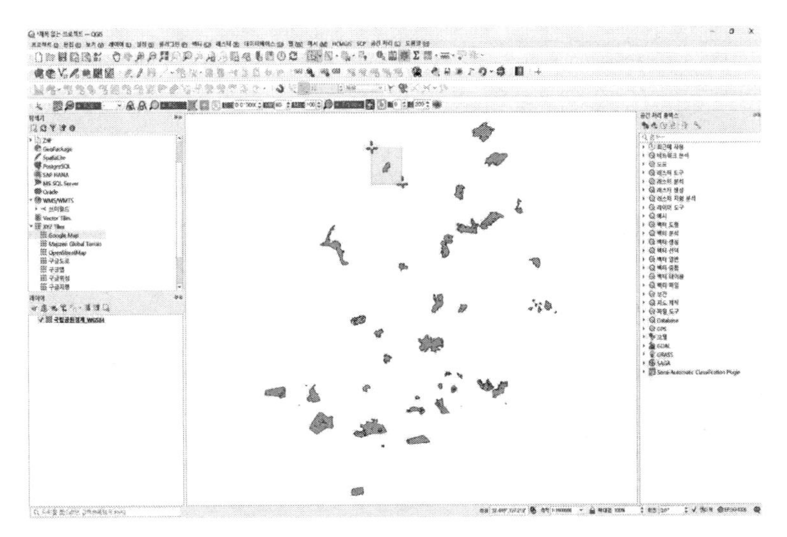

그림 7. 북한산국립공원 경계 선택

선택한 북한산국립공원 경계를 별도로 저장하기 위해서 국립공원 경계 파일을 선택하고 마우스 오른쪽 버튼을 클릭해서 나온 팝업 메뉴에서 Export 기능 중에서 선택한 객체를 다른 이름으로 저장(S)...을 선택한다.

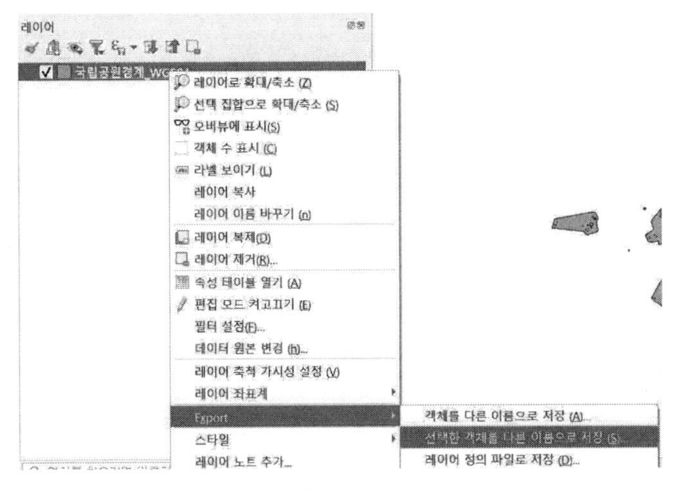

그림 8. 선택한 객체를 다른 이름으로 저장

레이어를 다른 이름으로 저장 대화상자에서 파일이름을 북한산국립공원경계라고 하고 저장 버튼을 선택한다.

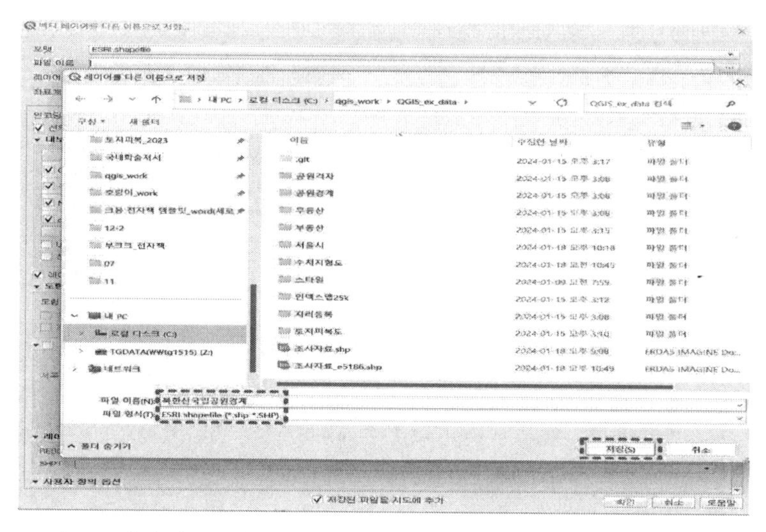

그림 9. 레이어를 다른 이름으로 저장 대화상자

벡터 레이어를 다른 이름으로 저장 대화상자에서 포맷 파일이름, 좌표계를 검토하고 확인 버튼을 클릭한다.

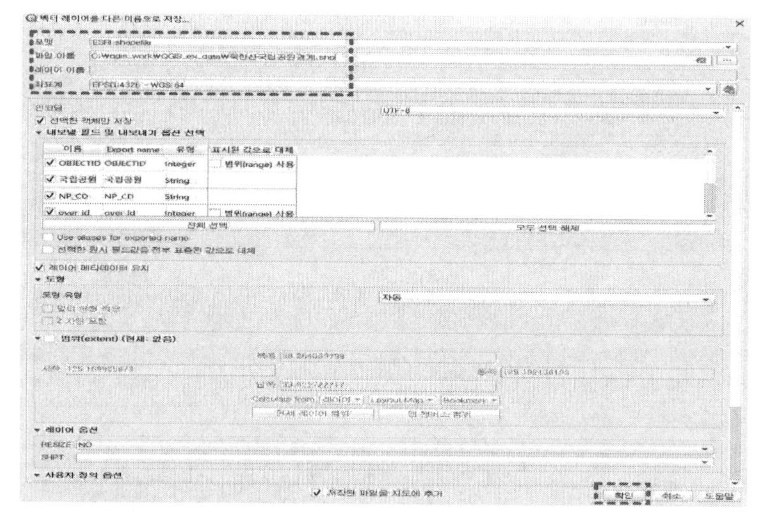

그림 10. 벡터 레이어를 다른 이름으로 저장 대화상자

최종적으로 선택된 북한산국립공원 경계를 화면에 꽉 채워 표현하기 위해서 파일을 선택하고 마우스 오른쪽 버튼을 클릭해서 나온 팝업 메뉴에서 레이어로 확대/축소 기능을 선택한다.

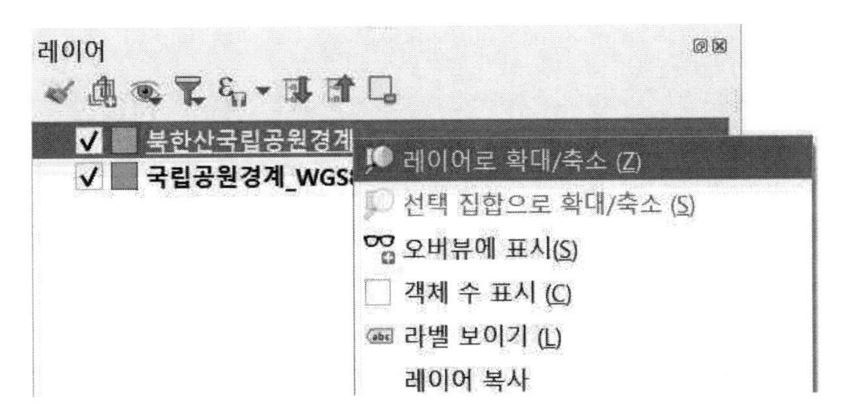

그림 11. 레이어로 확대/축소

맵 창에 맞게 북한산국립공원 경계가 확대되어 나타난 것을 볼 수 있다.

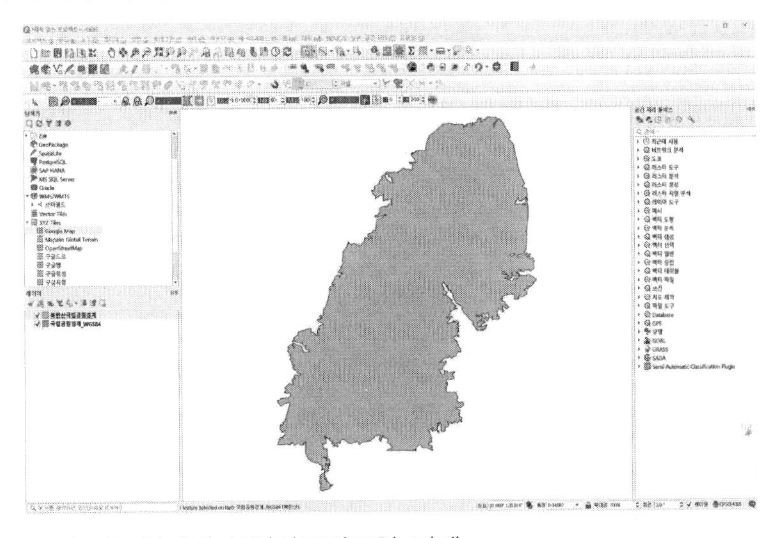

그림 12. 확대된 북한산국립공원 경계

위의 일련의 과정은 다음 유튜브에서 쉽게 확인할 수 있다.

유튜브 동영상 URL: https://youtu.be/3AJ0FD6PkFw

8.2 공간질의 하기

무등산국립공원의 생물자원 밀도를 구하는 공간질의를 설명하기 위해서 두 개의 벡터 데이터가 필요하다. 하나는 무등산국립공원경계와 생물자원 위치 데이터이다.

우선 두 데이터는 레이어 메뉴의 레이어 추가 → 벡터 레이어 추가를 선택하여 불러온다. 실습데이터를 다운받았다면 무등산국립공원 경계는 C:\qgis_work\QGIS_ex_data\무등산 폴더에 있는 무등산경계_GRS80TM.shp 파일이고 생물자원 데이터는 C:\qgis_work\QGIS_ex_data\무등산\생물자원 폴더에 있는 조사자료_e5186,shp 파일이다.

불러온 파일은 모두 EPSG 5186 좌표계에서 제작되었다. 좌표계 확인은 파일을 선택하고 속성정보를 확인하면 된다. 제6장을 참고하면 된다.

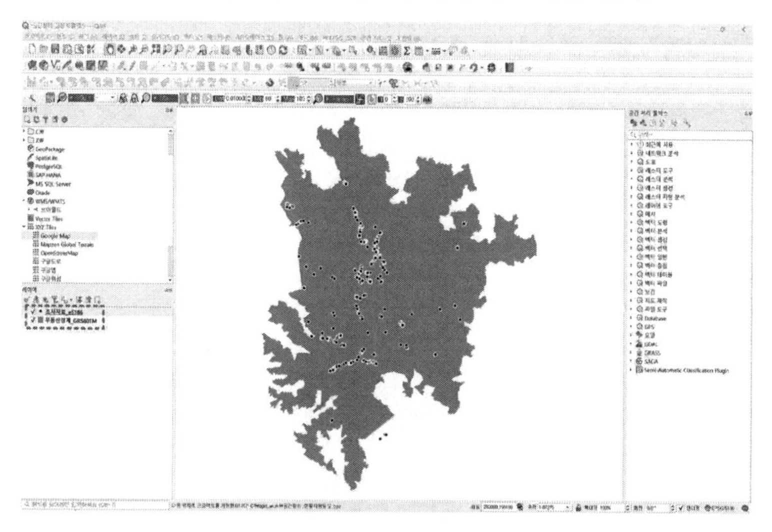

그림 13. 무등산국립공원 경계와 생물자원

생물자원 밀도를 구하기 위해서 무등산국립공원 경계에 맞는 일정 크기의 격자 형태의 자료가 필요하다. 생물자원 밀도는 특정지역 면적에 대한 생물자원의 개수로 계산이 되기 때문이다.

특정 크기의 격자는 메뉴의 벡터 → 조사도구 → 그리드 생성...을 실행한다.

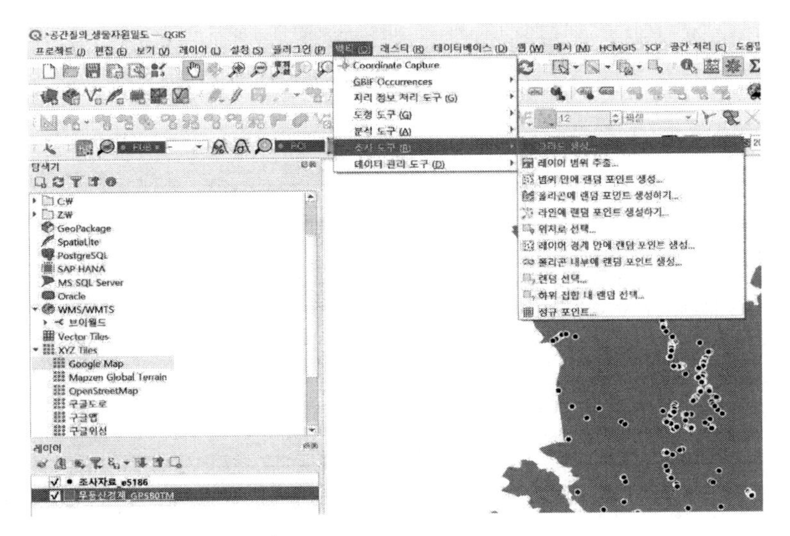

그림 14. 그리드 생성

그리드 생성 대화상자에서 그리드 유형은 사각형으로 하고 수평 간격과 수직 간격을 500m로 한다. 물론 사용자가 원하는 수치를 입력해도 된다. 특별한 기준은 없다. 사용자 몫이다.

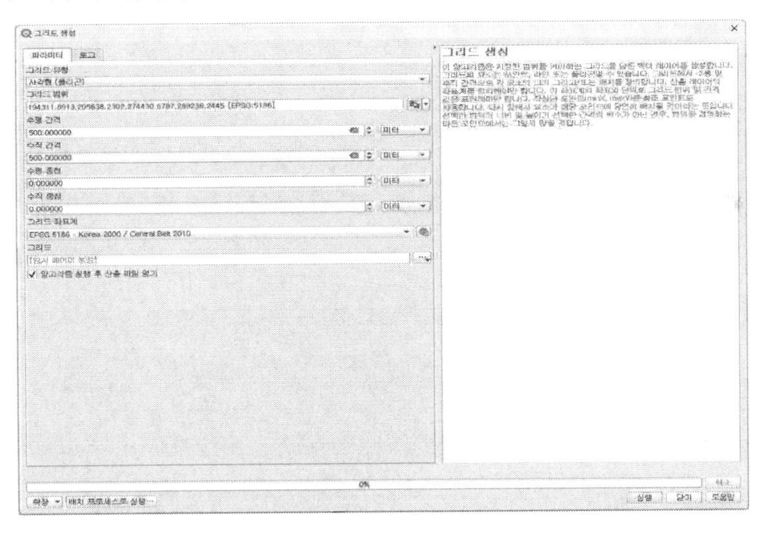

그림 15. 그리드 생성 대화상자

그리드가 생성되는 범위는 무등산국립공원 경계로 결정하기 위해서 그리드 범위 란 맨 오른쪽 화살버튼을 클릭해서 레이어에서 계산...을 선택하고 무등산국립공원 경계를 선택한다.

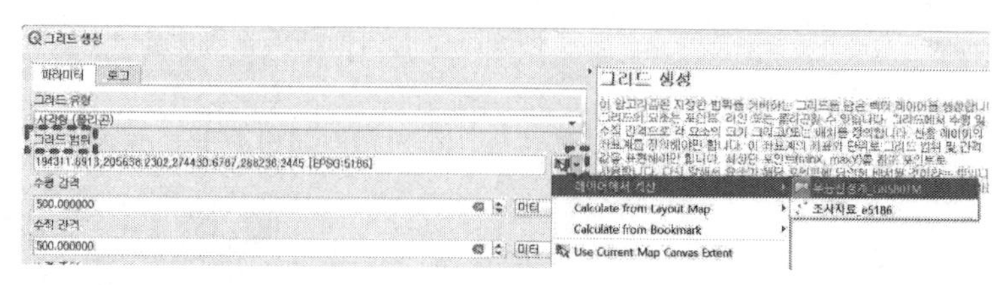

그림 16. 그리드 범위를 레이어에서 계산

그리드 좌표계는 불러온 파일의 좌표계인 EPSG 5186으로 하고 생성되는 그리드 파일을 저장하기 위해서 그리드 란의 오른쪽 버튼을 클릭하고 파일로 저장...을 선택한다.

그림 17. 그리드 좌표계 확인

파일 저장 대화상자에서 사용자가 원하는 폴더로 이동해서 파일이름(예, 생물자원밀도.shp)을 부여하고 저장 버튼을 클릭하여 저장한다.

그림 18. 파일 저장 대화상자

최종적으로 그리드 생성 대화상자에서 실행 버튼을 선택한다.

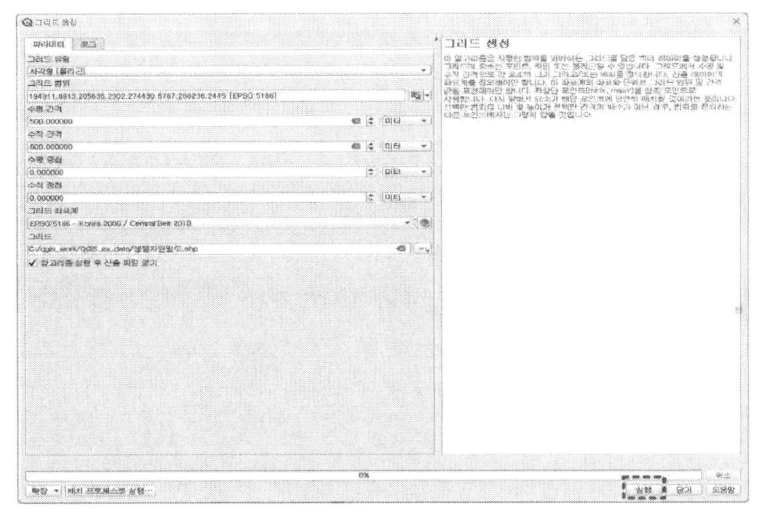

그림 19. 그리드 생성 대화상자

격자 크기가 500m × 500m인 그리드 데이터가 생성된 것을 확인할 수 있다.

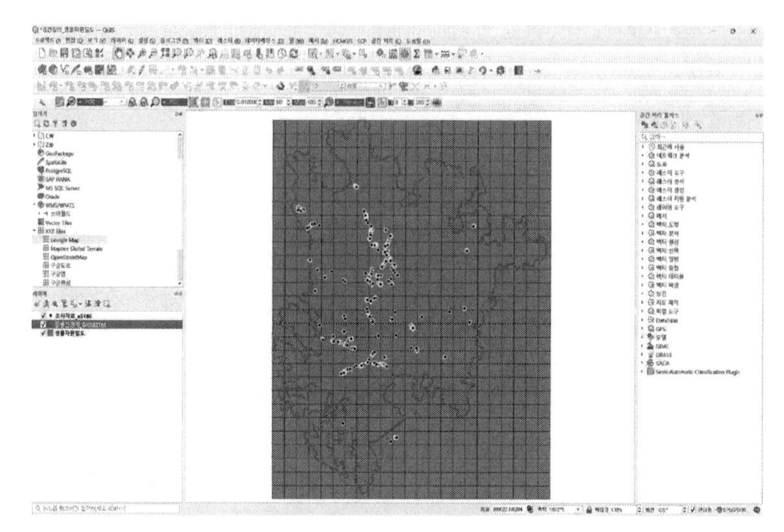

그림 20. 500m × 500m인 그리드 데이터

이제 그리드 마다 포함되는 생물자원 개수를 계산한다. 이를 위해서 메뉴의 벡터 → 분석도구 → 폴리곤에 포함되는 포인트 개수 계산...을 선택한다.

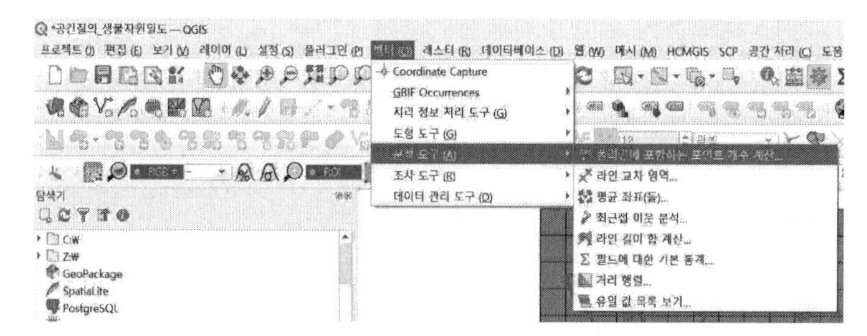

그림 21. 폴리곤에 포함되는 포인트 개수 계산

폴리곤에 포함되는 포인트 개수 계산 대화상자에서 폴리곤 데이터로 생물자원밀도 레이어를 선택하고 포인트 데이터로 조사자료_e5186 레이어를 선택하고 개수 필드이름은 기본 값 NUMPOINTS로 지정한다.

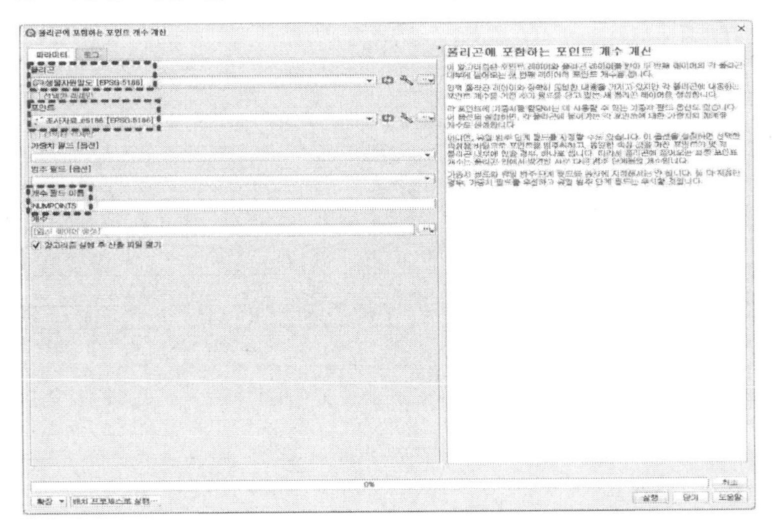

그림 22. 폴리곤에 포함되는 포인트 개수 계산 대화상자

마지막으로 폴리곤에 포함되는 포인트 개수 계산 대화상자에서 개수 란 오른쪽에 있는 버튼을 클릭해서 파일로 저장...을 선택한다.

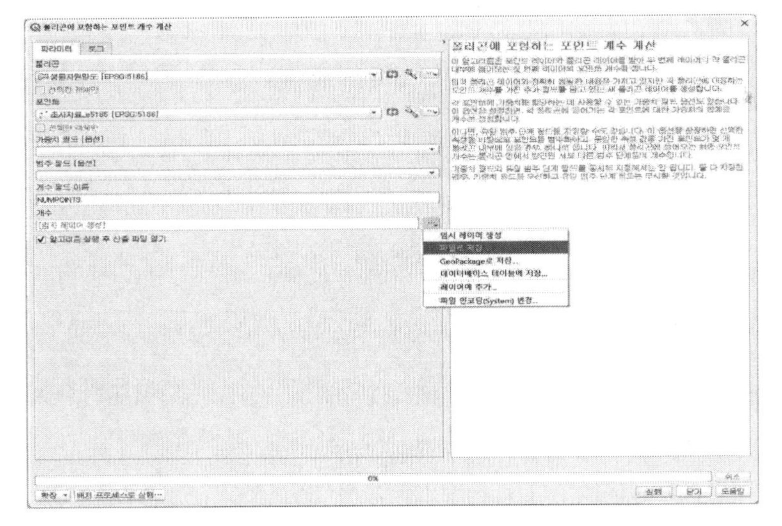

그림 23. 파일로 저장

파일 저장 대화상자에서 사용자가 원하는 폴더로 이동해서 파일이름(예, 생

물자원밀도_개수.shp)을 부여하고 저장 버튼을 클릭하여 저장한다.

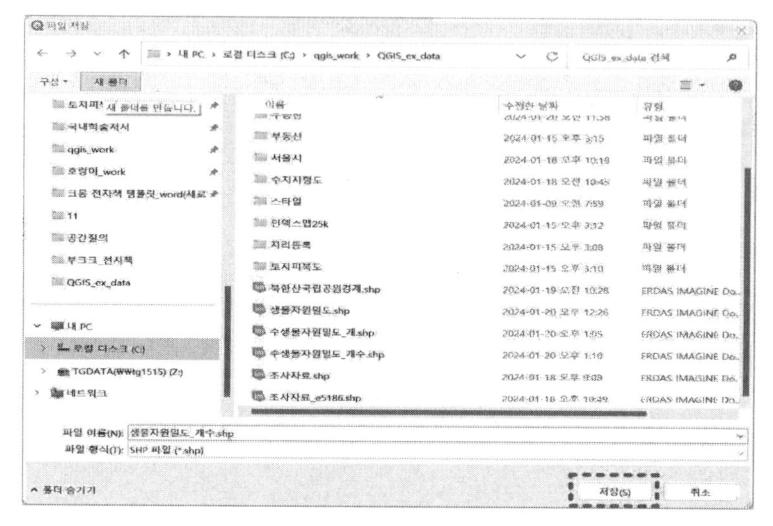

그림 24. 파일 저장 대화상자

마지막으로 폴리곤에 포함되는 포인트 개수 계산 대화상자에서 실행 버튼을 선택 한다.

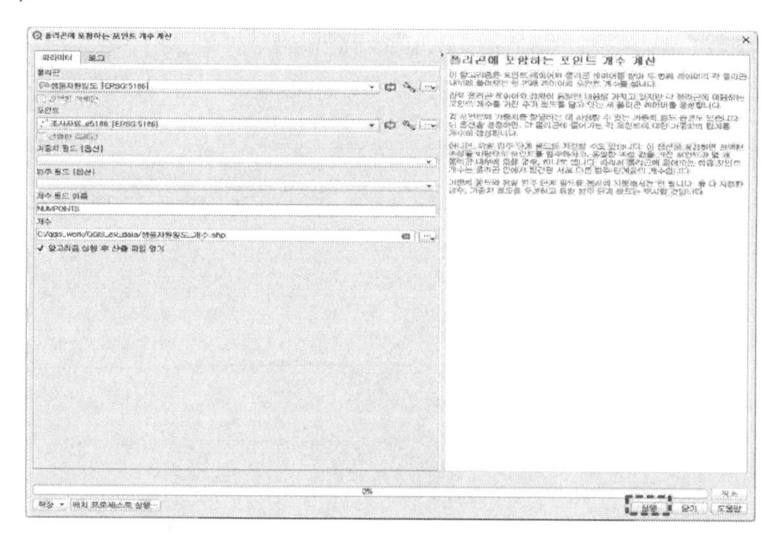

그림 25. 폴리곤에 포함되는 포인트 개수 계산 대화상자

최종 결과에 또 하나의 그리드 레이어가 생성된다.

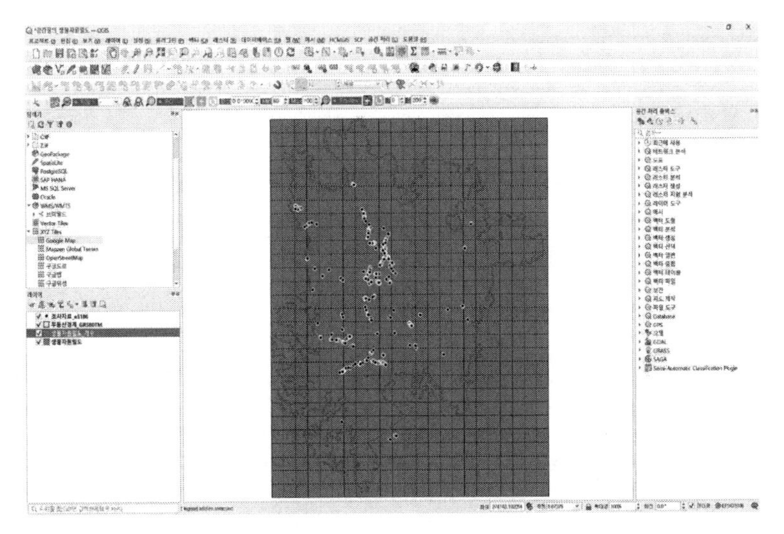

그림 26. 그리드 레이어

폴리곤에 포함되는 포인트 개수를 계산하는 작업이 제대로 실행되었는지 확인하기 위해서 마지막에 생성된 생물자원밀도_개수 레이어를 선택하고 마우스 오른쪽 버튼을 클릭해서 속성 테이블 열기...을 선택한다.

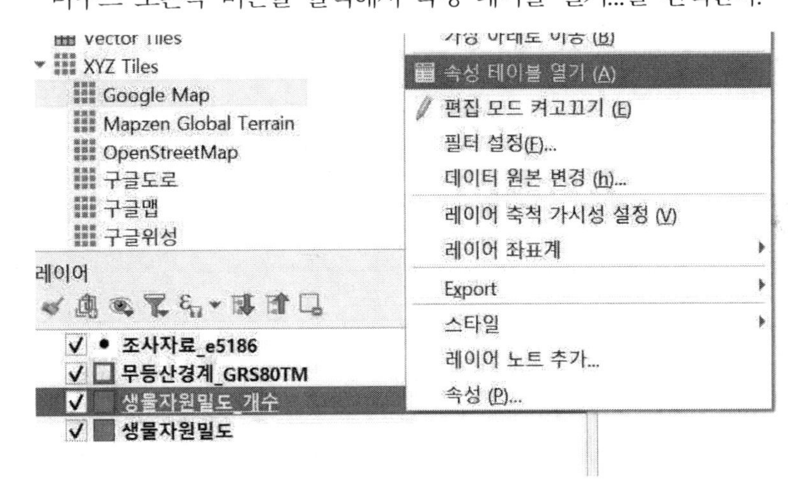

그림 27. 속성 테이블 열기

속성테이블에서 NUMPOINTS 필드가 생성된 것이 확인할 수 있으면 된다.

생물자원밀도_개수 — Features Total: 644, Filtered: 644, Selected: 0

	id	left	top	right	bottom	NUMPOINTS
1	1	194311.891299...	288236.244499...	194811.891299...	287736.244499...	0
2	2	194311.891299...	287736.244499...	194811.891299...	287236.244499...	0
3	3	194311.891299...	287236.244499...	194811.891299...	286736.244499...	0
4	4	194311.891299...	286736.244499...	194811.891299...	286236.244499...	0
5	5	194311.891299...	286236.244499...	194811.891299...	285736.244499...	0

그림 28. NUMPOINTS 필드 확인

NUMPOINTS 필드의 값을 이용하여 색상을 다르게 폴리곤에 포함되는 포인트 수를 표현해보자. 이를 위해서 생물자원밀도_개수 레이어를 선택하고 마우스 오른쪽 버튼을 클릭해서 속성을 선택한다.

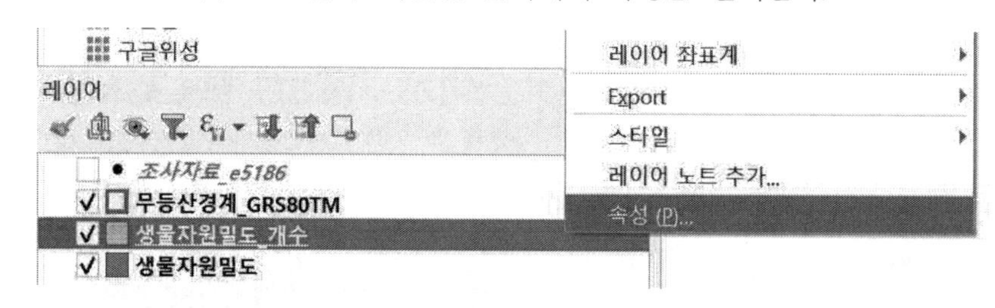

그림 29. 생물자원밀도-개수 레이어 속성

속성 대화상자에서 심볼을 선택하고 분류값 사용, 값은 NUMPOINTS을 선택한 후 분류 버튼을 선택하고 확인 버튼을 클릭한다.

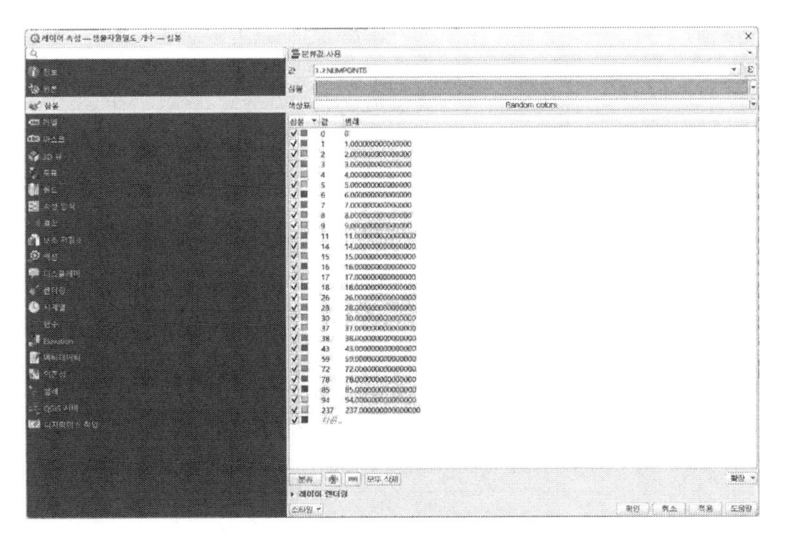

그림 30. 속성 대화상자

생물자원밀도_개수 레이어가 NUMPOINTS 값에 따라서 색상을 달리해서 나타난 것을 확인할 수 있다.

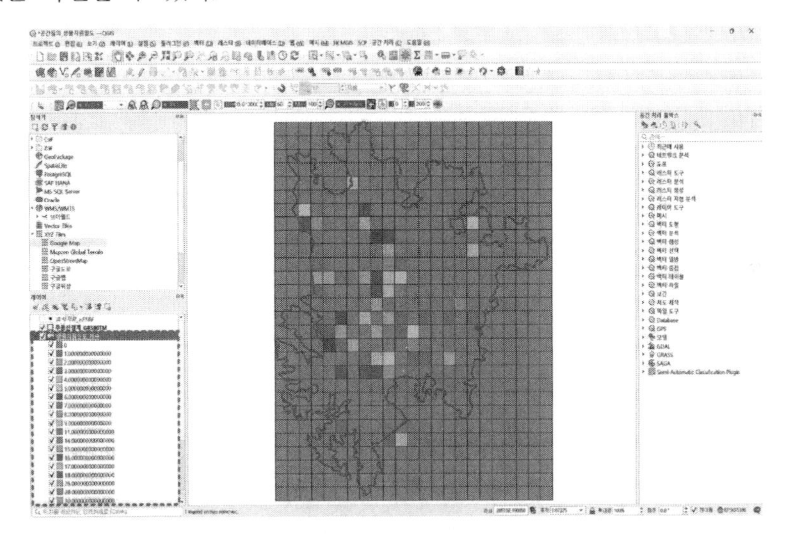

그림 31. 생물자원밀도_개수 시각화

제9장 GIS 속성 데이터 다루기

GIS 벡터 데이터의 공원면적이나 경계 둘레길이, 생물종 밀도, 토지피복변화율 등 다양한 파생변수 값을 생성할 때 속성 테이블을 이용하여 엑셀의 함수처럼 속성 데이터를 다룰 수 있다.

이 장에서 공원면적과 경계 둘레길이, 생물종 밀도를 계산하는 방법을 설명한다. 이를 위해서 메뉴의 레이어 →레이어 추가→벡터 레이어 추가를 선택하여 국립공원경계 데이터를 C:\qgis_work\QGIS_ex_data\공원경계 폴더에서 불러온다. 불러온 국립공원경계 레이어를 선택하고 마우스 오른쪽 버튼을 클릭해서 속성테이블 열기를 선택한다.

9.1 국립공원 면적 계산하기

속성테이블 대화상자에서 필드계산기 툴을 선택한다.

국립공원경계_WGS84 — Features Total: 22, Filtered: 22, Selected: 1

	OBJECTID	국립공원	NP_CD	over_id	고시면적	
1	1	가야산	09	1	76.25600000000	94578981
2	2	경주	02	1	136.550000000...	167477143
3	3	계룡산	03	1	65.33500000000	79896952
4	4	내장산	08	1	80.70800000000	98214448
5	5	다도해해상	14	1	2266.22100000...	2750602772
6	6	덕유산	10	1	229.430000000...	281543048

필드 계산기 열기 (Ctrl+I)

그림 1. 속성테이블의 필드계산기 툴

필드계산기 대화상자에서 새로운 필드 생성을 선택하고 산출 필드 이름은 사용자가 원하는 이름(예, area)으로 입력한다. 산출 필드 유형은 면적을 계산하기 때문에 십진수로 한 다음 표현식에 $area을 입력한 다음 확인 버튼을 선택한다.

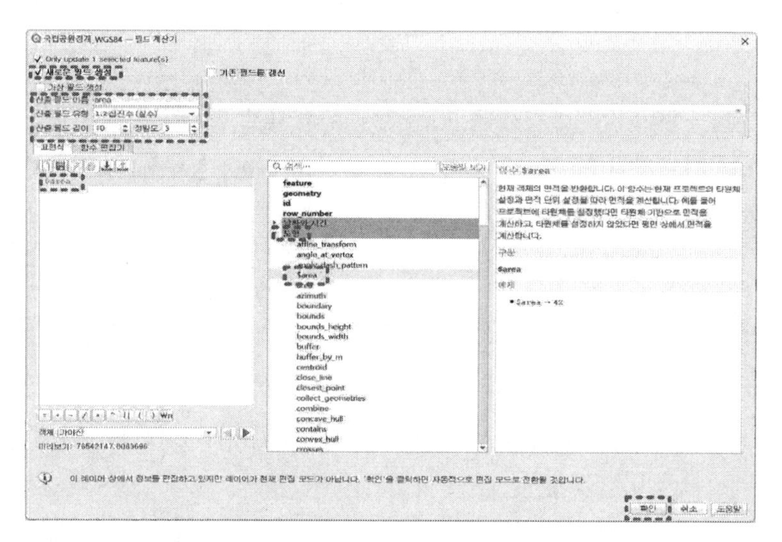

그림 2. 필드계산기 대화상자

최종적으로 속성테이블에 area라는 필드가 생성되고 국립공원별 면적이 계산된다.

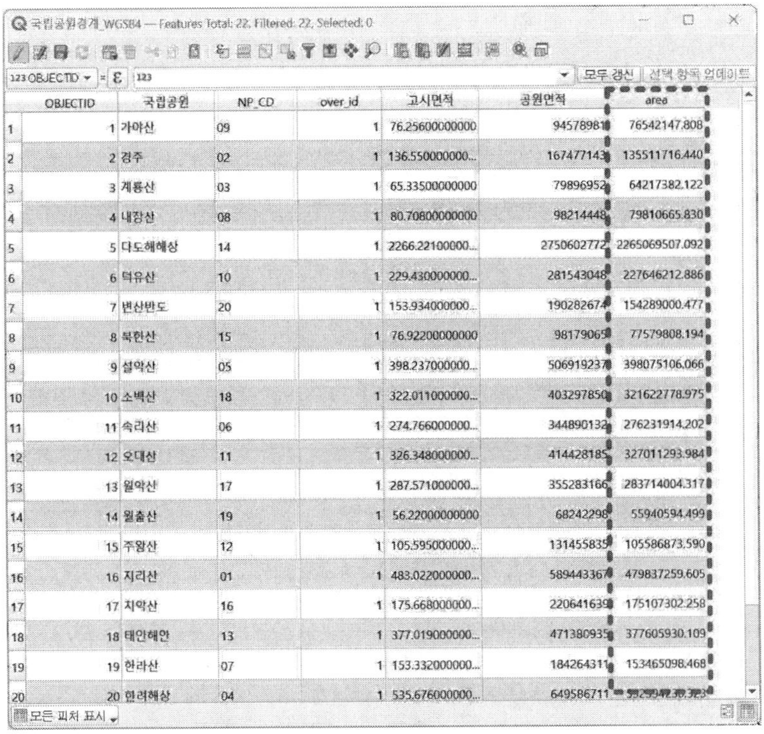
국립공원경계_WGS84 — Features Total: 22, Filtered: 22, Selected: 0
123 OBJECTID
123
모두 갱신
선택 항목 업데이트
모든 피처 표시

	OBJECTID	국립공원	NP_CD	over_id	고시면적	공원면적	area
1	1	가야산	09	1	76.25600000000	94578981	76542147.808
2	2	경주	02	1	136.550000000...	167477143	135511716.440
3	3	계룡산	03	1	65.33500000000	79896952	64217382.122
4	4	내장산	08	1	80.70800000000	98214448	79810665.830
5	5	다도해해상	14	1	2266.22100000...	2750602772	2265069507.092
6	6	덕유산	10	1	229.430000000...	281543048	227646212.886
7	7	변산반도	20	1	153.934000000...	190282674	154289000.477
8	8	북한산	15	1	76.92200000000	98179065	77579808.194
9	9	설악산	05	1	398.237000000...	506919237	398075106.066
10	10	소백산	18	1	322.011000000...	403297850	321622778.975
11	11	속리산	06	1	274.766000000...	344890132	276231914.202
12	12	오대산	11	1	326.348000000...	414428185	327011293.984
13	13	월악산	17	1	287.571000000...	355283166	283714004.317
14	14	월출산	19	1	56.22000000000	68242298	55940594.499
15	15	주왕산	12	1	105.595000000...	131455835	105586873.590
16	16	지리산	01	1	483.022000000...	589443367	479837259.605
17	17	치악산	16	1	175.668000000...	220641639	175107302.258
18	18	태안해안	13	1	377.019000000...	471380935	377605930.109
19	19	한라산	07	1	153.332000000...	184264311	153465098.468
20	20	한려해상	04	1	535.676000000...	649586711	[illegible]

그림 3. 속성테이블에 area 필드 생성

9.2 국립공원 경계 둘레길이 계산하기

국립공원 경계의 둘레길이는 필드계산기 대화상자에서 새로운 필드 생성을 선택하고 산출 필드 이름은 사용자가 원하는 이름(경계)으로 입력하고 산출 필드 유형은 면적을 계산하기 때문에 십진수로 한 다음 표현식에 $perimeter를 입력한 다음 확인 버튼을 선택한다.

9.3 생물자원 밀도 계산하기

생물자원 밀도를 계산하기 위해서 제8장에서 생성한 생물자원밀도_개수.shp 파일을 불러온다.

해당파일은 C:\qgis_work\QGIS_ex_data 폴더에 있다.

불러온 생물자원밀도_개수.shp 파일을 선택하고 마우스 오른쪽 버튼을 클릭해서 나온 팝업 메뉴에서 속성테이블 열기(A)를 선택한다.

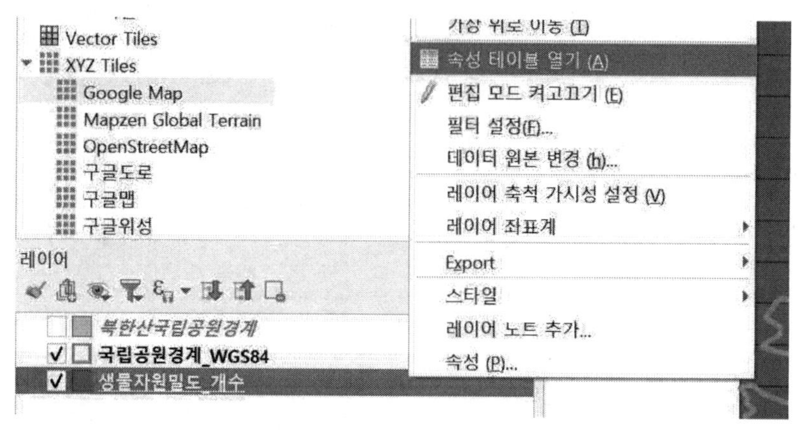

그림 4. 속성테이블 열기

속성테이블 대화상자에서 필드 계산기 툴을 선택하여 필드 계산기 대화상자를 불러온다.

생물자원밀도_개수 — Features Total: 644, Filtered: 644, Selected: 0

필드 계산기 열기 (Ctrl+I)

	id	left	top	right	botto	
1	1	194311.891299...	288236.244499...	194811.891299...	287736.244499...	0
2	2	194311.891299...	287736.244499...	194811.891299...	287236.244499...	0
3	3	194311.891299...	287236.244499...	194811.891299...	286736.244499...	0
4	4	194311.891299...	286736.244499...	194811.891299...	286236.244499...	0
5	5	194311.891299...	286236.244499...	194811.891299...	285736.244499...	0

그림 5. 속성테이블의 필드 계산기 툴

속성테이블에서 NUMPOINTS 필드는 개별 그리드 안에 포함되는 생물자원 개수이기 때문에 밀도를 계산하기 위해서는 면적으로 나누어 줘야 한다. 면적은 250,000m^2 (500m×500m) 이다.

필드계산기 대화상자에서 새로운 필드 생성을 선택하고 산출 필드 이름은 사용자가 원하는 이름(예, 밀도)라고 한다. 산출 자료 유형은 십진수를 선택하고 산출 필드 길이는 10, 정밀도는 6으로 한다.

필드와 값을 선택해서 나온 NUMPOINTS를 더블 클릭해서 표현식에 입력하고 250,000로 나누어 주면 된다. 표현식에 NUMPOINTS / 250,000이 입력되어야 한다.

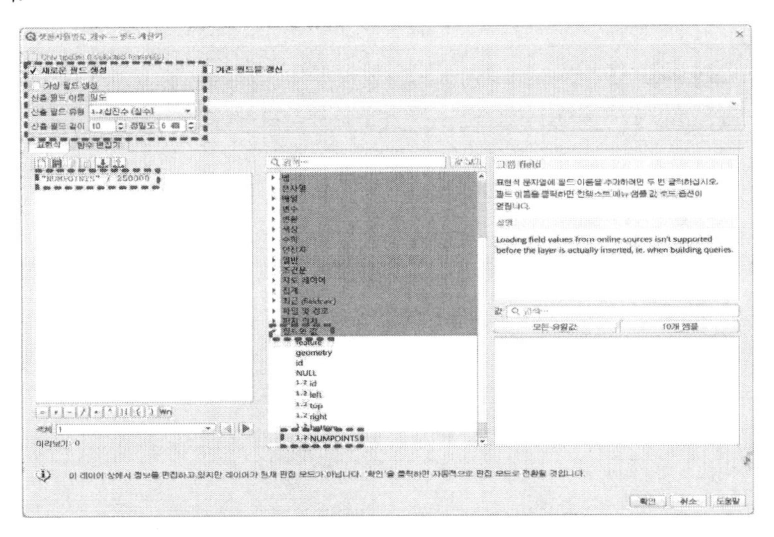

그림 6. 필드계산기 대화상자

불필요한 필드를 삭제하기 위해서 속성테이블 대화상자에서 맨 왼쪽에 있는 연필 아이콘의 편집 모드 전환 툴을 클릭하고 나온 필드 삭제 툴을 선택한다.

생물자원밀도_개수 — Features Total: 644, Filtered: 644, Selected: 0

필드 삭제 (Ctrl+L)

	id	left	top	right	bottom	NUMPOINTS	밀도	test
1	63	195311.891299...	285236.244499...	195811.891299...	284736.244499...	237.000000000...	0.001	0.000948
2	324	199811.891299...	280736.244499...	200311.891299...	280236.244499...	94.0000000000...	0	0.000376
3	233	198311.891299...	284236.244499...	198811.891299...	283736.244499...	85.0000000000...	0	0.00034

그림 7. 필드 삭제 툴

테이블 열 구성 대화상자에서 삭제하고 싶은 필드를 마우스로 선택한다.

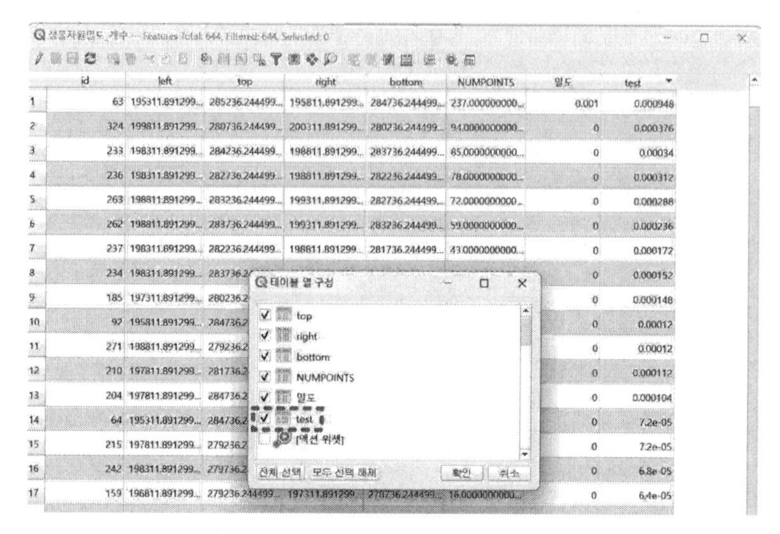

그림 8. 테이블 열 구성 대화상자

필드를 삭제한 결과를 저장하기 위해서 다시 편집 모드 전환 툴을 클릭해서 나온 편집 종료 대화상자에서 저장 버튼을 클릭한다.

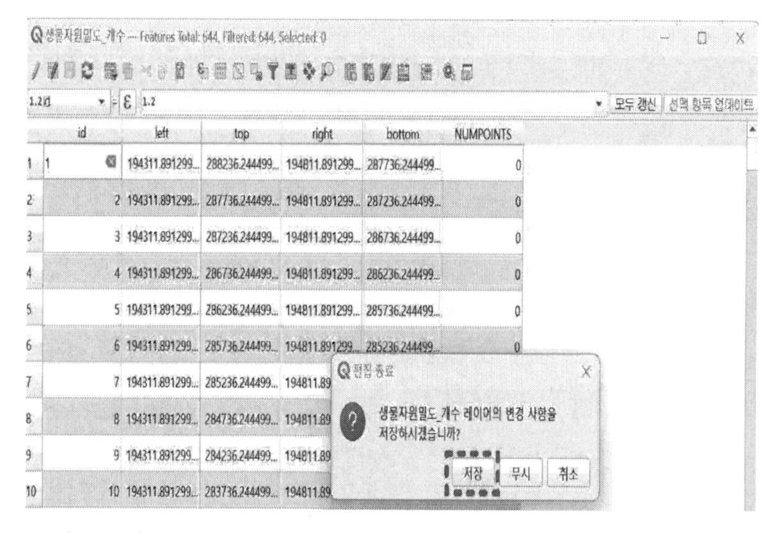

그림 9. 편집 종료 대화상자

새로운 필드를 생성하기 위해서 속성테이블 대화상자에서 맨 왼쪽에 있는 연필 아이콘의 편집 모드 전환 툴을 클릭하고 나온 새 필드 툴을 선택한다.

생물자원밀도_개수 — Features Total: 644, Filtered: 644, Selected: 0

1.2id = ε 1.2

새 필드 (Ctrl+W)

	id	left	top	right	bottom	NUMPOINTS
1	1	194311.891299...	288236.244499...	194811.891299...	287736.244499...	0
2	2	194311.891299...	287736.244499...	194811.891299...	287236.244499...	0
3	3	194311.891299...	287236.244499...	194811.891299...	286736.244499...	0
4	4	194311.891299...	286736.244499...	194811.891299...	286236.244499...	0

그림 10. 속성테이블의 편집 모드 전환 툴

필드 추가 대화상자에서 사용자 원하는 이름, 주석을 입력하고 데이터 유형에 맞게 유형, 길이, 정밀도를 입력하고 확인 버튼을 클릭한다. 거리, 면적, 기온과 같은 데이터는 십진수로 하고 산림지역, 농림지역, 도심지역과 같은 데이터는 문자로 하고 실수가 아니고 자연수나 정수일 경우 integer로 하면 된다.

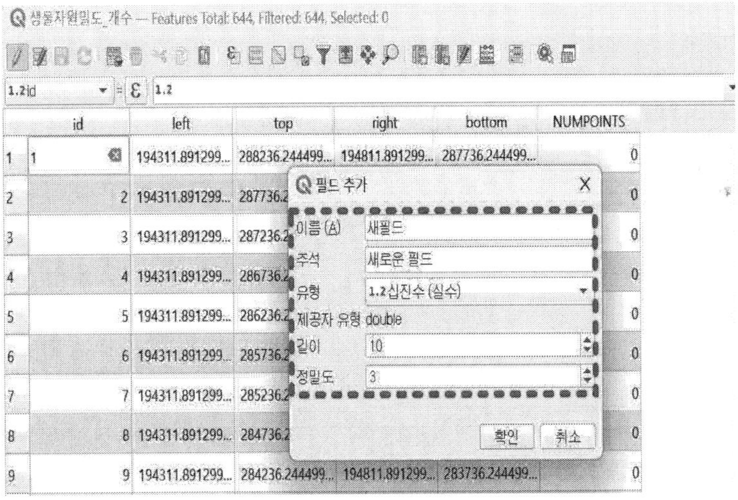

생물자원밀도_개수 — Features Total: 644, Filtered: 644, Selected: 0

1.2id = ε 1.2

	id	left	top	right	bottom	NUMPOINTS
1	1	194311.891299...	288236.244499...	194811.891299...	287736.244499...	0
2	2	194311.891299...	287736.2			0
3	3	194311.891299...	287236.2			0
4	4	194311.891299...	286736.2			0
5	5	194311.891299...	286236.2			0
6	6	194311.891299...	285736.2			0
7	7	194311.891299...	285236.2			0
8	8	194311.891299...	284736.2			0
9	9	194311.891299...	284236.244499...	194811.891299...	283736.244499...	0

필드 추가

이름 (A) 새필드

주석 새로운 필드

유형 1.2십진수 (실수)

제공자 유형 double

길이 10

정밀도 3

확인 취소

그림 11. 필드 추가 대화상자

필드 생성, 필드 제거 등 필드관련 작업을 완료한 후에는 반드시 편집 모드 전환 툴을 해제하여 물리적으로 저장해야 한다는 사실을 꼭 기억하길 바란다. 그렇지 않으면 애써 작업했던 내용이 저장되지 않는다.

제10장 GIS 데이터 가공하기

QGIS 프로그램을 이용하여 공간분석을 할 때 벡터 데이터를 대상지역에 맞게 합치고, 빼고, 교차하는 지역을 찾는 등 다양하게 데이터를 가공하고 처리하는 경우가 많다.

10.1 데이터 공간연산 하기

이 장에서는 기본적으로 많이 활용되는 GIS 데이터 가공 방법을 설명한다.

데이터 잘라내기

앞에서 제작한 생물자원밀도_개수.shp 파일을 무등산국립공원 경계에 맞게 잘라내는 방법을 설명한다. 이를 위해서 메뉴의 레이어 →레이어 추가→벡터 레이어 추가를 선택하여 국립공원경계 데이터를 C:\qgis_work\QGIS_ex_data\무등산 폴더에서 무등산경계_GRS80TM.shp 파일을 불러오고 생물자원밀도_개수.shp 파일을 불러온다. 이 파일은 C:\qgis_work\QGIS_ex_data 폴더에 있다.

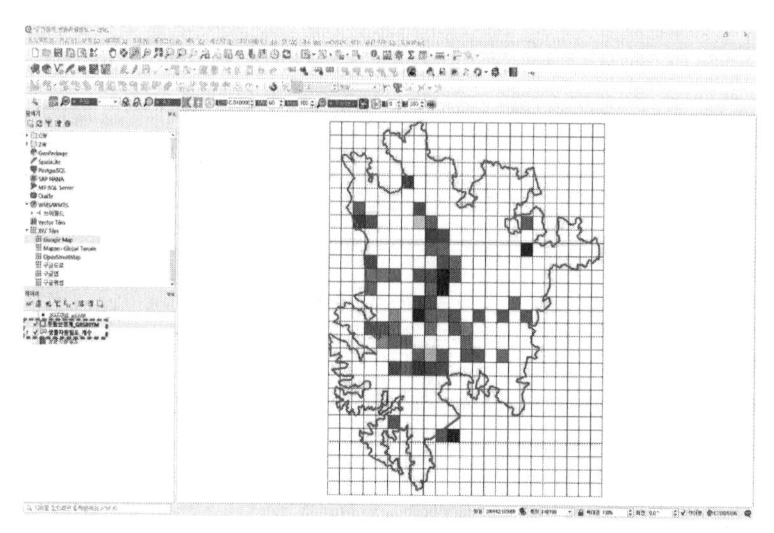

그림 1. 무등산 국립공원경계와 생물자원 밀도 그리드

무등산국립공원 경계에 맞게 생물자원밀도_개수 레이어를 잘라내기 위해서 메뉴의 벡터 → 지리 정보 처리 도구 → 잘라내기를 선택한다.

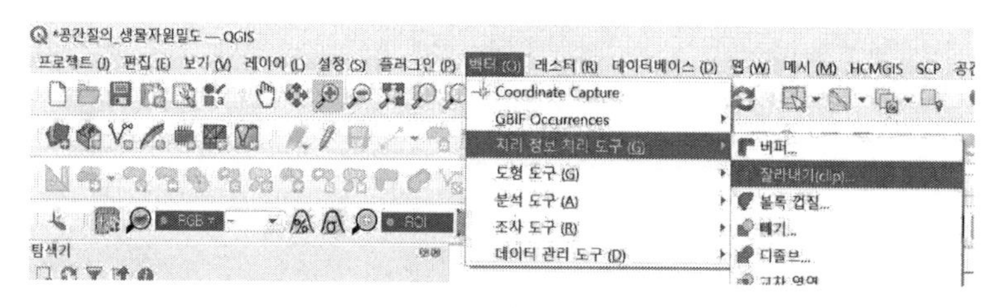

그림 2. 잘라내기

잘라내기 대화상자에서 입력 레이어 란에 생물자원밀도_개수 레이어를 지정하고 중첩레이어 란에 무등산경계_GRS80TM 레이어를 지정한다.

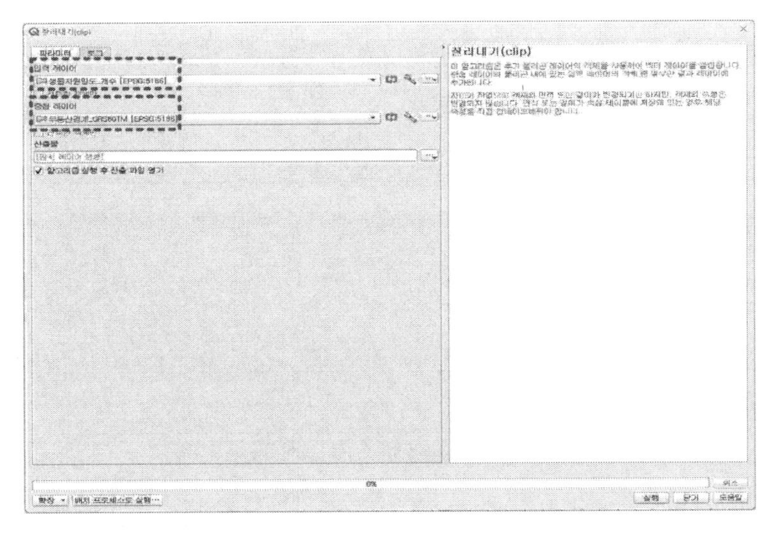

그림 3. 잘라내기 대화상자

산출물 란 오른쪽에 있는 버튼을 클릭하여 파일로 저장...을 선택한다.

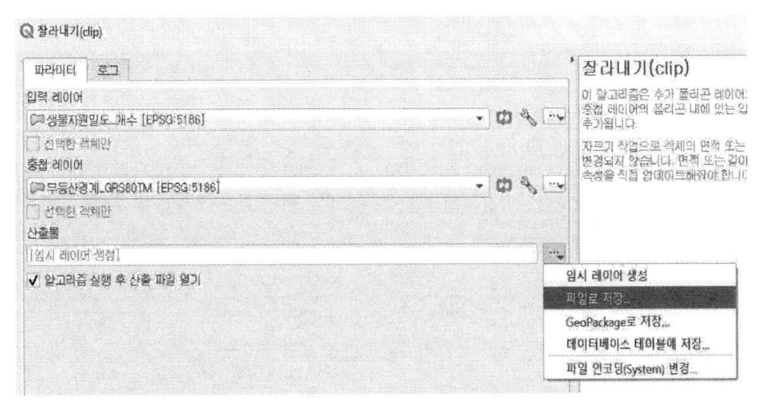

그림 4. 파일로 저장

파일저장 대화상자에서 사용자가 원하는 폴더에 이름(예, 무등산생물자원밀도.shp)를 부여하고 저장 버튼을 클릭한다.

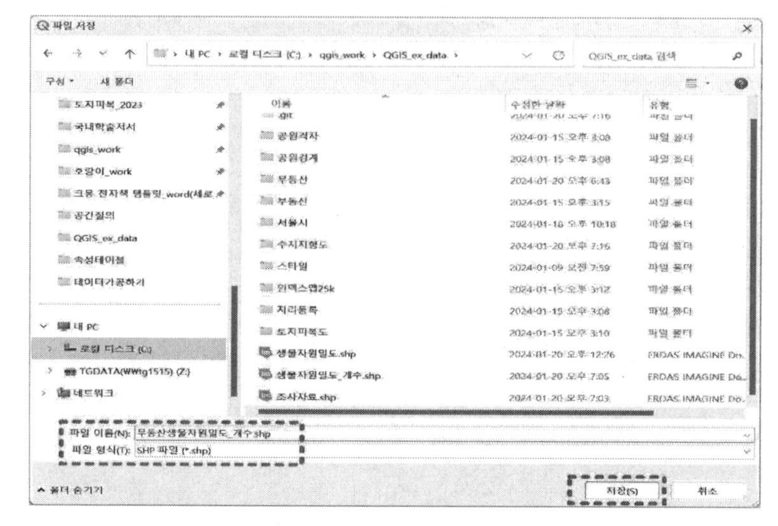

그림 5. 파일저장 대화상자

마지막으로 잘라내기 대화상자에서 실행버튼을 클릭한다.

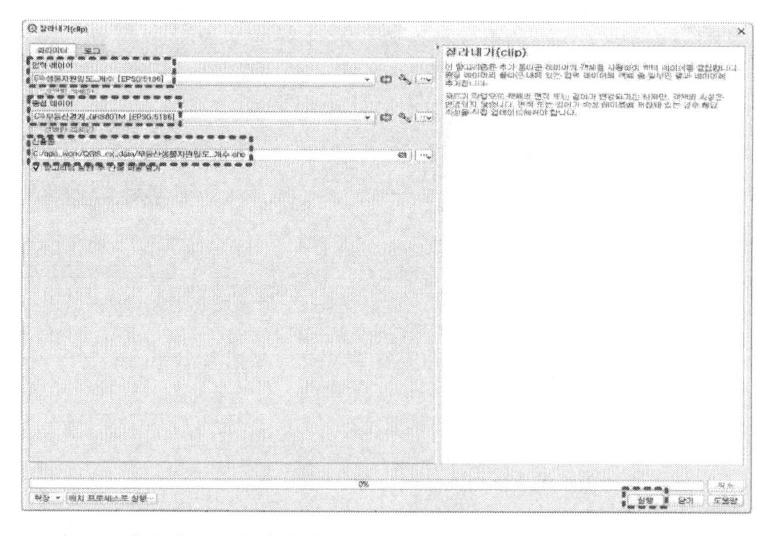

그림 6. 잘라내기 대화상자

무등산국립공원 경계에 맞게 잘라진 생물자원밀도_개수 레이어의 그리드 선이 나타난 것을 볼 수 있다.

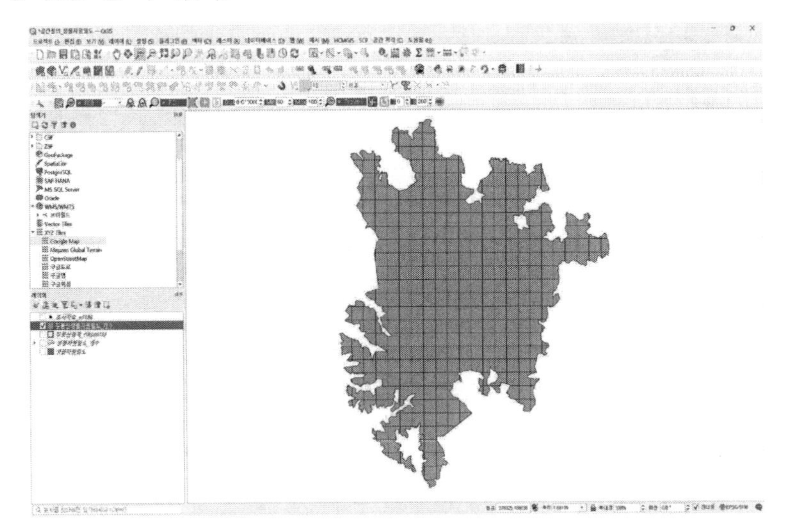

그림 7. 무등산국립공원의 생물자원밀도 개수

데이터 병합하기

도엽 단위로 분리된 환경부 토지피복지도를 대상지역에 맞게 하나의 파일로 합치기 위해서 도엽 단위의 벡터 파일 여러 개를 불러온다. 메뉴의 레이어→ 레이어 추가→ 벡터 레이어 추가...을 선택한다.

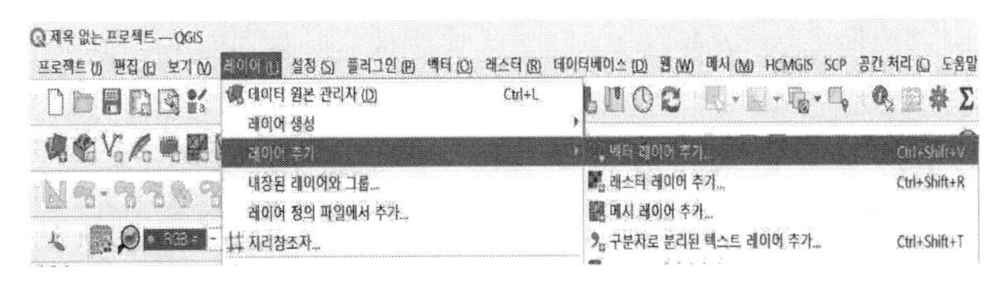

그림 8. 벡터 레이어 추가

데이터 원본 관리자 대화상자에서 벡터 데이터셋(들) 란의 오른쪽에 있는 버튼을 선택한다.

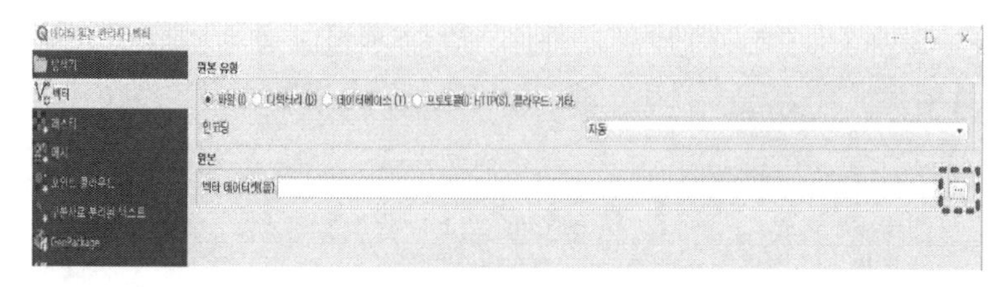

그림 9. 데이터 원본 관리자 대화상자

벡터 데이터가 있는 C:\qgis_work\QGIS_ex_data\북한산국립공원 폴더로 이동한다. 여러 개의 데이터를 동시에 선택하기 위해서 유형을 선택한 후, 첫 번째 shp 데이터를 선택하고 shift 키를 누른 상태에서 마지막 shp 데이터를 선택하고 열기 버튼 클릭한다.

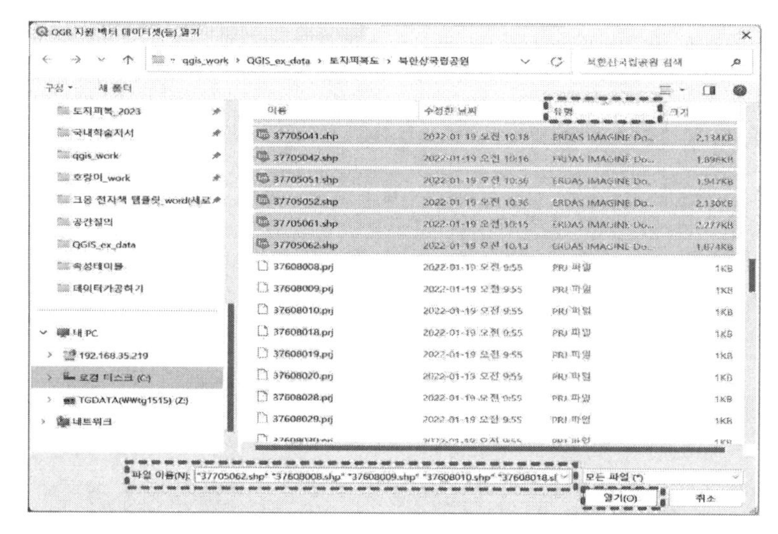

그림 10. 여러 개 데이터를 동시 선택

데이터 원본 관리자 대화상자에서 여러 개 벡터 데이터가 벡터 데이터셋(들)란에 등록되었는지 확인하고 추가 버튼을 선택하고 닫기 버튼 클릭한다.

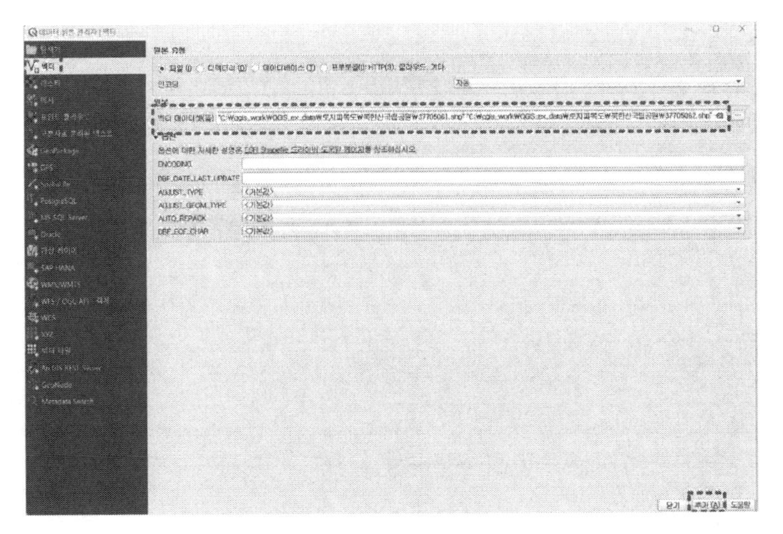

그림 11. 데이터 원본 관리자 대화상자

1개 이상의 벡터 데이터가 맵 창에 표시된 것을 확인하고 벡터 메뉴의 데이터 관리도구 기능 중에 벡터 레이어 병합...을 선택한다.

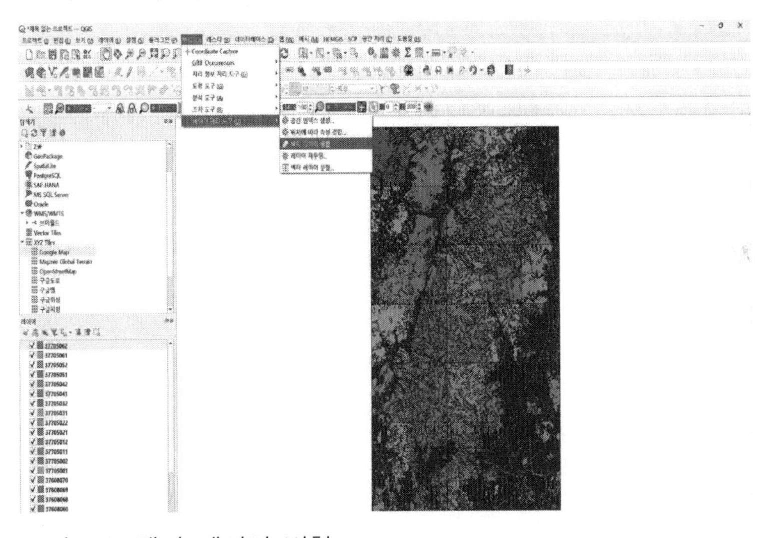

그림 12. 벡터 레이어 병합

벡터 레이어 병합 대화상자에서 불러온 벡터 레이어를 선택하기 위해서 입력 레이어 란의 오른쪽에 있는 버튼을 클릭한다.

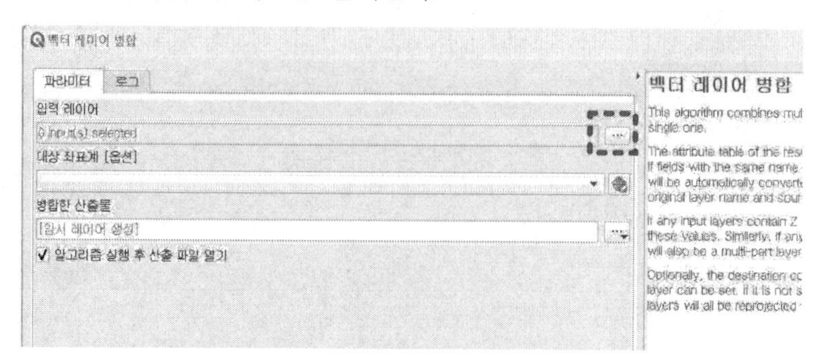

그림 13. 벡터 레이어 병합 대화상자

입력 레이어를 전체 선택하고 확인 버튼을 선택한다.

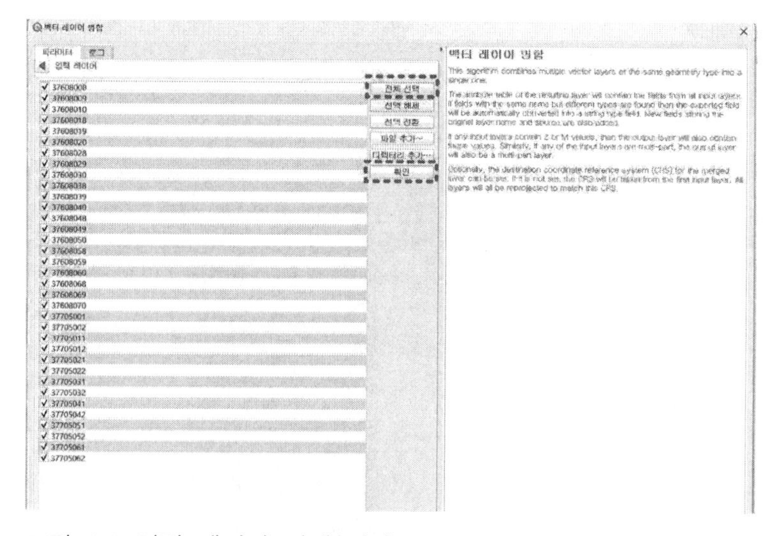

그림 14. 입력 레이어 전체 선택

벡터 레이어 병합 대화상자에서 대상 좌표계는 EPSG: 5186을 선택한다. 병합한 산출물 란의 오른쪽에 있는 버튼을 클릭하고 파일로 저장...을 선택한다.

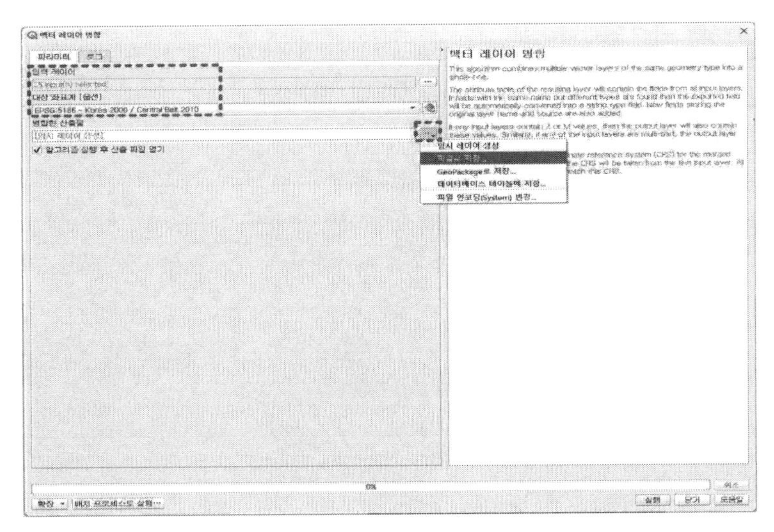

그림 15. 벡터 레이어 병합 대화상자

파일 저장 대화상자에서 사용자가 원하는 폴더로 이동해서 파일이름(예, 북한산국립공원_세분류_2021.shp)을 부여하고 저장 버튼을 클릭한다.

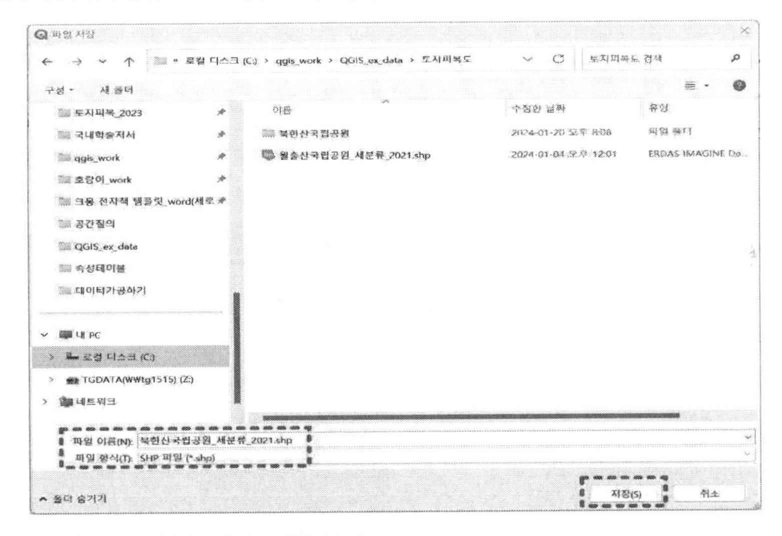

그림 16. 파일 저장 대화상자

마지막으로 벡터 레이어 병합 대화상자에서 입력레이어, 좌표계, 병합된 산출물 등 등록한 내용을 확인하고 실행버튼을 클릭한다.

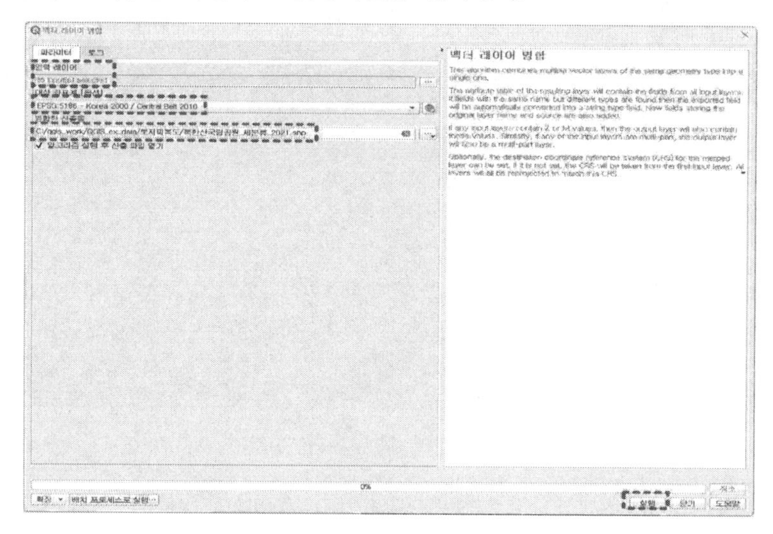

그림 17. 벡터 레이어 병합 대화상자

여러 개의 벡터 레이어가 하나로 병합된 북한산국립공원 토지피복지도를 볼 수 있다.

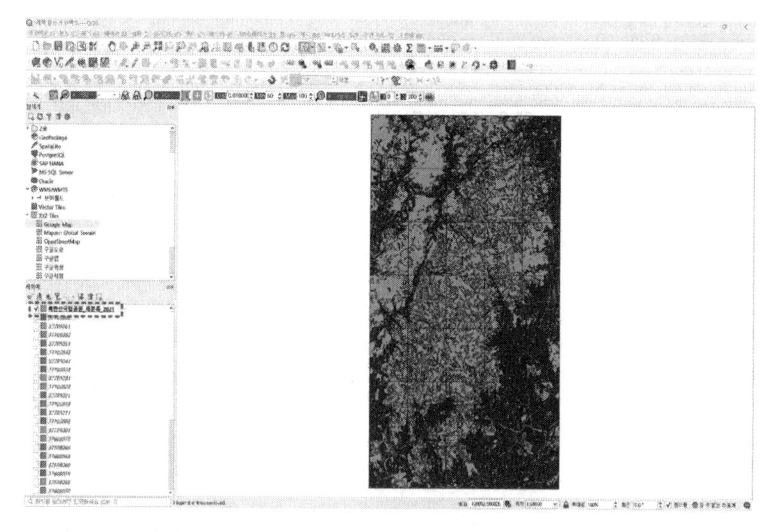

그림 18. 병합된 북한산국립공원 토지피복지도

제11장 GIS 지형분석 하기

지형분석(Terrain Analysis)은 지형(산, 계곡, 언덕 등 지구의 모양)을 조사하고 그 특징을 이해하고 해석하는 지리정보학 및 지형학의 분야이다. 이것은 지리 정보를 사용하여 지형의 높이, 경사, 물 흐름 등을 분석하여 지리적인 패턴을 식별하는 것을 목표로 한다. 지형분석은 다양한 응용 분야에서 사용되며 지리 정보 시스템(GIS)과 공간 분석 도구를 활용하여 수행된다.

일반적인 지형분석의 주요 목적과 활용 사례는 다음과 같다.

고도 분석 (Elevation Analysis)은 해발고도, 경사도, 경사 방향 등을 분석하여 어떤 지역이 얼마나 높은지, 내리막이나 오르막이 어디에 있는지 등 지형의 고도 특성을 이해하고 표현한다. 등고선, hillshade, 높이 색상 지도 등을 사용하여 지형의 고도를 시각화한다.

지형경사 분석은 특정 지역의 지형이 얼마나 가파른지, 평평한지 등 평탄화 정도와 경사를 분석하여 토지의 사용 가능성 및 안전성을 평가한다. 토지 개발, 국토 계획, 자연재해 예측 등에 활용된다.

표면 해석 (Surface Analysis)은 비가 내리면 물이 어디로 흐를지, 어떤 지역이 물에 잠길지 등 지형의 표면 특성을 분석하여 강, 호수, 혹은 물의 흐름 경로를 예측합니다. 수문학, 홍수 예측, 물류 계획 등에 활용된다.

가시성 분석 (Visibility Analysis)은 특정 지점에서 다른 지점이 보이는 정도를 나타내는 가시성을 분석하여 전망, 경계, 보안 등에 영향을 미친다. 예를 들어, 어떤 장소에서 도시가 보이는지 확인할 수 있다. 도시 계획, 군사 전략, 전망 관리 등에서 사용된다.

지형 변화 분석 (Terrain Change Analysis)은 시간에 따른 지형의 변화를 모니터링하고 분석한다. 지진, 산사태, 해안 침식 등의 현상을 감지하고 예측한다. 지진 모니터링, 지형 안전성 평가 등에 활용된다.

지형분석은 공간 데이터를 효과적으로 활용하여 지리 공간에서 발생하는 다양한 현상을 이해하고 예측하는 데 중요한 역할을 한다. 지도를 만들거나 재해 예측, 자연 보호, 도시 계획 등 다양한 분야에서 활용된다. 간단하게 말하면, 지구의 모양과 특성을 이해하고 이를 활용하여 유용한 정보를 얻는 것이라고 생각하면 된다.

11.1 수치지형도 다운로드

이 장은 수치지형도를 이용해서 수치고도모델(DEM, Digital Elevation Model)을 이용해서 해발고도 지도를 제작하는 과정을 설명한다.

수치고도모델은 지형의 높낮이를 의미하는 해발고도가 기록된 수치지형도를 이용하여 개발된다. 이를 위해서 국가공간정보포털에(http://www.nsdi.go.kr) 접속한다. 현재 국가공간정보포털과 브이월드 서비스는 통합 운영되고 있습니다. 통합 운영되는 브이월드 사이트(https://www.vworld.kr/v4po_main.do)로 접속한다.

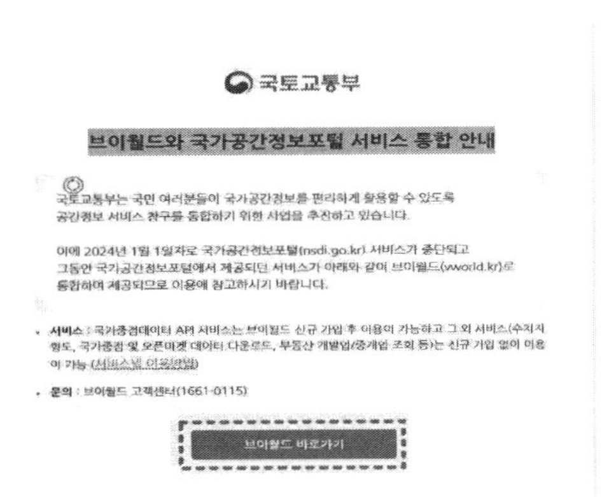

그림 1. 통합 운영되는 브이월드 사이트

수치지형도를 검색하고 다운로드 하기 위해서 메뉴에서 지도조회 >> WebGL 지도보기를 선택한다.

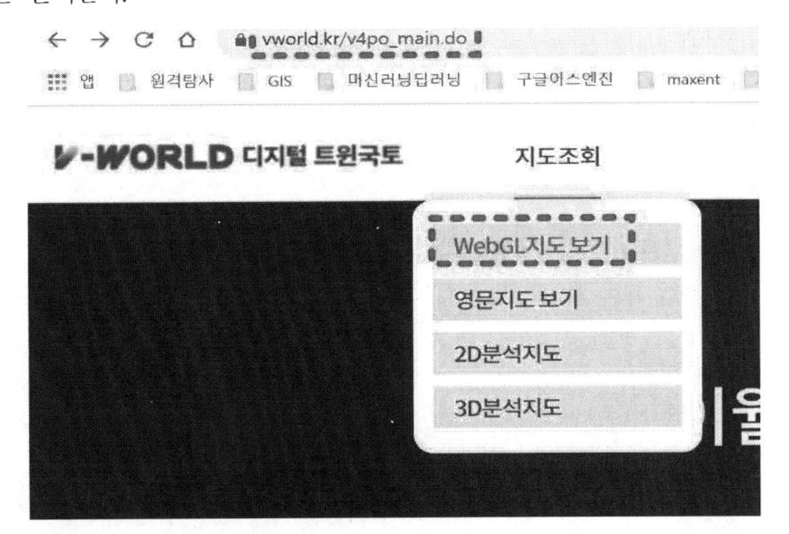

그림 2. WebGL 지도보기

수치지형도를 검색할 수 있는 사이트로 이동하기 위해서 왼쪽 패널에 있는 수치지형도 메뉴를 선택한다.

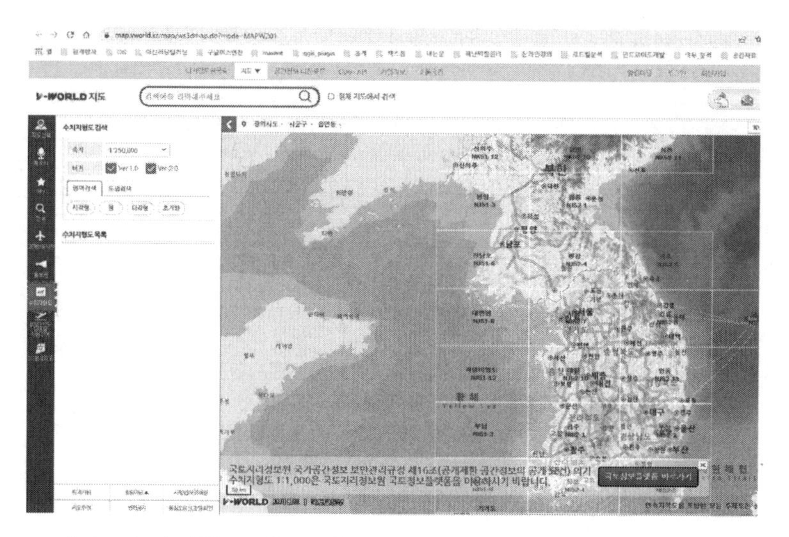

그림 3. 수치지형도 메뉴 선택

수치지형도 검색에 축척은 1:5000 축척으로 하고 버전은 1.0, 2.0 모두 선택한다. 도엽 검색은 37608040로 하여 검색한다. 도엽번호 37608040은 도엽명 서울040에 해당하며 북한산국립공원 일부 지역이다. 여기서 수치지형도 ver 1.0 (dxf파일)과 ver 2.0(shp)을 모두 다운로드 한다.

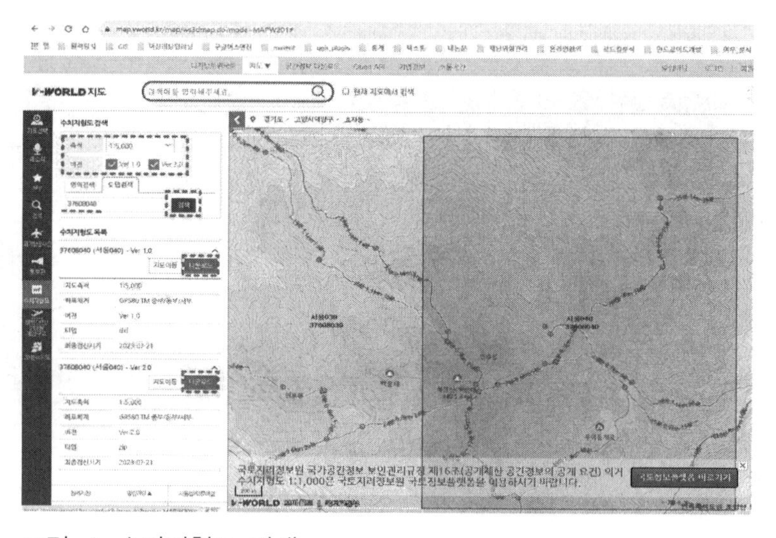

그림 4. 수치지형도 검색

11.2 수치고도자료 제작하기

이 장은 수치지형도 ver 1.0을 이용해서 수치고도모델(DEM, Digital Elevation Model)을 생성하여 해발고도 지도를 제작하는 과정을 설명한다.

다운받은 수치지형도 ver 1.0 (dxf파일) 불러오기 위해서 메뉴의 레이어 기능 중에 벡터레이어 추가...을 선택한다.

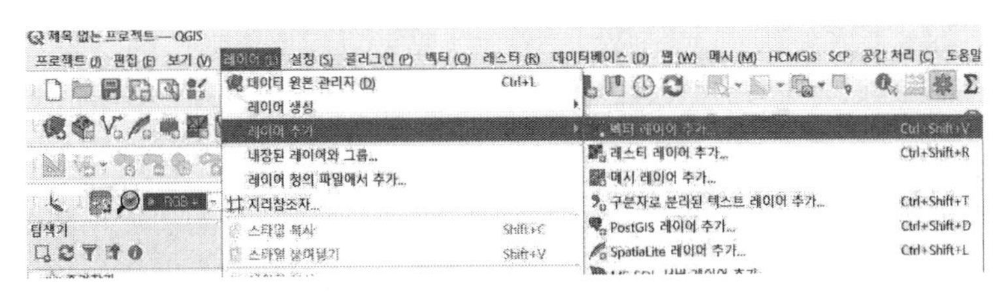

그림 5. 벡터레이어 추가

데이터 원본 관리자 대화상자에서 파일이름 입력 란 맨 오른쪽 버튼을 선택하여 파일 열기 대화상자를 불러온다. 국가공간정보포털 수치지형도 DXF파일의 좌표계는 GRS80TM좌표(EPSG:5186)이다.

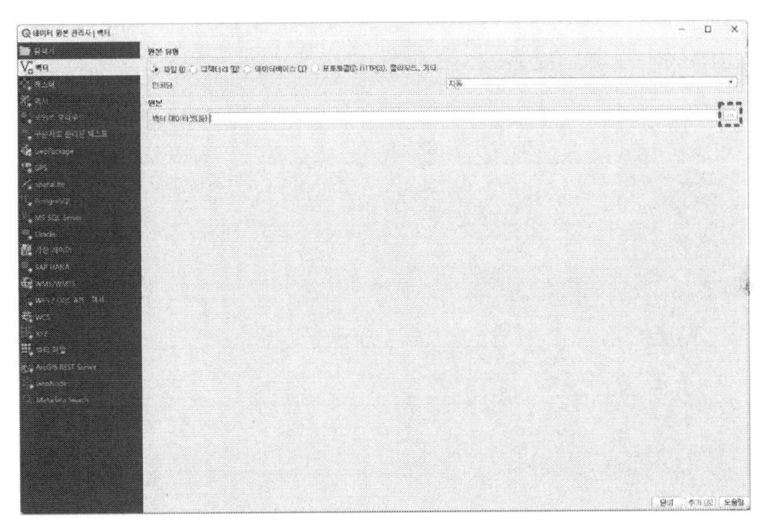

그림 6. 데이터 원본 관리자 대화상자

벡터 데이터셋(들) 열기 대화상자에서 수치지형도가 있는 폴더로 이동해서 파일을 선택하고 열기 버튼을 선택한다.

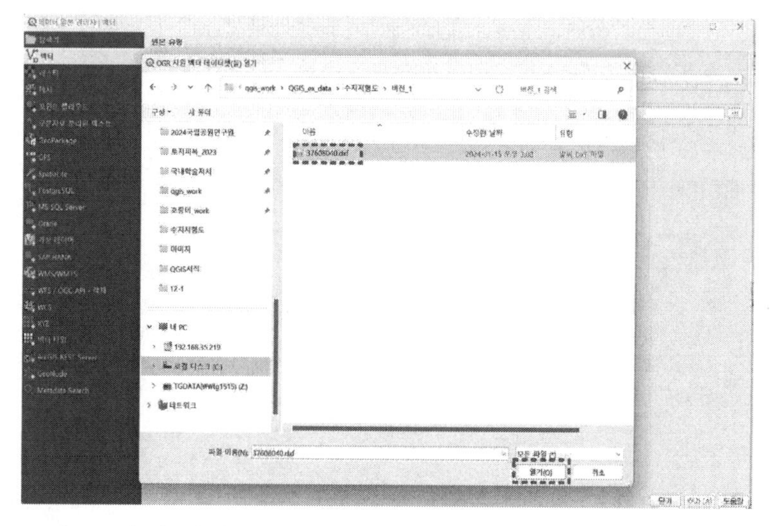

그림 7. 벡터 데이터셋(들) 열기 대화상자

데이터 원본관리자 대화상자에 수치지형도 ver 1.0의 dxf 파일이 등록된 것을 확인하고 추가 버튼을 클릭한다.

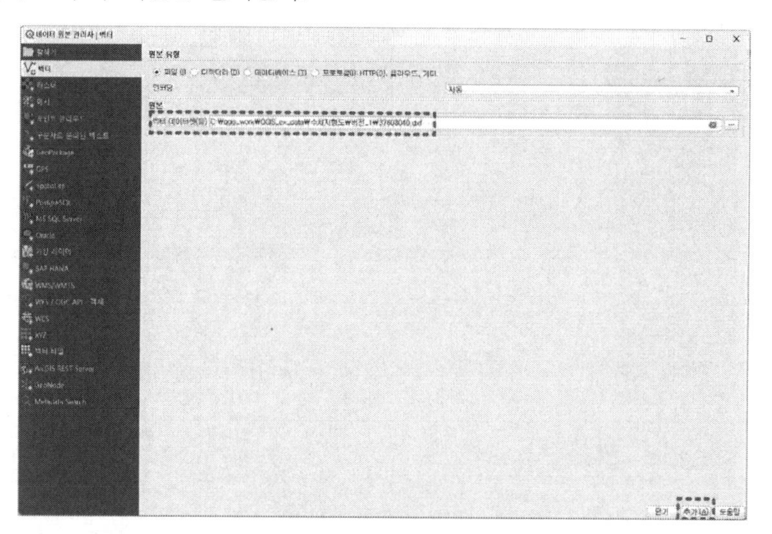

그림 8. 데이터 원본관리자 대화상자

수치지형도 ver 1.0의 dxf 파일을 불러올 때는 직접 열기가 되지 않고 dxf 파일에 포함된 점과 선 형태의 자료를 별도로 불러올 수 있다. 여기서는 점과 선 형태의 자료를 동시에 불러온다.

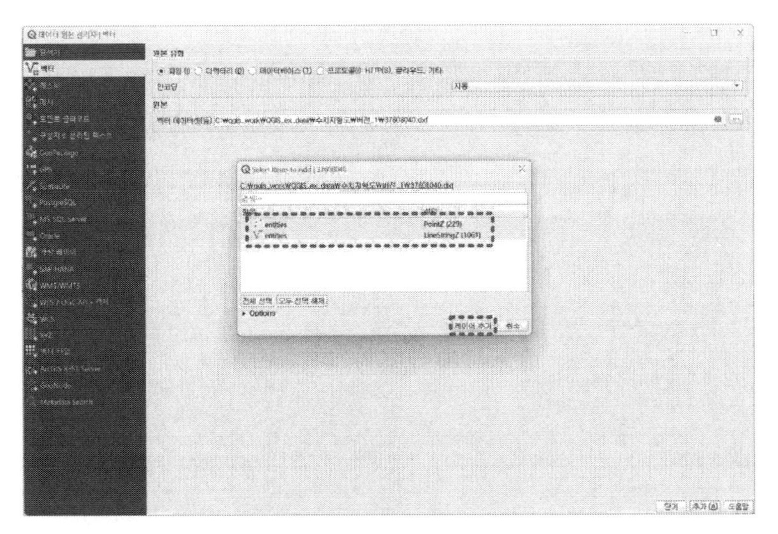

그림 9. 점과 선 형태의 데이터 레이어 추가

수치지형도 ver 1.0의 dxf 파일은 좌표계가 설정되어 있지 않기 때문에 좌표계를 직접 지정해야 한다. 국가공간정보포털 수치지형도 dxf파일의 좌표계는 GRS80TM좌표(EPSG:5186)이다. 여기서는 점과 선 형태의 자료가 2개이기 때문에 좌표계 설정은 두 번 진행된다.

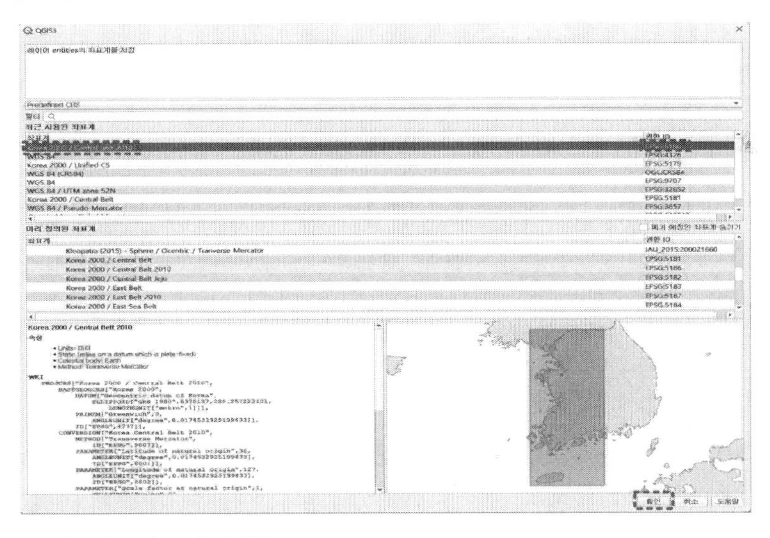

그림 10. 좌표계 설정

수치지형도 ver 1.0 dxf 파일의 점과 선의 형태의 데이터가 맵 창에 열린 결과를 확인할 수 있다.

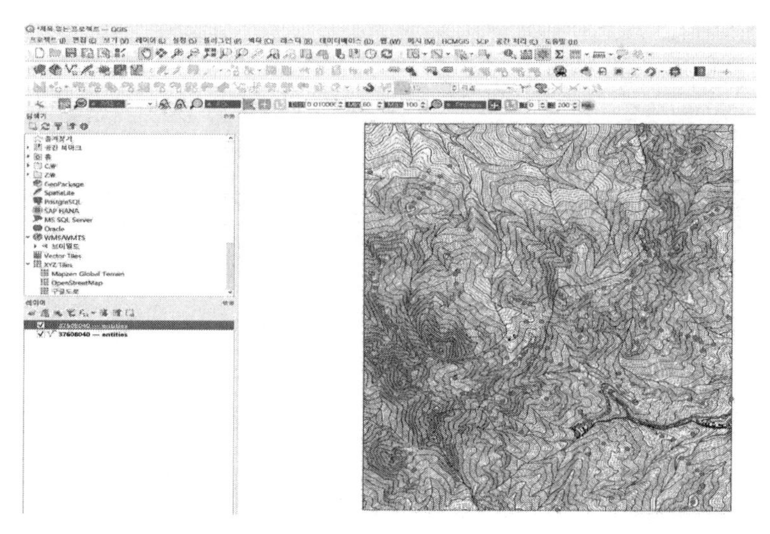

그림 11. 수치지형도 ver 1.0 dxf 파일

수치고도모델을 생성하기 위해서 사용되는 dxf 파일에서 해발고도 값을 포함하는 등고선 레이어를 선택하여 별도 파일로 저장한다. 1:5,000 축척의 수치지형도에서 등고선 레이어는 계곡선과 주곡선이 있으며 계곡선은 25m 간격, 주곡선은 5m 간격으로 만들어져 있다. 1:25,000 축척 수치지형도는 계곡선 50m, 주곡선 10m 간격으로 만들어져 있다. 수치지형도에서 등고선 관련 레이어 코드는 7111: 주곡선(볼록) 7121(오목), 7112: 간곡선(볼록) 7122(오목), 7113: 조곡선(볼록) 7123(오목), 7114: 계곡선(볼록) 7124(오목)이고 수치지형도에서 표고점 관련 레이어 코드는 7217: 표고점이다.

여기서 등고선 레이어 코드는 국가법령정보센터의 수치지도 지형지물 표준코드(안)를 보면 지형과 관련된 레이어 코드는 F00으로 시작한다.

(http://www.law.go.kr/flDownload.do?flSeq=9413431)

No	대분류	중분류	소분류(지형지물명)	통합코드	수치지도 1.0						수치지도 2.0	비고
					1:5,000			1:1,000				
					구조	표현	색상	구조	표현	색상	구조	
510			해안선(섬)	E0082122	면		R/G/B 0/0/255	선		R/G/B 0/0/255		
511			등고선(미분류)	F0010000							선	
512			(볼록지)미분류	F0017110	선							
513			(볼록지)주곡선	F0017111	선		R/G/B 255/127/0	선		R/G/B 255/127/0		
514			(볼록지)간곡선	F0017112	선		R/G/B 255/127/0	선		R/G/B 255/127/0		
515			(볼록지)조곡선	F0017113	선		R/G/B 255/127/0	선		R/G/B 255/127/0		
516			(볼록지)계곡선	F0017114	선		R/G/B 0/0/0	선		R/G/B 0/0/0		
517		등고선	(오목지)미분류	F0017120	선							
518			(오목지)주곡선	F0017121	선		R/G/B 255/127/0					
519			(오목지)간곡선	F0017122	선		R/G/B 255/127/0					
520			(오목지)조곡선	F0017123	선		R/G/B 255/127/0					
521			(오목지)계곡선	F0017124	선		R/G/B 0/0/0					
522			(수치)미분류	F0017130	문자							
523			등고수치	F0017131	문자	23	R/G/B 0/0/0	점	23	R/G/B 0/0/0		
524			표고점(미분류)	F0020000							점	
525	지형	표고점	표고점수치	F0027132	문자	23	R/G/B 0/0/0	점	23	R/G/B 0/0/0		
526			표고점	F0027217	점		R/G/B 0/0/0	점		R/G/B 0/0/0		

그림 12. 수치지도 지형지물 표준코드(안)

따라서 선 데이터에서 등고선에 해당하는 7111과 7114 레이어 코드를 선택하고 표고점은 점 데이터에서 7217 레이어 코드를 선택하여 별도로 저장한다. 이를 위해서 선 데이터를 선택하고 마우스 오른쪽 버튼을 클릭해서 나온 팝업 메뉴에서 속성 테이블 열기(A)를 선택한다.

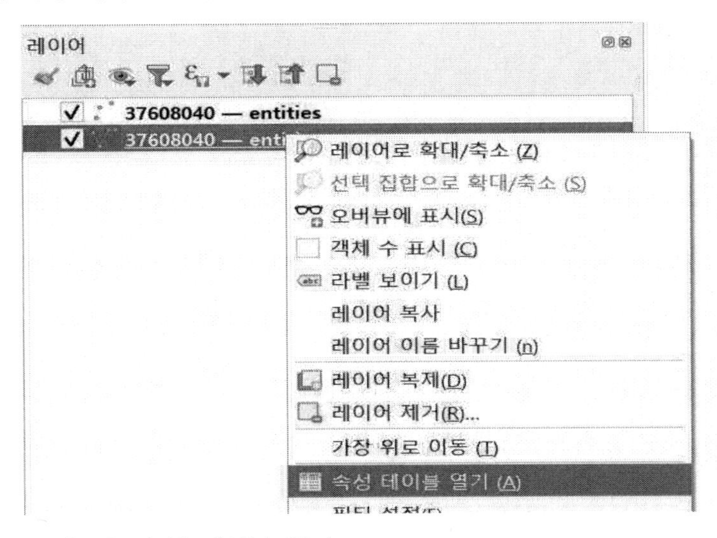

그림 13. 속성 테이블 열기

속성테이블에서 표현식을 이용해서 객체 선택 툴을 클릭해서 표현식으로 선택 대화상자를 불러온다.

	Layer	표현식을 이용해서 객체 선택	SubClasses	Linetype	EntityHandle	Text
1	F0017111	거짓	AcDbEntity:AcD...	NULL	27	NULL
2	F0017111	거짓	AcDbEntity:AcD...	NULL	29	NULL
3	F0027217	거짓	AcDbEntity:AcD...	NULL	2A	NULL
4	F0027217	거짓	AcDbEntity:AcD...	NULL	31	NULL
5	F0017111	거짓	AcDbEntity:AcD...	NULL	32	NULL
6	F0017111	거짓	AcDbEntity:AcD...	NULL	33	NULL
7	F0017111	거짓	AcDbEntity:AcD...	NULL	34	NULL
8	F0017111	거짓	AcDbEntity:AcD...	NULL	35	NULL
9	F0017111	거짓	AcDbEntity:AcD...	NULL	36	NULL
10	F0017114	거짓	AcDbEntity:AcD...	NULL	37	NULL
11	F0027217	거짓	AcDbEntity:AcD...	NULL	39	NULL
12	F0027217	거짓	AcDbEntity:AcD...	NULL	3A	NULL
13	F0027217	거짓	AcDbEntity:AcD...	NULL	3B	NULL
14	F0017114	거짓	AcDbEntity:AcD...	NULL	3C	NULL
15	F0017111	거짓	AcDbEntity:AcD...	NULL	3D	NULL
16	F0017111	거짓	AcDbEntity:AcD...	NULL	3E	NULL
17	F0017111	거짓	AcDbEntity:AcD...	NULL	3F	NULL
18	F0017111	거짓	AcDbEntity:AcD...	NULL	40	NULL
19	F0017111	거짓	AcDbEntity:AcD...	NULL	41	NULL
20	F0017111	거짓	AcDbEntity:AcD...	NULL	42	NULL

그림 14. 표현식을 이용해서 객체 선택 툴

표현식으로 선택 대화상자에서 표현식에 “Layer” like 'F0017%'을 입력하고 객체 선택하고 닫기 버튼을 클릭한다.

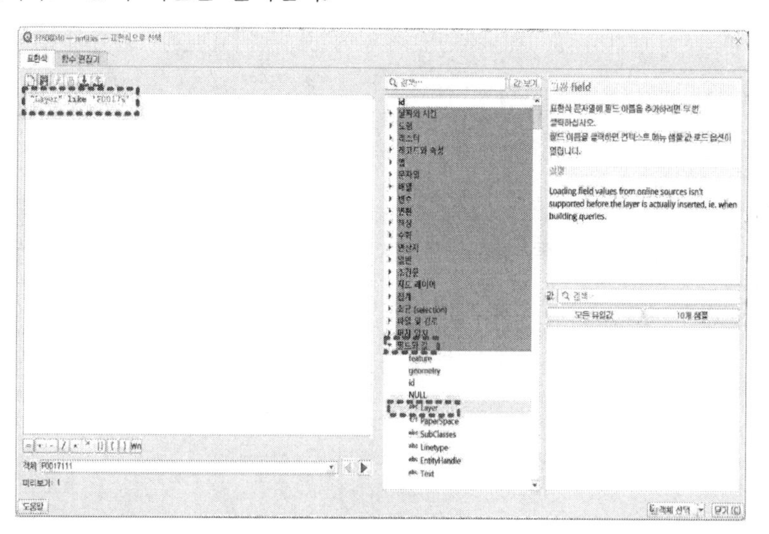

그림 15. 표현식으로 선택 대화상자

표현식으로 객체를 선택한 결과는 등고선 레이어는 노란색상으로 표현된다.

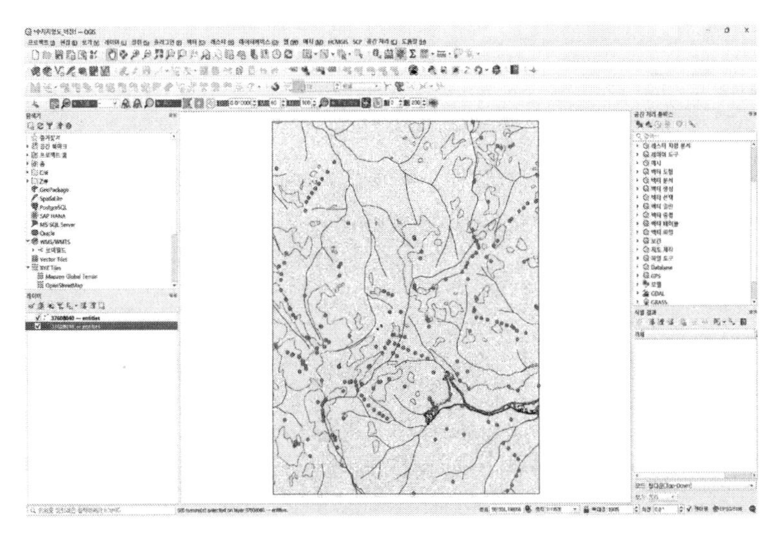

그림 16. 표현식으로 객체를 선택한 결과

노란색상으로 선택된 객체를 별도의 shp 파일로 저장하기 위해서 파일을 선택하고 마우스 오른쪽 버튼을 클릭해서 나온 팝업메뉴의 Export 기능 중에서 선택된 객체를 다른 이름으로 저장(S)... 을 선택한다.

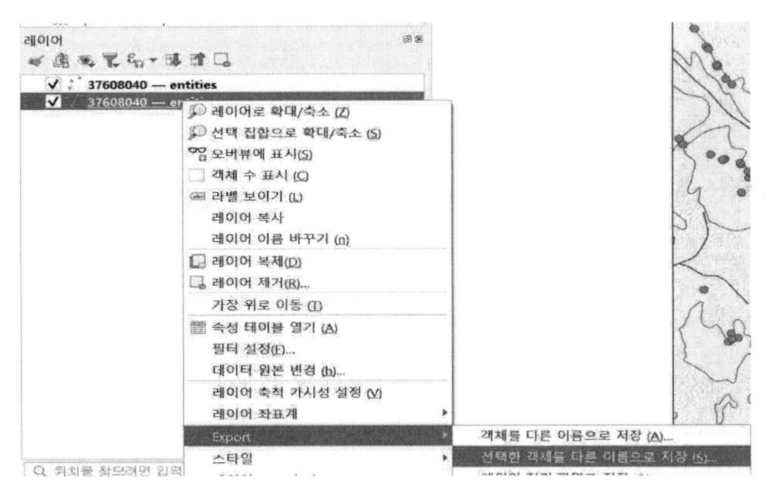

그림 17. 선택된 객체를 다른 이름으로 저장

레이어를 다른 이름으로 저장 대화상자에서 사용자가 저장하고자하는 폴더로 이동해서 등고선.shp으로 파일이름을 부여하고 저장한다.

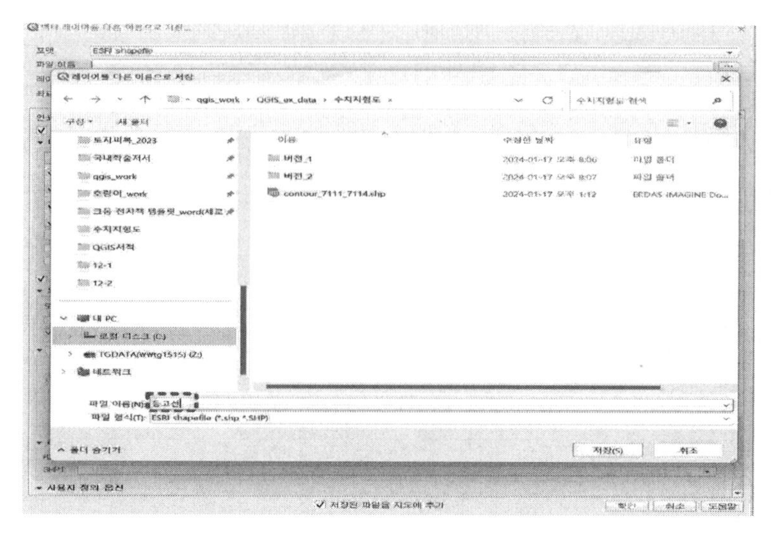

그림 18. 레이어를 다른 이름으로 저장 대화상자

최종적으로 벡터 레이어를 다른 이름으로 저장 대화상자에서 포맷(ESRI Shapefile), 파일이름(등고선.shp), 좌표계(EPSG: 5186)가 정확하게 입력되었는지를 보고 확인버튼을 선택하여 등고선 데이터를 저장한다.

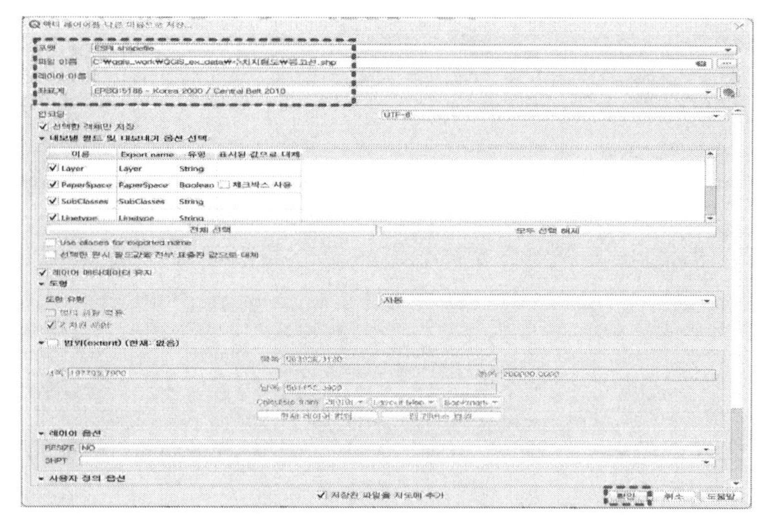

그림 19. 벡터 레이어를 다른 이름으로 저장 대화상자

저장된 결과는 레이어 코드가 F0017111과 F0017114만 있는 등고선 레이어만 확인할 수 있다.

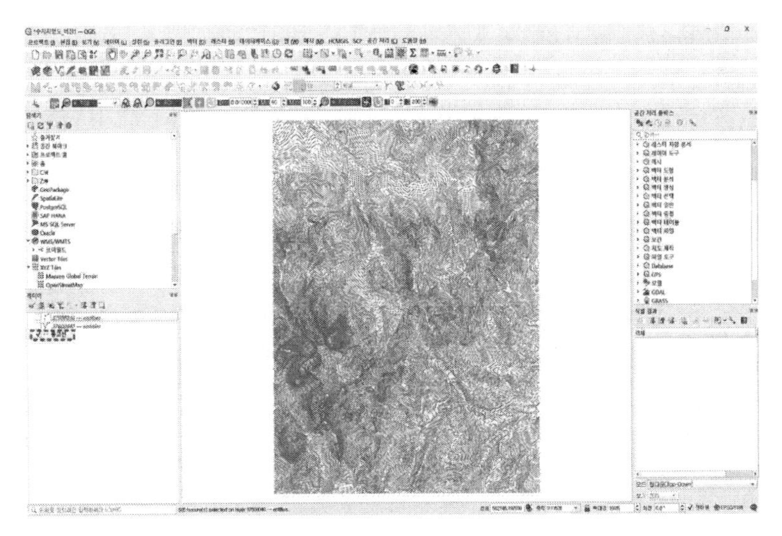

그림 20. 등고선 레이어

저장된 등고선 레이어를 이용해서 해발고도(DEM) 지도 제작을 위해 IDW 보간법(Inverse Distance Weighting Interpolation)을 수행하기 위해서 등고선 레이어를 선택하고 공간처리 메뉴에서 툴박스를 선택하고 나온 화면 오른쪽의 공간처리 패널에서 보간이란 기능 중에서 역거리 가중(IDW) 보간법을 선택한다.

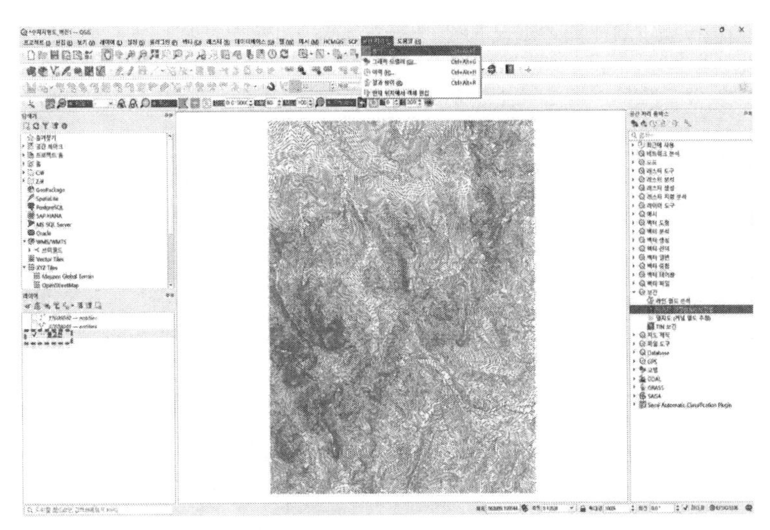

그림 21. 역거리 가중(IDW) 보간법

역거리 가중(IDW) 보간법 대화상자에서 벡터 레이어 란에 등고선 레이어를 선택하고 보간에 Z 좌표값 이용에 체크한다. 바로 아래 더하기 버튼을 클릭해서 벡터레이어에는 등고선, 속성은 Z_COORD, 유형은 포인트로 한다.

거리계수는 2로 하고 범위는 맨 오른쪽 버튼을 클릭해서 레이어에서 계산을 등고선으로 선택한다. 픽셀크기는 사용자가 원하는 수치를 넣을 수 있지만 여기서는 30으로 한다.

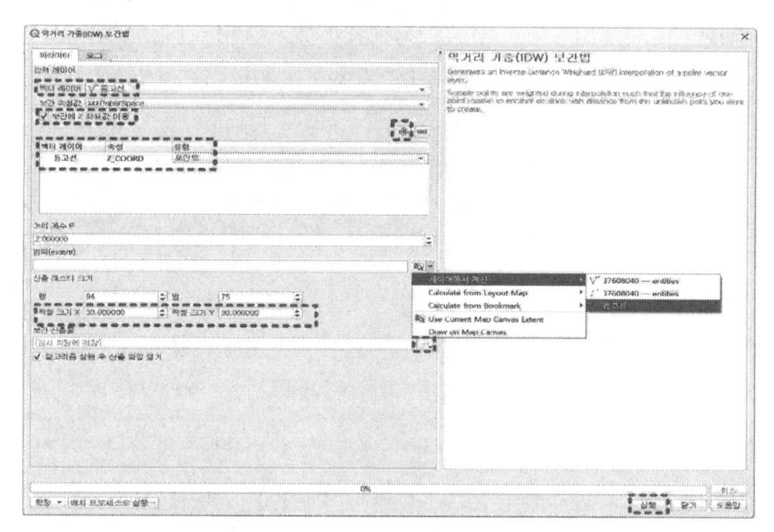

그림 22. 역거리 가중(IDW) 보간법 대화상자

범위 란에 등고선 범위가 입력된 것을 확인하고 최종 결과를 저장하기 위해서 보간산출물 란의 오른쪽에 있는 버튼을 클릭해서 파일 저장 대화상자를 불러온다.

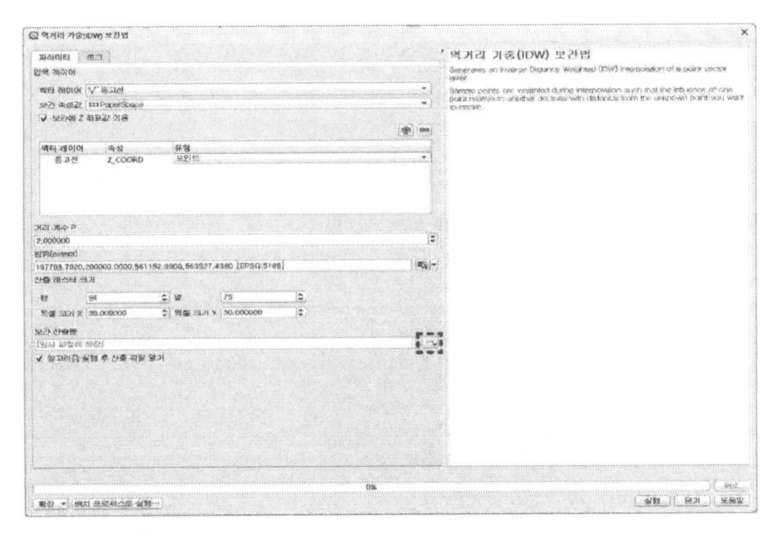

그림 23. 보간산출물 저장

파일 저장 대화상자에서 사용자가 원하는 폴더로 이동해서 파일이름(예, tin30.tif)을 부여하고 저장한다.

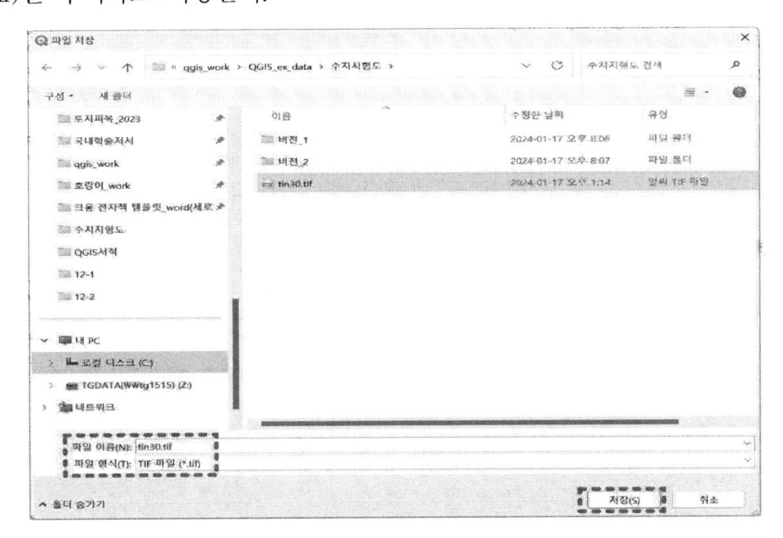

그림 24. 파일 저장 대화상자

보간산출물 란에 파일이름이 등록된 것을 확인하고 실행버튼을 클릭한다.

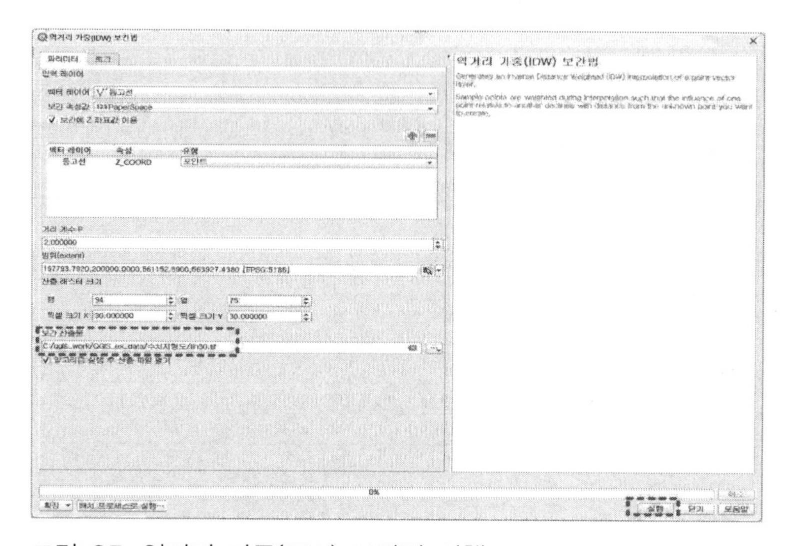

그림 25. 역거리 가중(IDW) 보간법 실행

IDW 보간법이 실행 완료되면 닫기 버튼을 클릭한다.

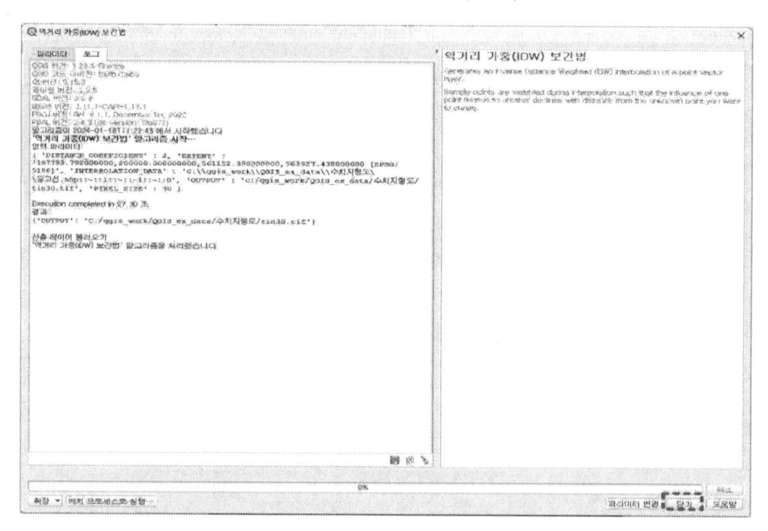

그림 26. IDW 보간법이 실행 완료

최종 IDW 보간법으로 처리된 수치도고자료가 흑백으로 화면에 나타난 것을 확인할 수 있다.

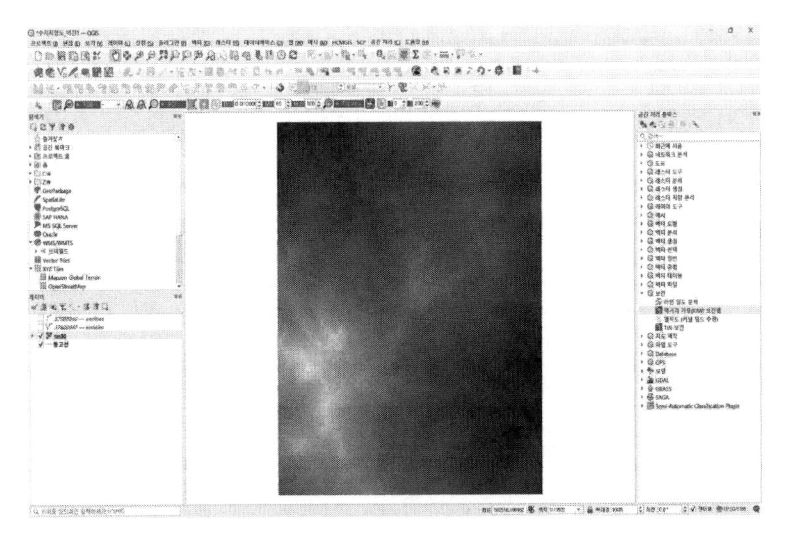

그림 27. IDW 보간법으로 처리된 수치도고자료

흑백영상의 수치고도자료를 컬러색상으로 변경하기 위해서 파일을 선택하고 마우스 오른쪽 버튼을 클릭해서 나온 팝업 메뉴에서 속성을 선택한다.

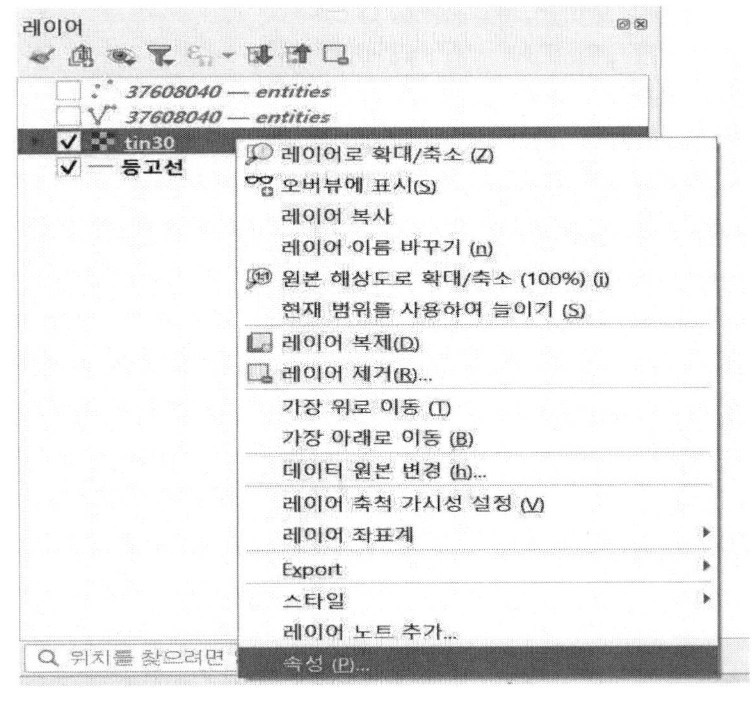

그림 28.수치고도자료 레이어 속성

레이어 속성 대화상자에서 심벌을 선택하고 랜더링 유형을 단일 밴드 유사색상을 선택하고 분류 버튼을 선택한다. 색상표를 클릭해서 색상반전을 선택하고 확인 버튼을 클릭한다.

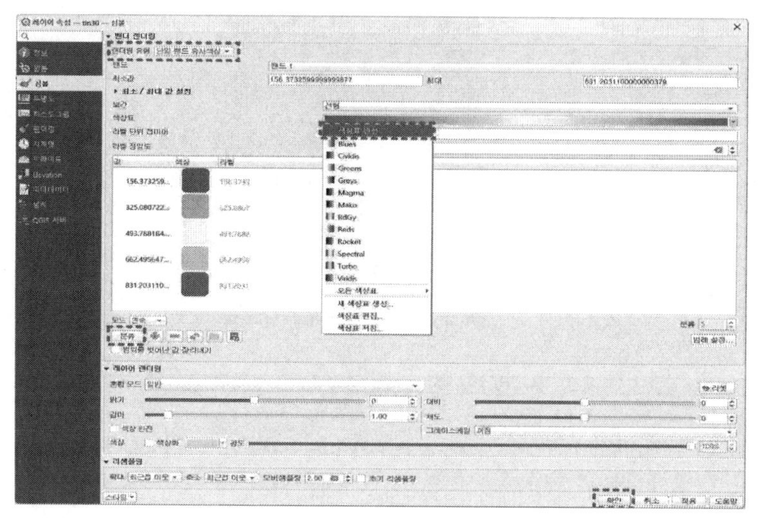

그림 29. 레이어 속성 대화상자

흑백색상의 수치고도모델 데이터가 컬러색상으로 나타난 것을 확인할 수 있다.

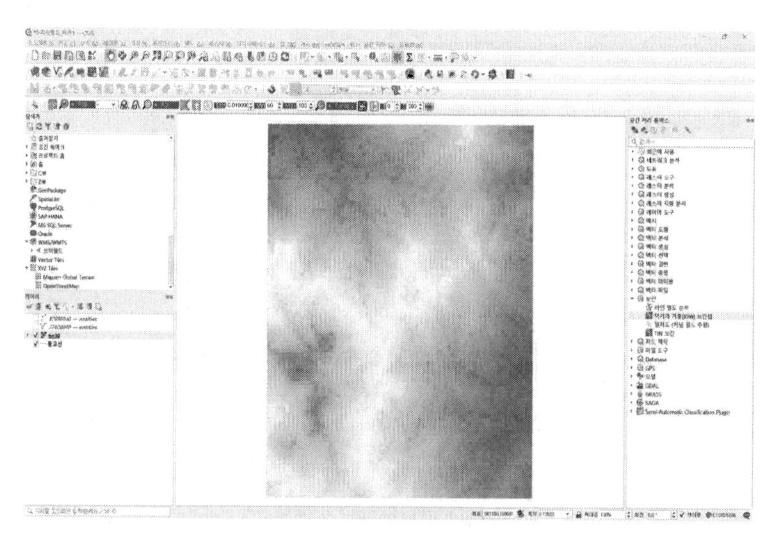

그림 30. 컬러색상의 수치고도모델 데이터

이번 강좌는 오픈 소스 프로그램으로 제작되기 때문에 빈번한 오류와 함께

시간이 오래 걸릴 수 있기 때문에 인내심을 가지고 최종 DEM지도가 완성될 때 까지 커피한잔의 여유를 갖기를 바랍니다.

위의 일련의 과정은 다음 유투브에서 쉽게 확인할 수 있다.

유투브 URL: https://youtu.be/THNJ10lBaH8?si=BhGigV7Im1T7fwRt

11.3 지형 경사 지도 제작하기

특정 지역의 지형이 얼마나 가파른지, 평평한지 등 평탄화 정도와 경사를 분석하는데 이용하는 지형 경사 지도를 제작한다.

지형 경사 지도는 DEM 래스터 데이터를 이용한다. DEM 데이터를 불러오기 위해서 레이어→레이어 추가 →래스터 레이어 추가...을 선택한다.

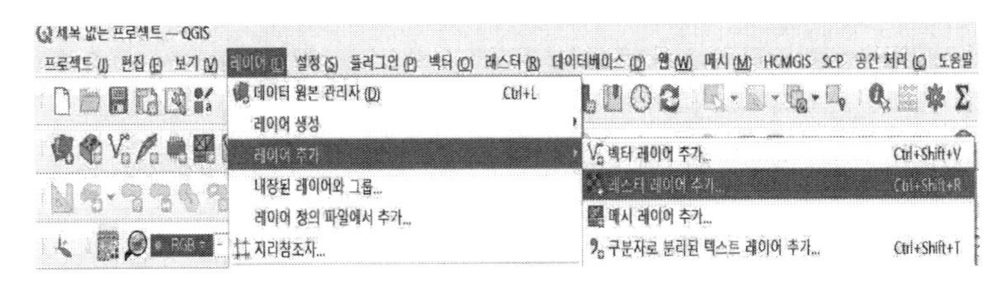

그림 31. 래스터 레이어 추가

데이터 원본 관리자 대화상자에서 래스터를 선택하고 래스터 데이터셋(들) 란의 오른쪽에 있는 버튼을 선택한다.

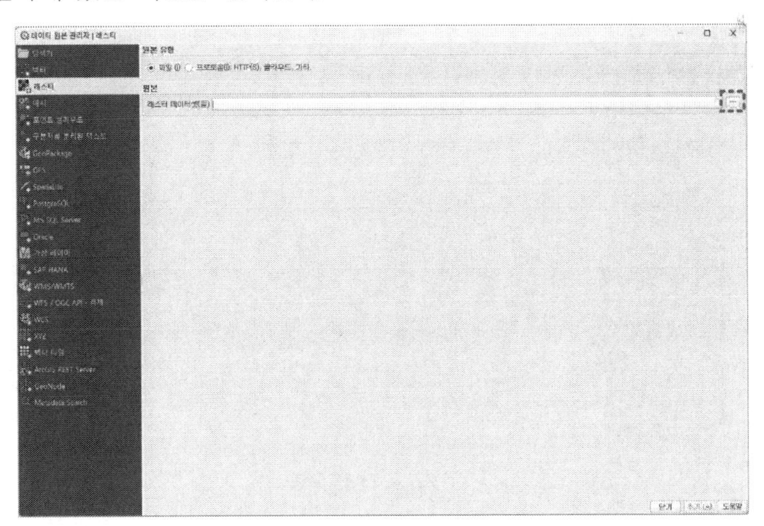

그림 32. 데이터 원본 관리자 대화상자

래스터 데이터셋(들) 열기 대화상자에서 앞서 생성한 DEM 데이터인 c:\gis_work\QGIS_ex_data\수치지형도 폴더에 있는 tin30.tif 파일을 선택하고 열기 버튼을 선택한다.

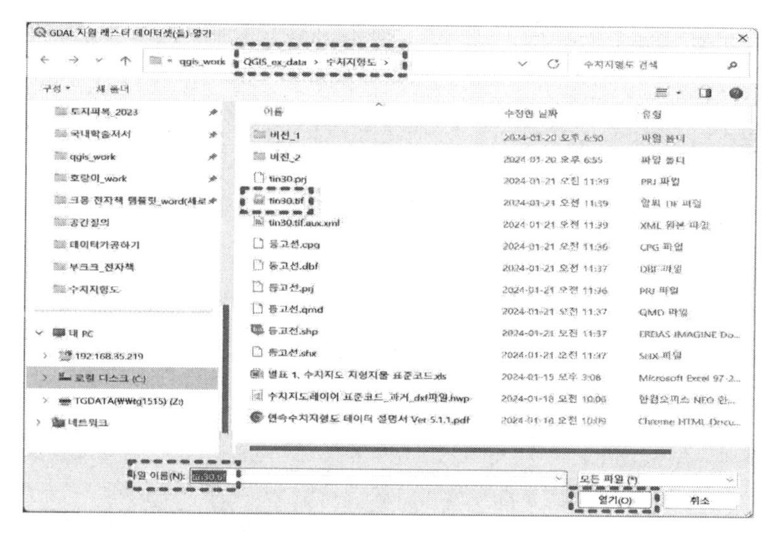

그림 33. 래스터 데이터셋(들) 열기 대화상자

데이터 원본 관리자 대화상자에서 등록된 내용을 확인하고 추가 버튼을 클릭하고 닫기 버튼을 선택한다.

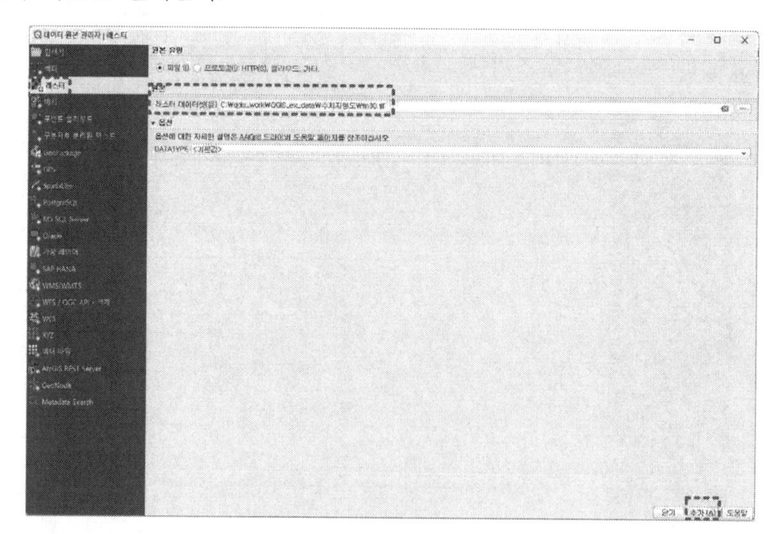

그림 34. 데이터 원본 관리자 대화상자

맵 창에서 흑백 색상의 DEM 레이어를 볼 수 있다.

그림 35. 흑백 색상의 DEM 레이어

DEM 데이터를 이용해서 산지 경사를 계산하기 위해서 래스터→분석→경사를 선택한다.

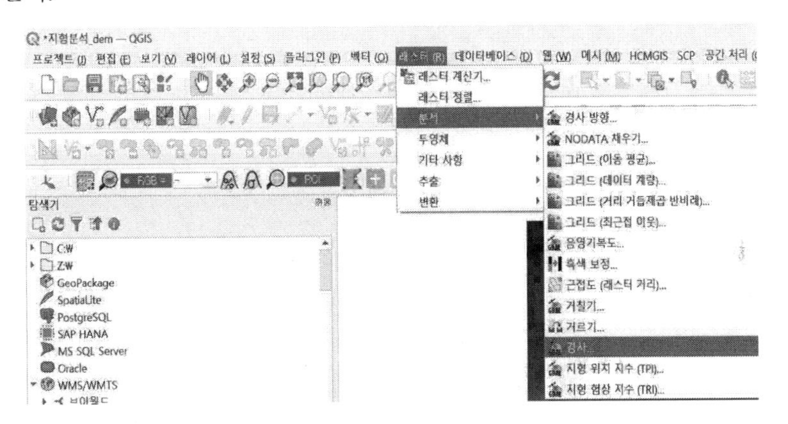

그림 36. 래스터 분석의 경사

경사 대화상자에서 입력 레이어 란에 DEM 데이터인 tin30 레이어를 등록하고 경사 란 오른쪽에 있는 버튼을 선택한다.

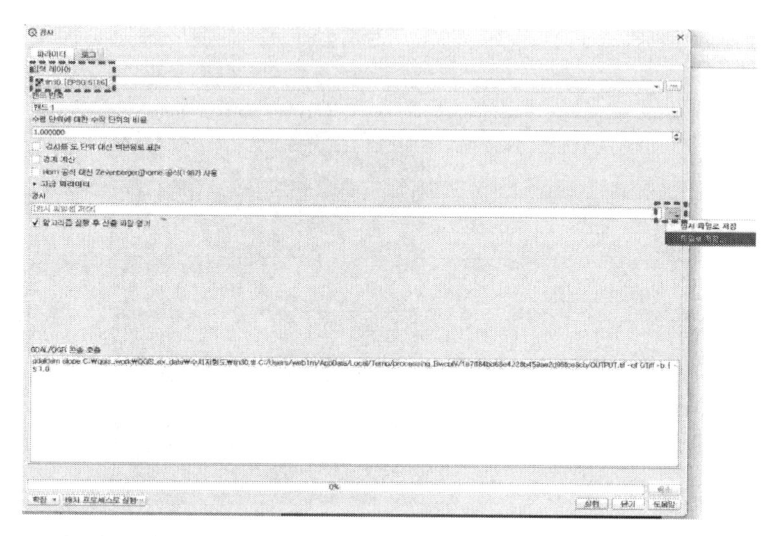

그림 37. 경사 대화상자

파일 저장 대화상자에서 사용자가 원하는 폴더로 이동해서 파일이름(예, 지형경사.shp)을 부여하고 저장 버튼을 클릭한다.

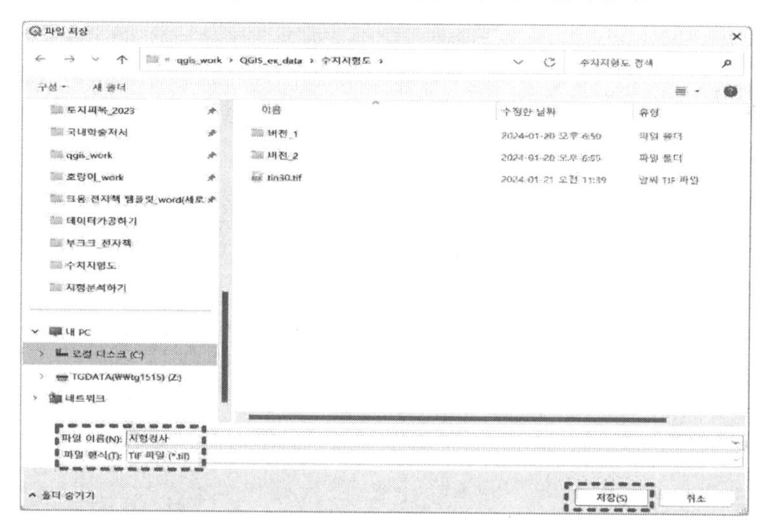

그림 38. 파일 저장 대화상자

경사 대화상자에서 사용자가 입력한 내용을 확인하고 실행 버튼을 클릭한다. 맵 창에 흑백영상의 경사 데이터를 확인할 수 있다.

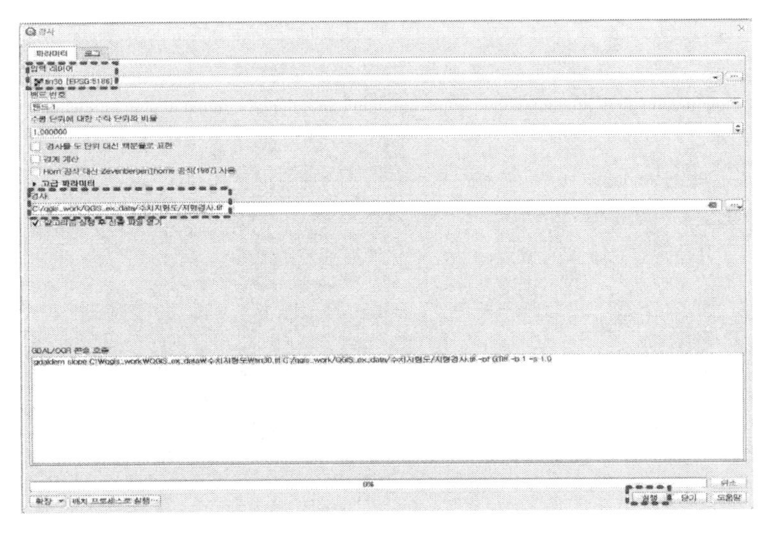

그림 39. 경사 대화상자

지형경사 레이어를 선택하고 마우스 오른쪽 버튼을 클릭해서 나온 팝업 메뉴에서 속성을 선택한 다음, 레이어 속성 대화상자에서 심벌을 선택하고 랜더링 유형을 단일 밴드 유사색상을 선택하고 분류 버튼을 선택하고 색상표를 클릭해서 색상반전을 선택하고 확인 버튼을 클릭한다.

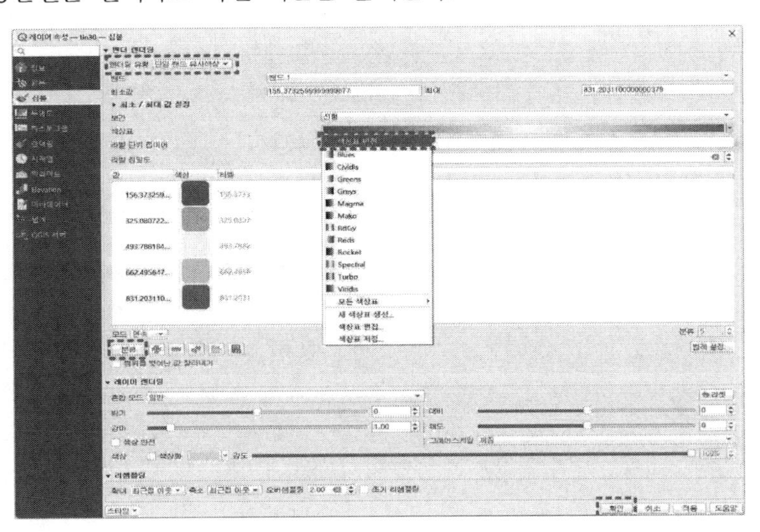

그림 40. 레이어 속성 대화상자

컬러 색상의 지형경사 데이터가 맵 창에 나타난 것을 확인할 수 있다. 빨간 색상일수록 경사가 높다는 것을 나타낸다.

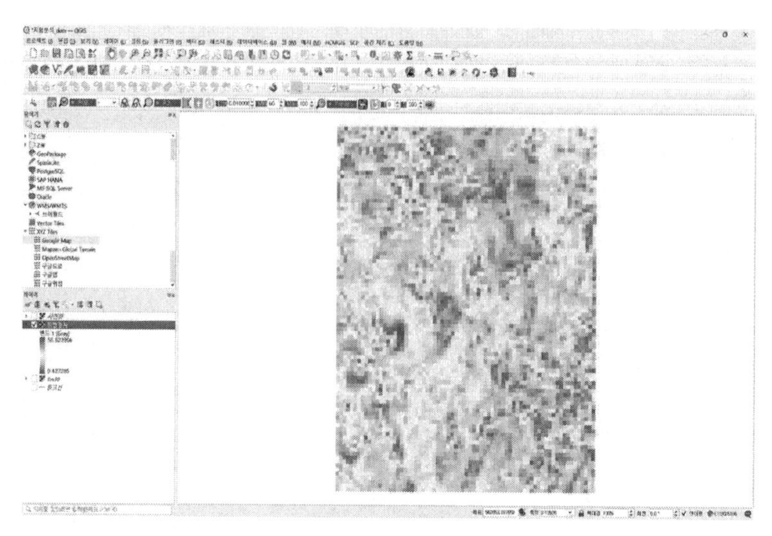

그림 41. 컬러 색상의 지형경사 데이터

11.4 사면향 지도 제작하기

특정 지역의 사면의 방향이 동서남북 중 어디로 향하고 있는지 분석하는데 사용하는 사면향 지도를 제작한다.

사면향 지도도 DEM 래스터 데이터를 이용한다. DEM 데이터를 불러오기 위해서 레이어→레이어 추가 →래스터 레이어 추가...을 선택하여 DEM 데이터를 불러온 다음 래스터→분석→경사 방향을 선택한다.

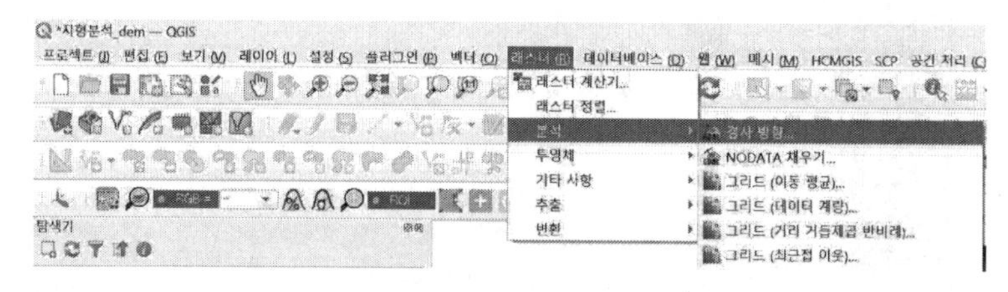

그림 42. 래스터 분석의 경사 방향

경사 방향 대화상자에서 입력 레이어 란에 DEM 데이터인 tin30 레이어를 등록하고 경사향 란 오른쪽에 있는 버튼을 선택한다.

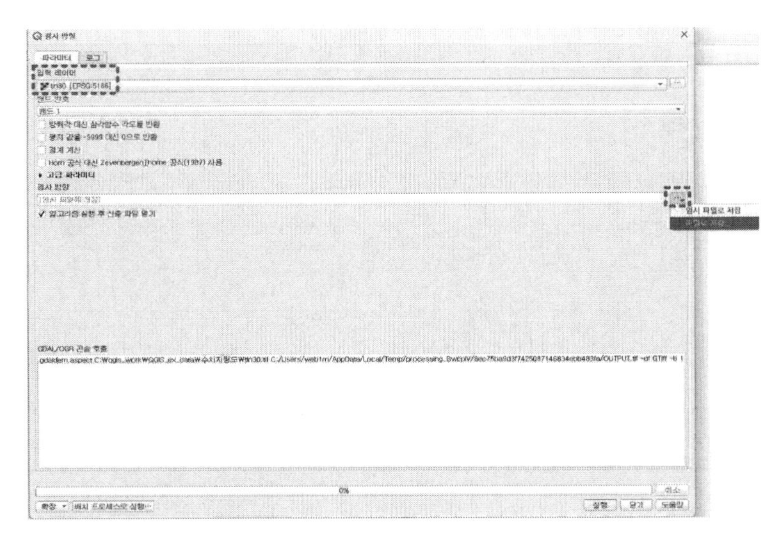

그림 43. 경사 방향 대화상자

파일 저장 대화상자에서 사용자가 원하는 폴더로 이동해서 파일이름(예, 사면향.shp)을 부여하고 저장 버튼을 클릭한다.

그림 44. 파일 저장 대화상자

경사 방향 대화상자에서 사용자가 입력한 내용을 확인하고 실행 버튼을 클릭한다. 맵 창에 흑백영상의 경사 방향 데이터를 확인할 수 있다.

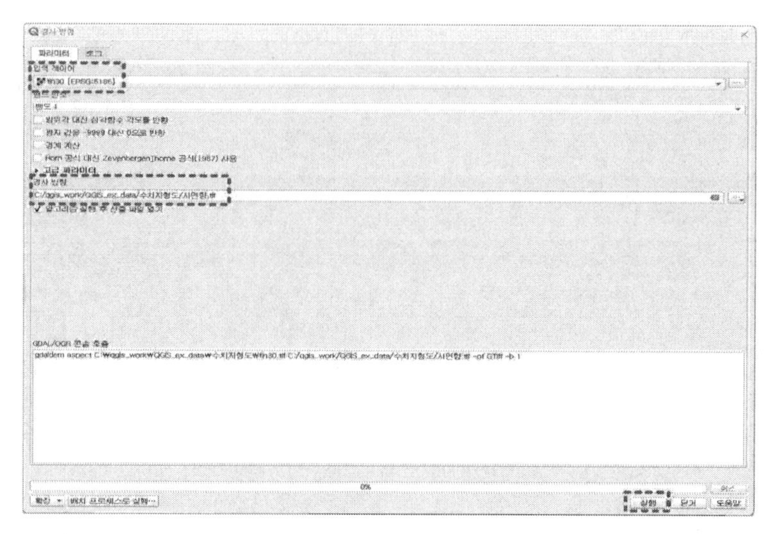

그림 45. 경사 방향 대화상자

사면향 레이어를 선택하고 마우스 오른쪽 버튼을 클릭해서 나온 팝업 메뉴에서 속성을 선택한 다음, 레이어 속성 대화상자에서 심벌을 선택하고 랜더링 유형을 단일 밴드 유사색상을 선택하고 분류 버튼을 선택하고 색상표를 클릭해서 색상반전을 선택하고 확인 버튼을 클릭한다.

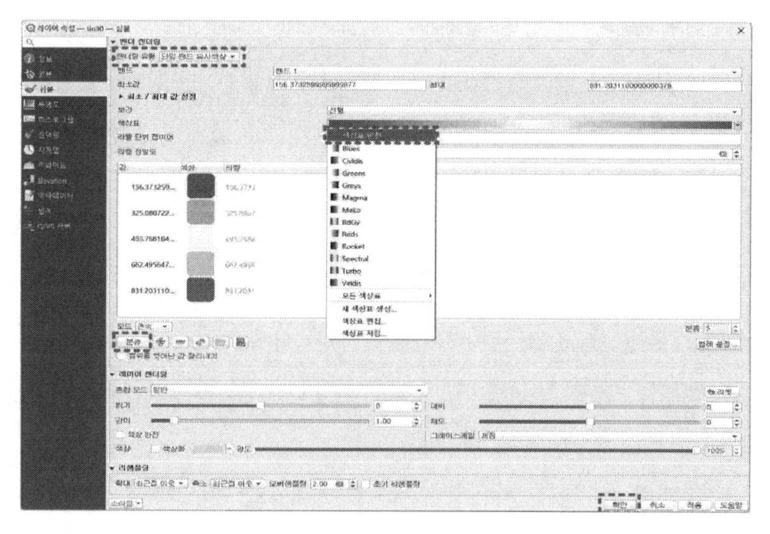

그림 46. 사면향 레이어 속성 대화상자

컬러 색상의 사면향 데이터가 맵 창에 나타난 것을 확인할 수 있다. 파란 색상에서 빨간 색상까지 0도에서 360도를 나타낸다.

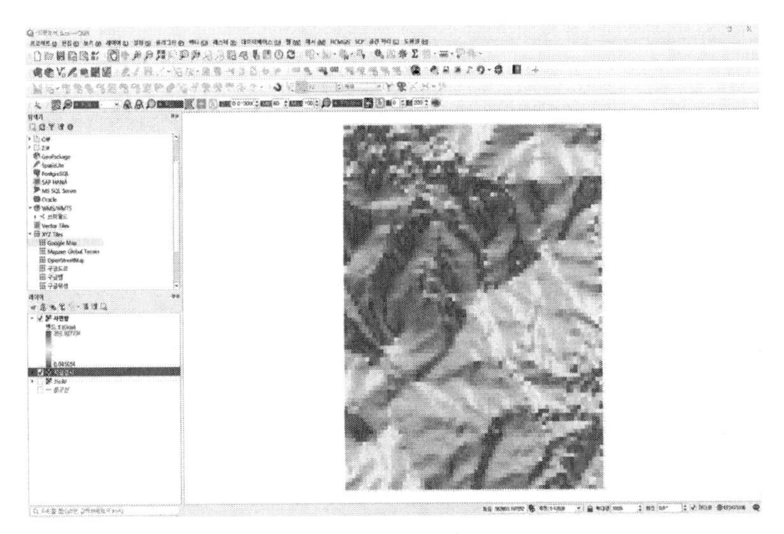

그림 47. 컬러 색상의 사면향 데이터

제12장 토지피복지도 만들기

토지피복지도(Land Cover Map)는 특정 지역의 지표면 상태를 산림, 농경지, 도심지 등 유사한 지역으로 그룹화 하여 시각적으로 표현한 지도이다. 이 지도는 토지의 다양한 용도와 변화를 이해하는 데 도움을 준다. 주로 지리 정보 시스템(GIS)과 관련된 작업에서 사용되며, 도시 계획, 환경 모니터링, 자연 보전 등 다양한 분야에서 활용된다.

이 장에서는 환경부에서 제공하는 토지피복지도을 이용해서 북한산국립공원에 해당하는 토지피복지도를 제작한고 피복유형별 면적을 산출하는 방법을 설명한다.

12.1 북한산국립공원 도엽 선택하기

토지피복지도를 제작하기 위해서는 북한산국립공원에 해당하는 도엽번호를 알아내어야 한다. 도엽번호를 찾기 위해서는 해당 지역의 인덱스 맵을 사용하는 것이 일반적이다. 인덱스 맵은 대상 지역의 지도를 격자 형태로 나눈 것으로, 각 격자에 해당하는 도엽번호를 표시한다.

인덱스 맵을 불러오기 위해서 메뉴의 레이어→레이어 추가→벡터 레이어 추가...을 선택하여 C:\GIS_ex_data\인덱스맵25k\INDEX_map_gpkg 파일을 불러온다.

그림 1. 벡터 레이어 추가

북한산국립공원 경계 파일도 레이어→레이어 추가→벡터 레이어 추가...을 선택하여 C:\GIS_ex_data\공원경계 폴더에 있는 북한산국립공원_경계.shp 파일을 불러온다.

불러온 북한산국립공원_경계 레이어에 맞게 확대해서 보기 위해서 파일을 선택하고 마우스 오른쪽 버튼을 클릭해서 나온 팝업 메뉴에서 레이어 확대/축소를 선택한다.

그림 2. 레이어 확대/축소

북한산국립공원 경계를 확대하여 맵 창에서 볼 수 있다.

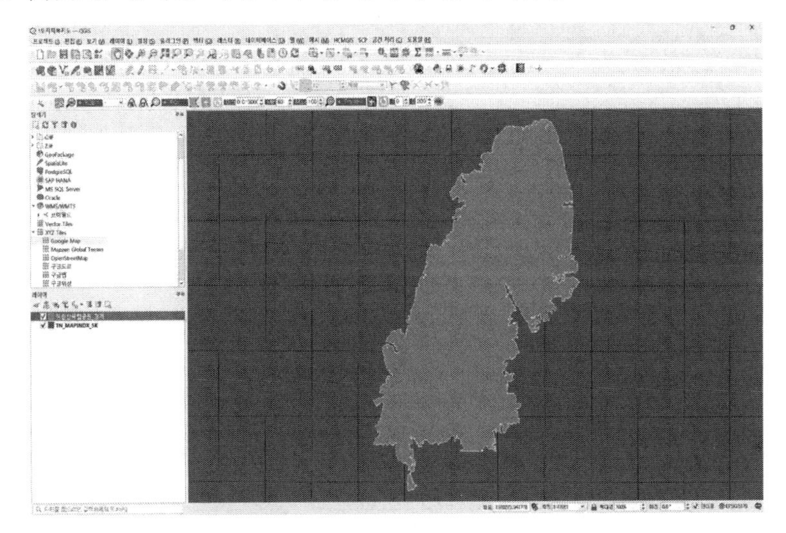

그림 3. 북한산국립공원 경계

북한산국립공원_경계 레이어에 해당하는 1:5000 도엽을 검색하기 위해서 벡터 메뉴의 조사도구 → 위치로 선택...을 선택한다.

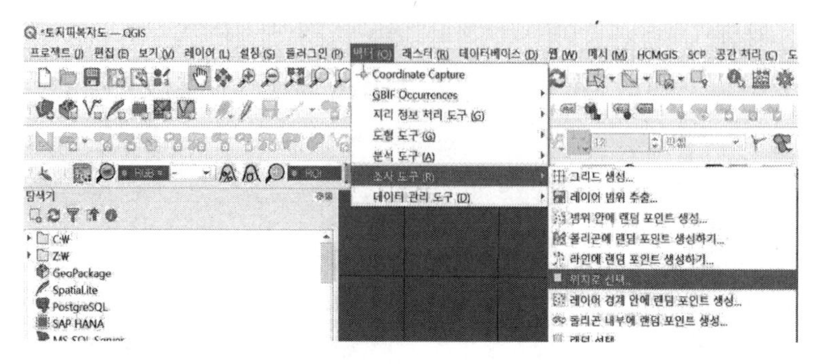

그림 4. 위치로 선택

위치로 선택 대화상자에서 다음 위치에서 객체 선택 란에 인덱스 레이어를 선택하고 객체 위치(도형 서술자)는 Intersect를 선택하고 다음과 같은 객체 비교에는 북한산국립공원_경계 레이어를 선택한다. 현재 구간을 다음으로 수정에는 새 선택 집합 생성으로 지정하고 실행 버튼을 클릭한다.

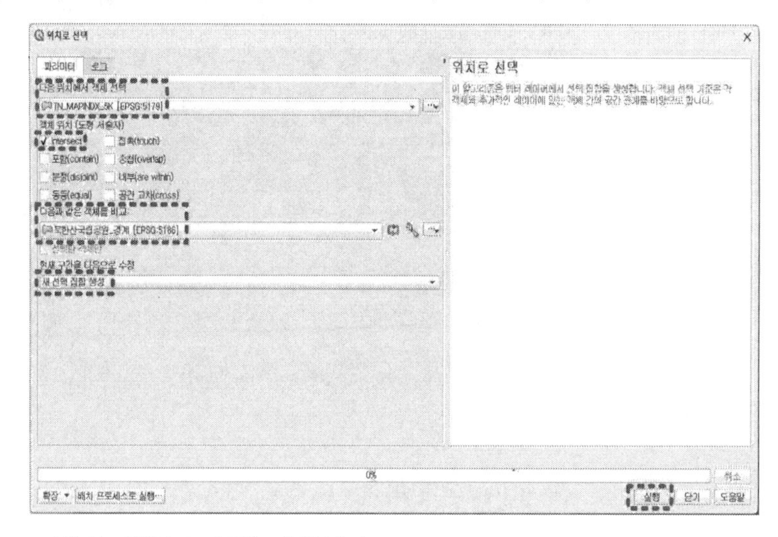

그림 5. 위치로 선택 대화상자

위치로 선택 기능을 실행한 결과 북한산국립공원에 해당하는 도엽 지도가 노란색상으로 선택된 것을 알 수 있다.

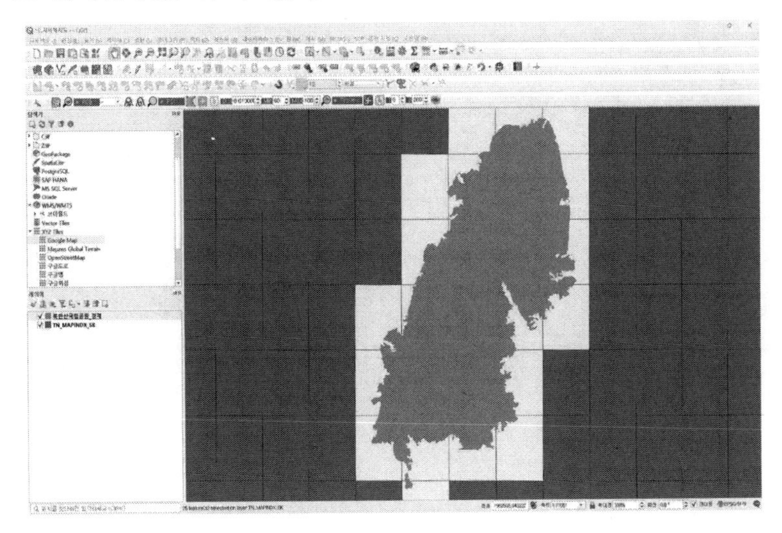

그림 6. 북한산국립공원에 해당하는 도엽 선택

선택된 도엽 지도를 별도로 저장하기 위해서 인덱스 레이어를 선택하고 마우스 오른쪽 버튼을 클릭해서 나온 팝업 메뉴에서 Export → 선택한 객체를 다른 이름으로 저장...을 선택한다.

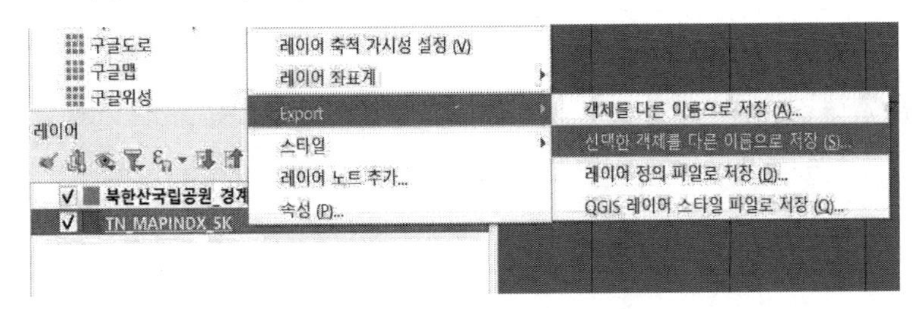

그림 7. 선택한 객체를 다른 이름으로 저장

벡터 레이어를 다른 이름으로 저장 대화상자에서 파일 이름 란의 오른쪽에 있는 버튼을 클릭한다.

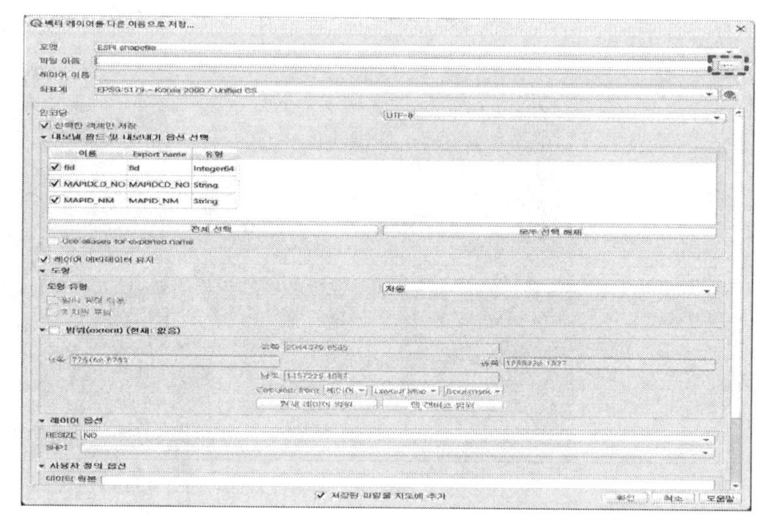

그림 8. 벡터 레이어를 다른 이름으로 저장 대화상자

레이어를 다른 이름으로 저장 대화상자에서 사용자가 원하는 폴더로 이동해서 파일이름(예, 북한산국립공원_도엽.shp) 부여하고 저장 버튼을 클릭한다.

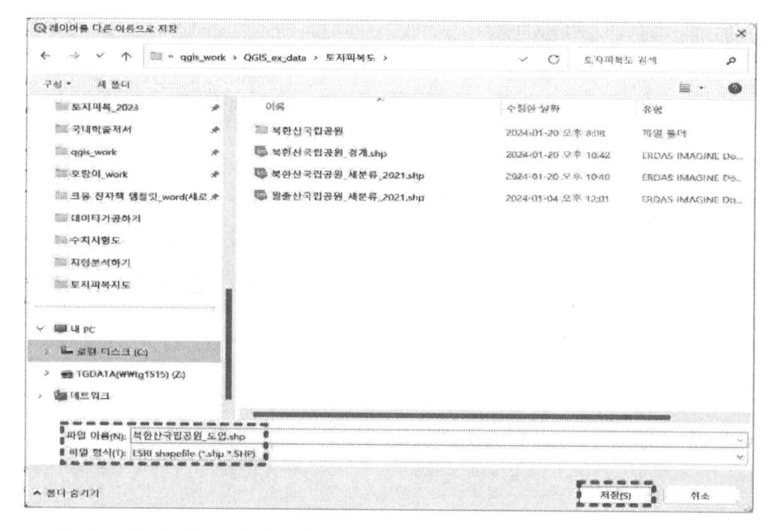

그림 9. 레이어를 다른 이름으로 저장 대화상자

도엽번호를 확인하기 위해서 별도로 저장된 북한산국립공원_도엽 레이어를 선택하고 오른쪽 버튼을 클릭해서 나온 팝업 메뉴에서 속성테이블 열기(A)를 선택한다.

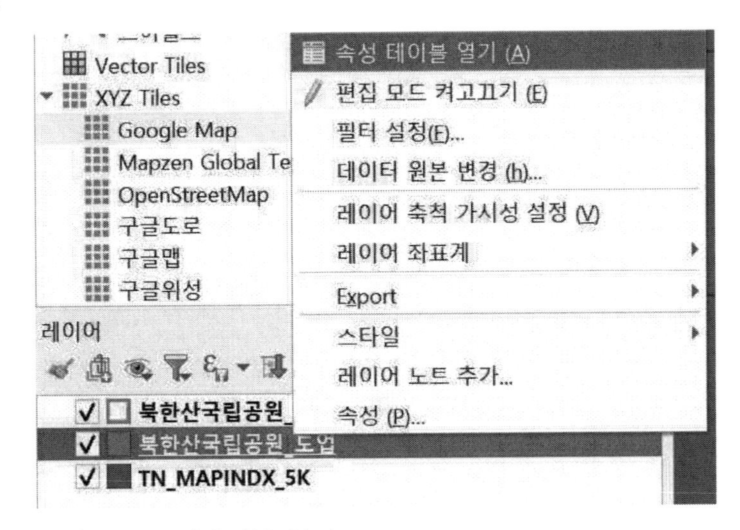

그림 10. 속성테이블 열기

속성테이블에서 북한산국립공원에 해당하는 35개 도엽번호를 확인할 수 있다.

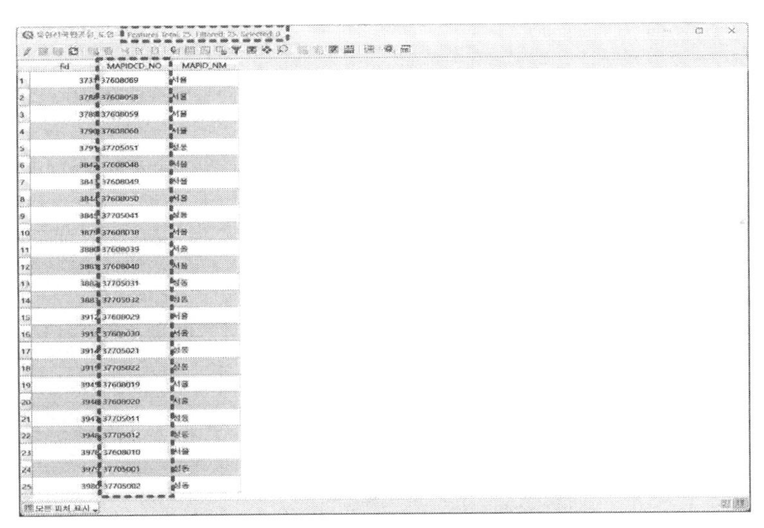

그림 11. 북한산국립공원에 해당하는 35개 도엽번호

북한산국립공원에 해당하는 35개 도엽번호를 맵 창에서 확인하기 위해서는 북한산국립공원_도엽 레이어를 선택하고 오른쪽 버튼을 클릭해서 나온 팝업 메뉴에서 레이블 보기를 선택한다.

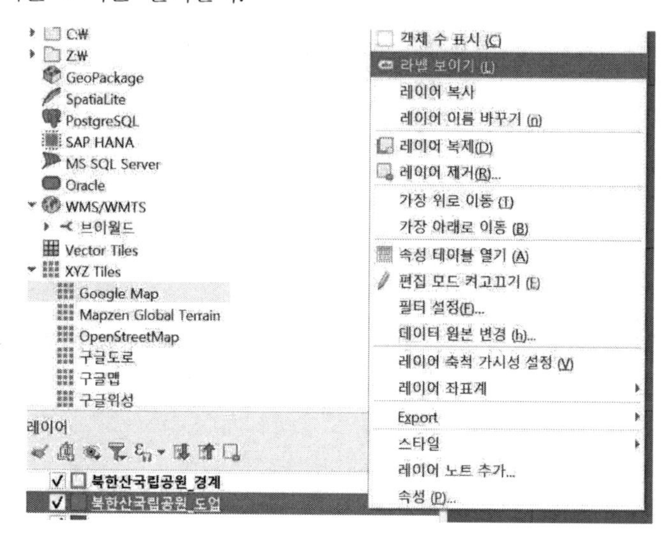

그림 12. 레이블 보기

별도로 저장된 북한산국립공원_도엽 레이어에 35개 도엽번호가 표시된 것을 확인할 수 있다.

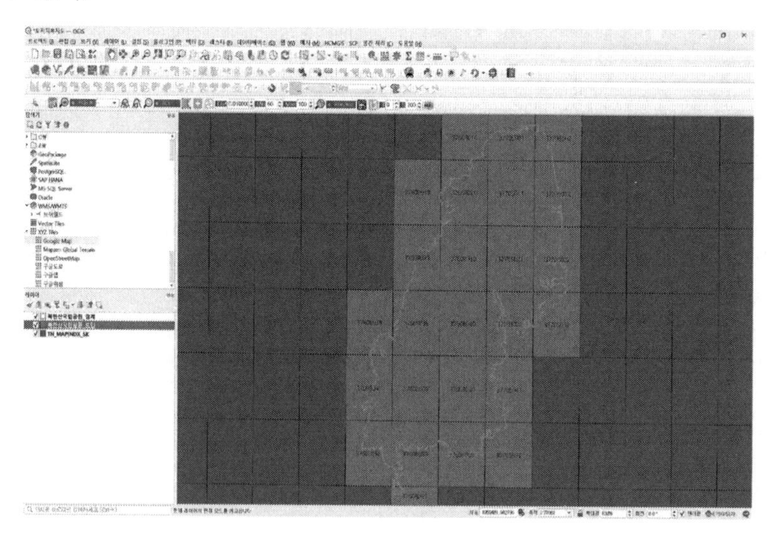

그림 13. 35개 도엽번호 표시

12.2 북한산국립공원 토지피복도 다운로드 하기

환경공간보서비스 사이트에 접속한다. 물론 회원가입은 필수이다.

그림 14. 환경공간보서비스 공식 사이트

환경공간보서비스 사이트에서 자료제공 메뉴에서 자료신청 내역을 선택한다.

그림 15. 자료신청 내역

디지털원패스 로그인 버튼을 클릭한다.

로그인

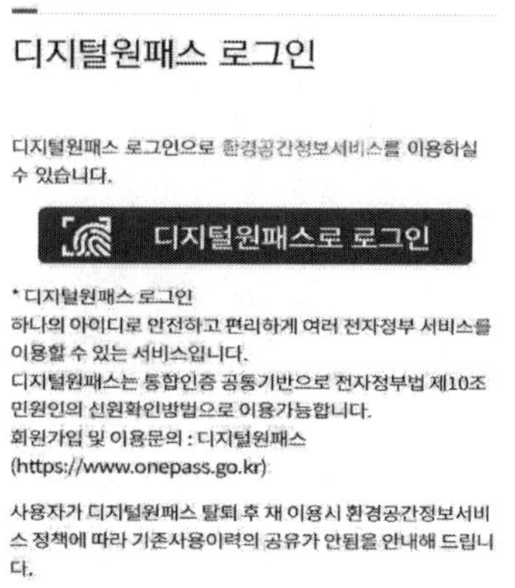

디지털원패스 로그인

디지털원패스 로그인으로 환경공간정보서비스를 이용하실 수 있습니다.

디지털원패스로 로그인

* 디지털원패스 로그인
하나의 아이디로 안전하고 편리하게 여러 전자정부 서비스를 이용할 수 있는 서비스입니다.
디지털원패스는 통합인증 공통기반으로 전자정부법 제10조 민원인의 신원확인방법으로 이용가능합니다.
회원가입 및 이용문의 : 디지털원패스
(https://www.onepass.go.kr)

사용자가 디지털원패스 탈퇴 후 재 이용시 환경공간정보서비스 정책에 따라 기존사용이력의 공유가 안됨을 안내해 드립니다.

그림 16. 디지털원패스 로그인

디지털원패스 로그인 아이디 입력하고 로그인 버튼을 클릭한다.

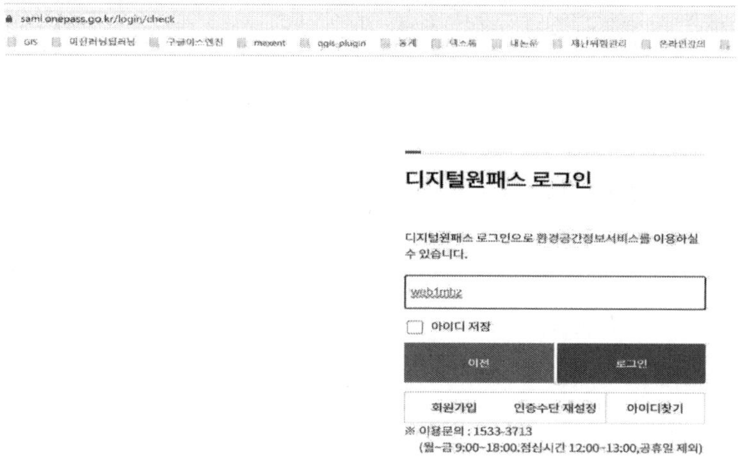

디지털원패스 로그인

디지털원패스 로그인으로 환경공간정보서비스를 이용하실 수 있습니다.

web1mbz

아이디 저장

이전 로그인

회원가입 인증수단 재설정 아이디찾기

※ 이용문의 : 1533-3713
(월~금 9:00~18:00,점심시간 12:00~13:00,공휴일 제외)

그림 17. 디지털원패스 로그인 아이디 입력

디지털원패스 로그인 정보를 SMS 인증으로 한다.

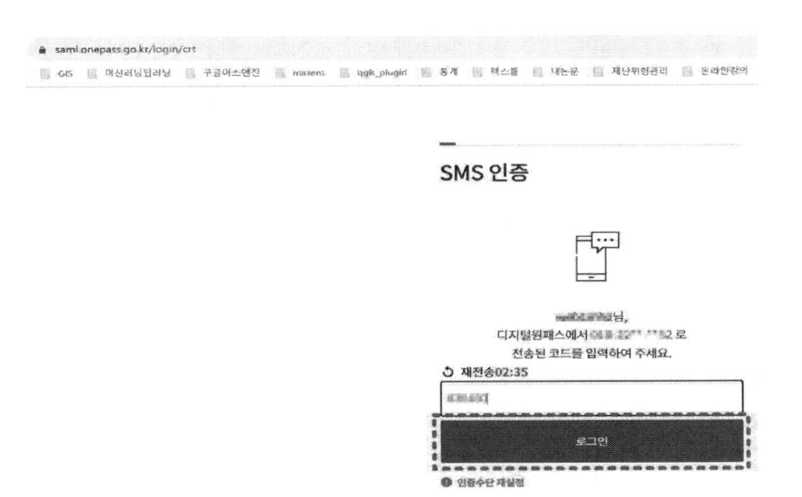

그림 18. 로그인 SMS 인증

디지털원패스 로그인이 성공되면 다시 자료제공 메뉴에서 자료내역을 선택한다.

그림 19. 자료제공 메뉴의 자료내역

자료신청 사이트로 이동해서 신청서 작성 버튼을 클릭한다.

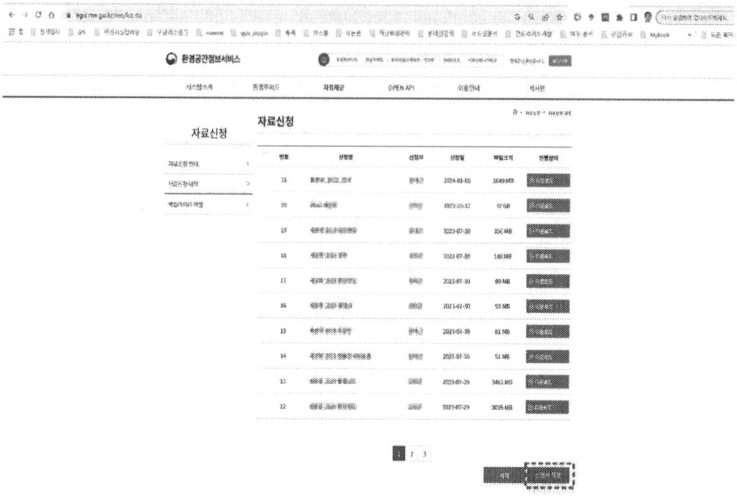

환경공간정보서비스

시스템소개 환경주제도 자료제공 OPEN API 이용안내 게시판

자료신청

자료신청

그림 20. 자료신청 사이트

신청서 작성사이트에서 신청명을 사용자가 원하는 대로 입력하고 지도종류는 토지피복지도, 도엽종류는 세분류, 사업종류는 세분류(2022) 전국을 선택한다. 도엽번호에 앞서 북한산국립공원에 해당하는 35개 도엽번호를 차례대로 입력하고 검색결과 에 모든 도엽이 검색되었다면 선택목록으로 전체 이동 버튼을 선택한다. 자료신청 파일목록에 검색된 35개 도엽이 모두 이동했는지 확인하고 등록 버튼을 클릭한다.

자료신청

신청서 작성

그림 21. 신청서 작성사이트

등록확인과 자료신청 완료 메시지가 출력된다.

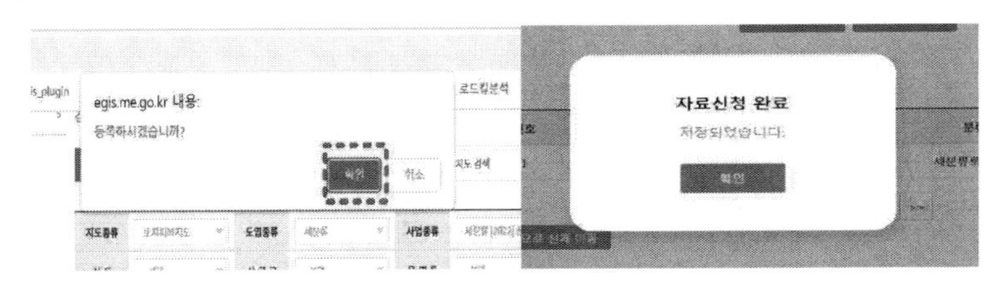

그림 22. 등록확인과 자료신청 완료

자료신청 사이트로 이동해서 신청내용을 확인하고 동의 후 다운로드 버튼을 클릭한다.

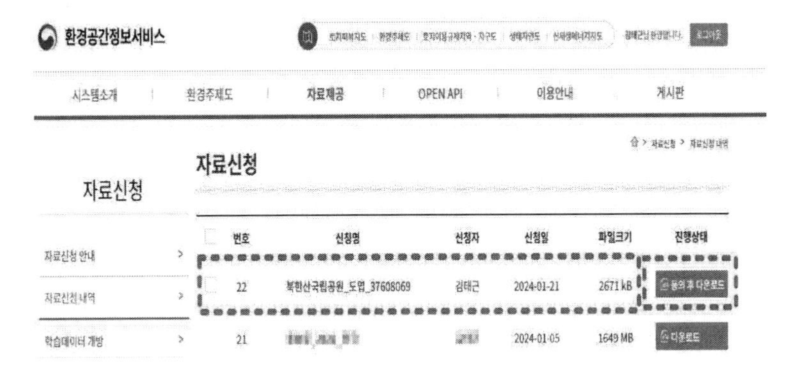

그림 23. 자료 동의 및 다운로드

파일을 다운로드 받기 전에 사용목적에 대한 설문조사를 진행한다.

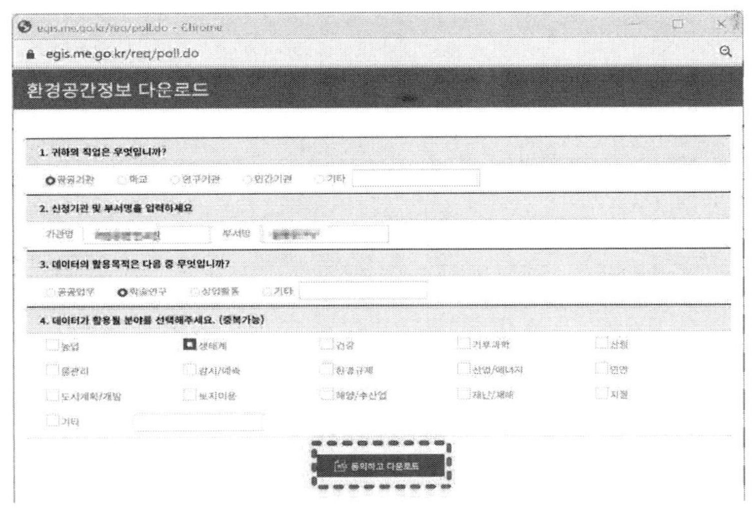

그림 24. 사용목적에 대한 설문조사

설문조사를 완료 한 후 파일을 전체 다운로드 한다.

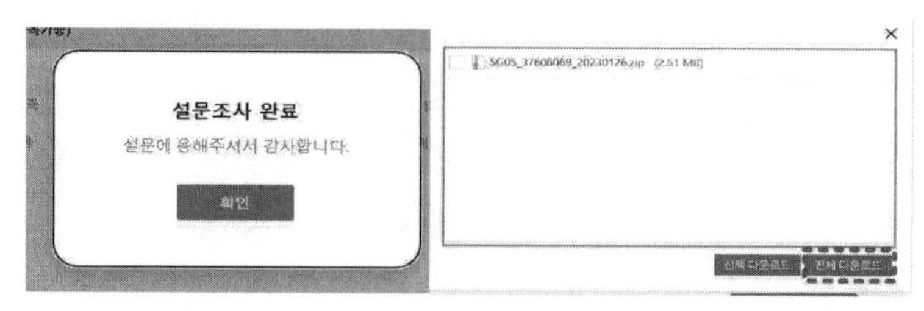

그림 25. 설문조사 완료 및 자료 다운로드

내 컴퓨터 다운로드 폴더에서 35개의 압축파일을 확인할 수 있다.

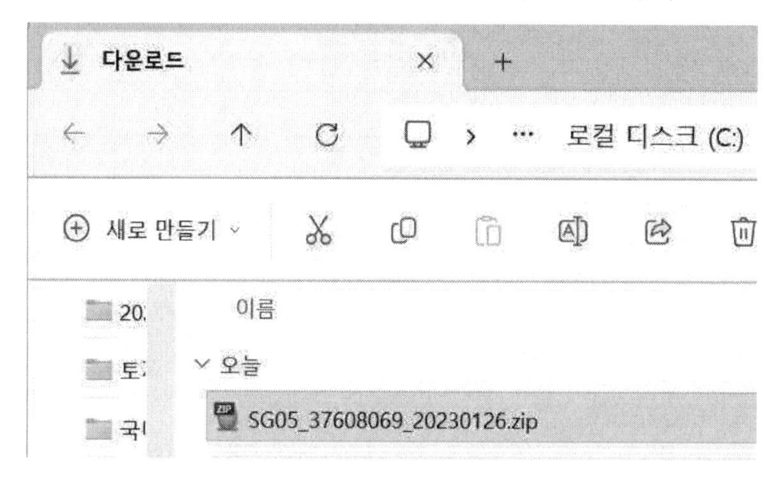

그림 26. 자료 다운로드 결과

다운로드 받은 35개 압축파일을 C:\qgis_work\GIS_ex_data\토지피복도\북한산국립공원 폴더에 압축을 푼다.

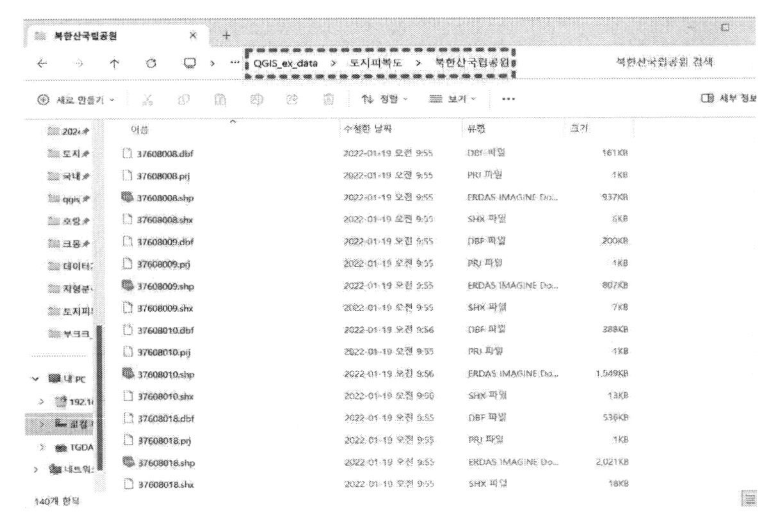

그림 27. 다운로드 받은 35개 압축파일 해제

12.3 북한산국립공원 토지피복도 여러 개 도엽 열기

35개 도엽을 불러오기 위해서 메뉴의 레이어→ 레이어 추가→ 벡터 레이어 추가...을 선택한다.

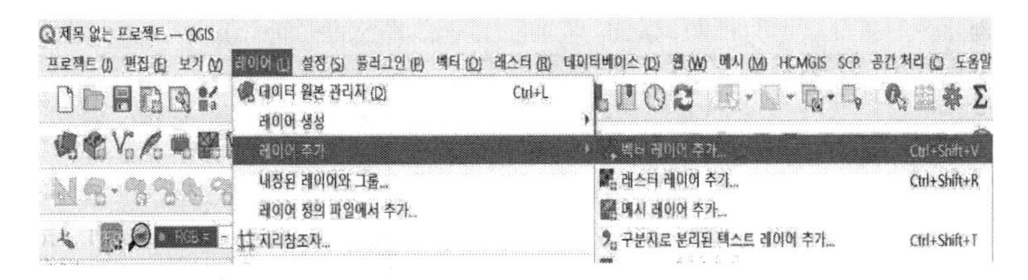

그림 28. 벡터 레이어 추가

데이터 원본 관리자 대화상자에서 벡터 데이터셋(들) 란의 오른쪽에 있는 버튼을 선택한다.

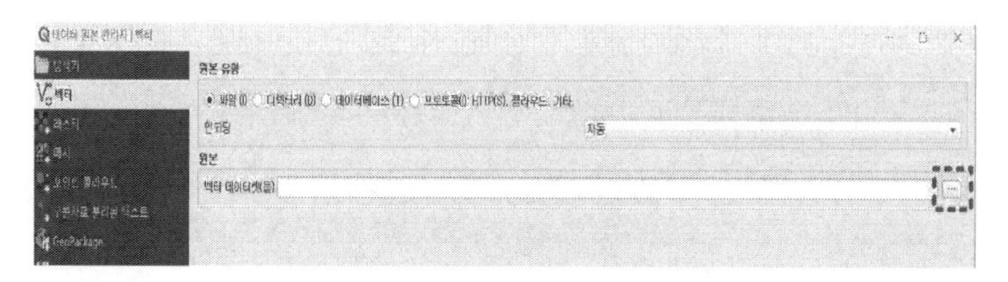

그림 29. 데이터 원본 관리자 대화상자

벡터 데이터가 있는 C:\qgis_work\QGIS_ex_data\북한산국립공원 폴더로 이동한다. 여러 개의 데이터를 동시에 선택하기 위해서 유형을 선택한 후, 첫 번째 shp 데이터를 선택하고 shift 키를 누른 상태에서 마지막 shp 데이터를 선택하고 열기 버튼 클릭한다.

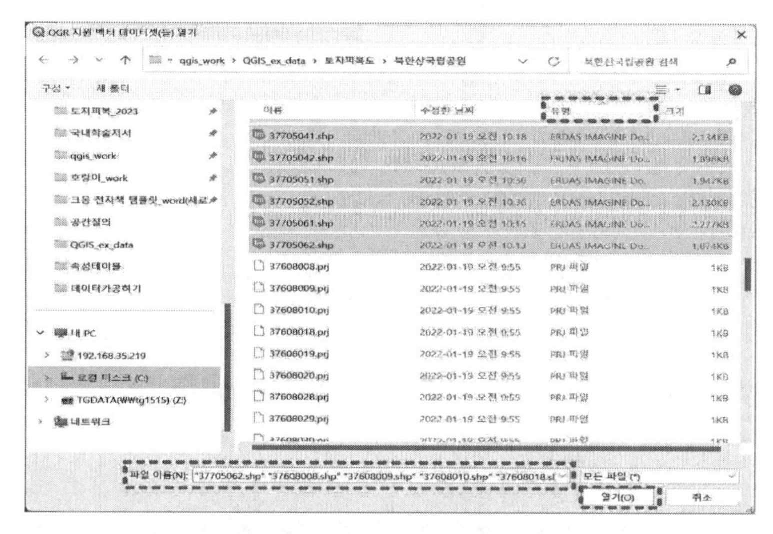

그림 30. 여러 개의 데이터를 동시에 선택

데이터 원본 관리자 대화상자에서 여러 개 벡터 데이터가 벡터 데이터셋(들)란에 등록되었는지 확인하고 추가 버튼을 선택하고 닫기 버튼 클릭한다.

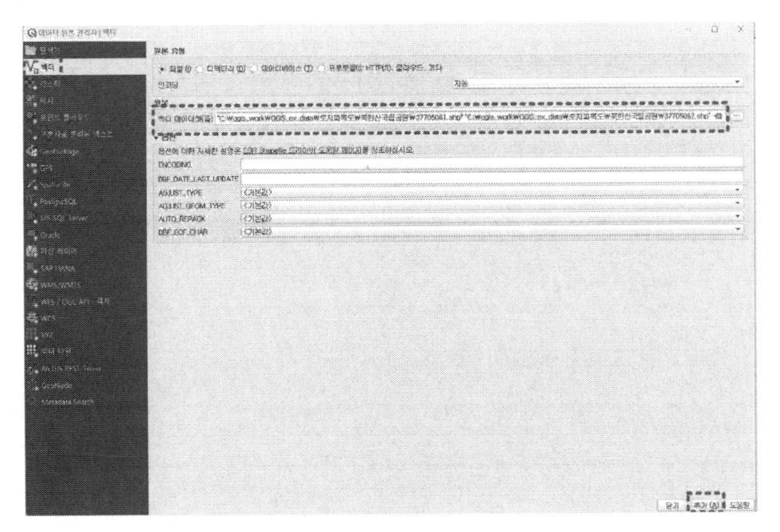

그림 31. 데이터 원본 관리자 대화상자

12.4 북한산국립공원 토지피복도 병합하기

1개 이상의 벡터 데이터가 맵 창에 표시된 것을 확인하고 벡터 메뉴의 데이터 관리도구 기능 중에 벡터 레이어 병합...을 선택한다.

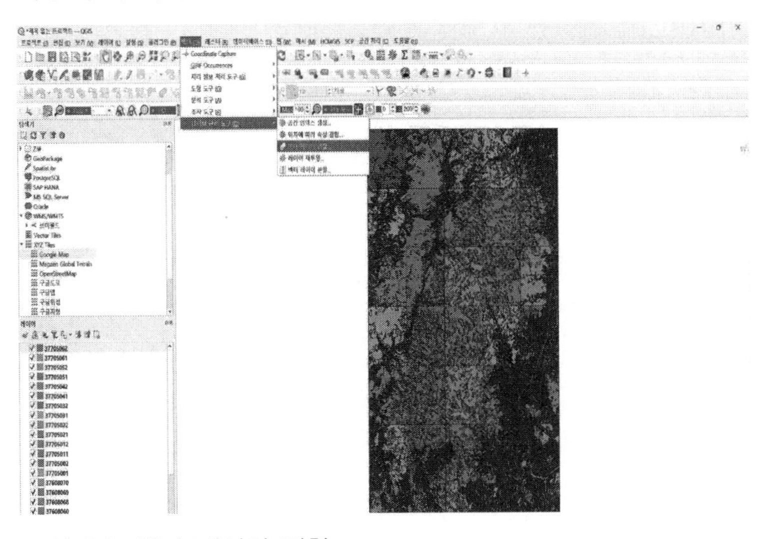

그림 32. 벡터 레이어 병합

벡터 레이어 병합 대화상자에서 불러온 벡터 레이어를 선택하기 위해서 입력 레이어 란의 오른쪽에 있는 버튼을 클릭한다.

그림 33. 벡터 레이어 병합 대화상자

입력 레이어를 전체 선택하고 확인 버튼을 선택한다.

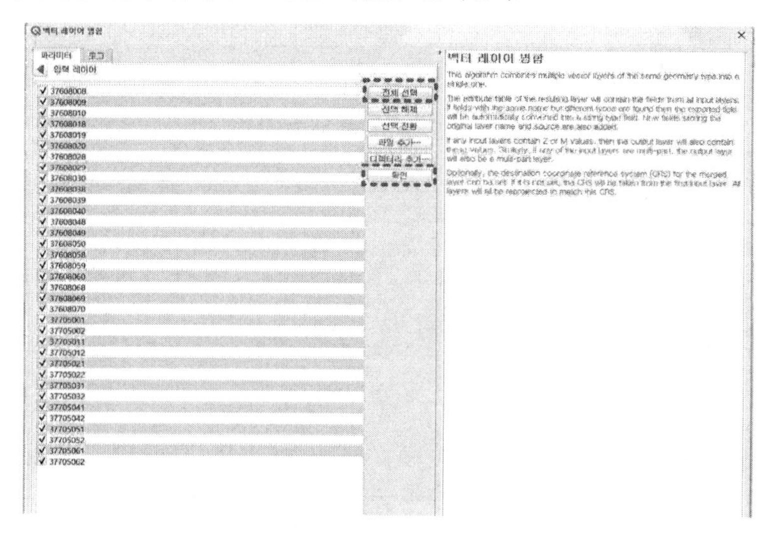

그림 34. 입력 레이어 전체 선택

벡터 레이어 병합 대화상자에서 대상 좌표계는 EPSG: 5186을 선택한다. 병합한 산출물 란의 오른쪽에 있는 버튼을 클릭하고 파일로 저장...을 선택한다.

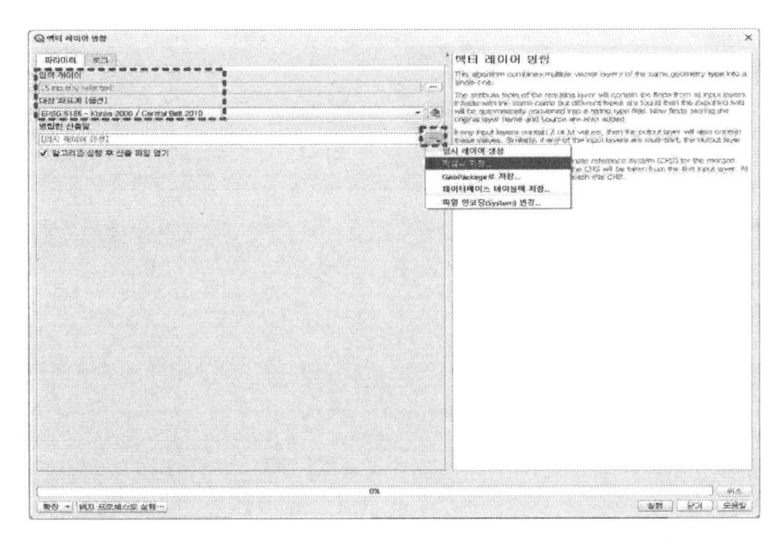

그림 35. 파일로 저장

파일 저장 대화상자에서 사용자가 원하는 폴더로 이동해서 파일이름(예, 북한산국립공원_세분류_2021.shp)을 부여하고 저장 버튼을 클릭한다.

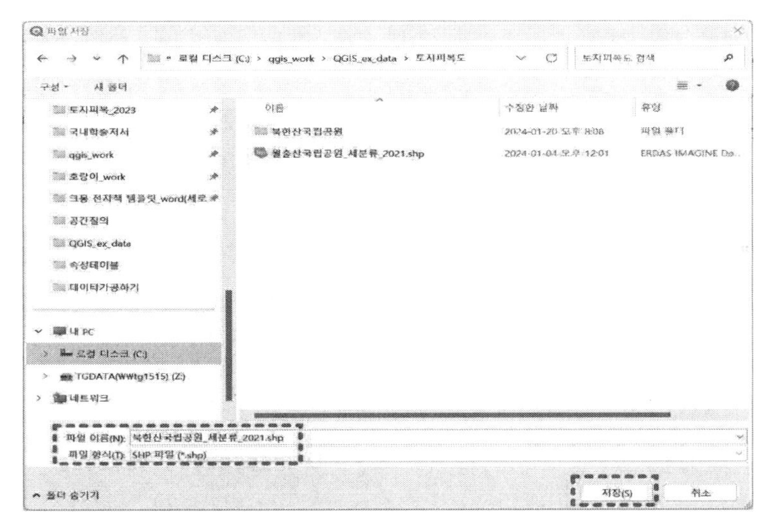

그림 36. 파일 저장 대화상자

마지막으로 벡터 레이어 병합 대화상자에서 입력레이어, 좌표계, 병합된 산출물 등 등록한 내용을 확인하고 실행버튼을 클릭한다.

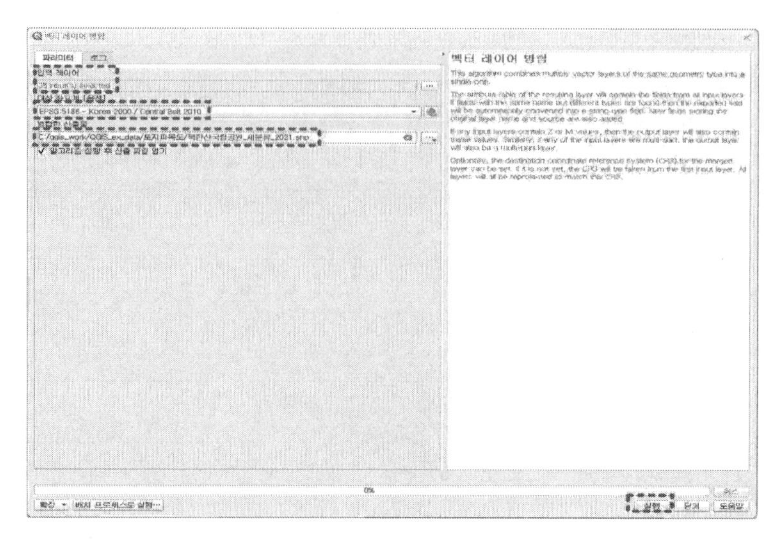

그림 37. 벡터 레이어 병합 대화상자

여러 개의 벡터 레이어가 하나로 병합된 북한산국립공원 토지피복지도를 볼 수 있다.

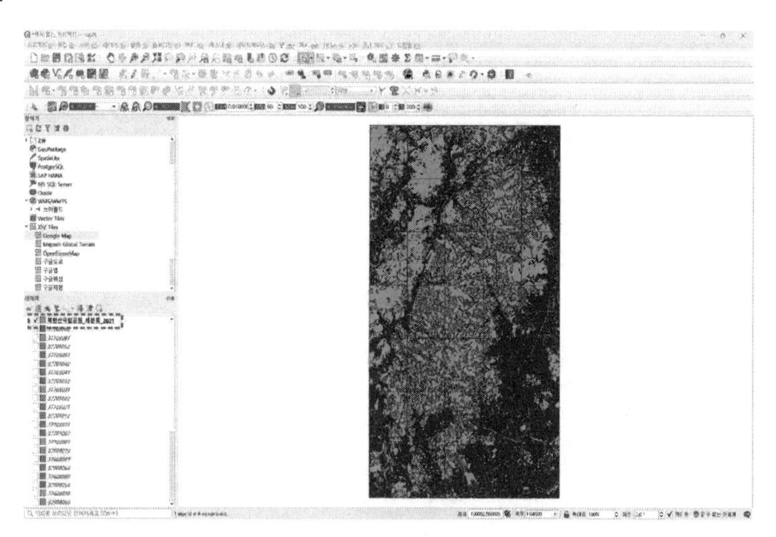

그림 38. 북한산국립공원 토지피복지도

12.5 북한산국립공원 경계에 맞게 토지피복도 잘라내기

병합된 북한산국립공원 토지피복지도를 북한산국립공원 경계에 맞게 잘라내기 위해서 북한산국립공원 경계를 불러온다.

벡터 메뉴의 지리정보 처리 도구 → 잘라내기...을 선택한다.

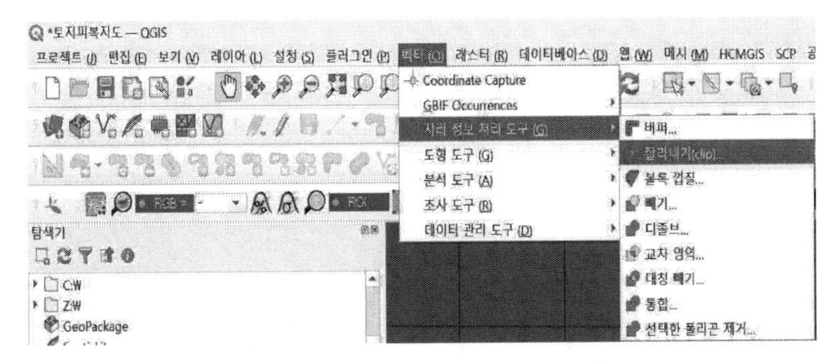

그림 39. 잘라내기

잘라내기 대화상자에서 입력레이어 병합된 토지피복지도를 중첩 레이어 란에 북한산국립공원 경계를 입력하고 산출물 란의 오른쪽에 있는 버튼을 클릭하여 파일로 저장...을 선택한다.

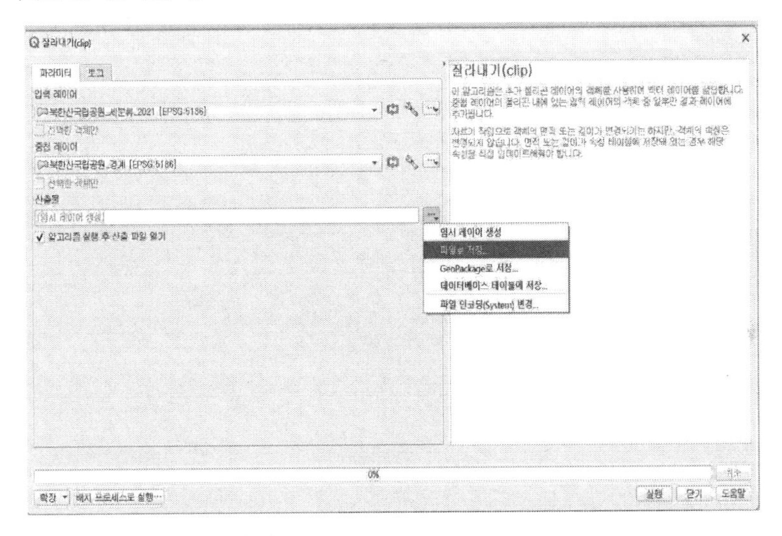

그림 40. 파일로 저장

파일 저장 대화상자에서 사용자가 원하는 폴더로 이동해서 파일 이름(예, 북한산국립공원_토지피복지도.shp)을 부여하고 저장 버튼을 클릭한다.

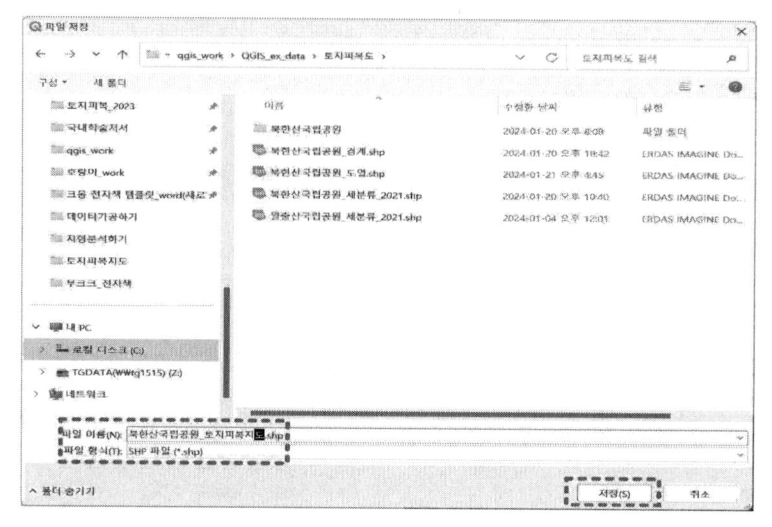

그림 41. 파일 저장 대화상자

잘라내기 대화상자에서 사용자가 입력한 내용을 확인하고 실행 버튼을 선택한다.

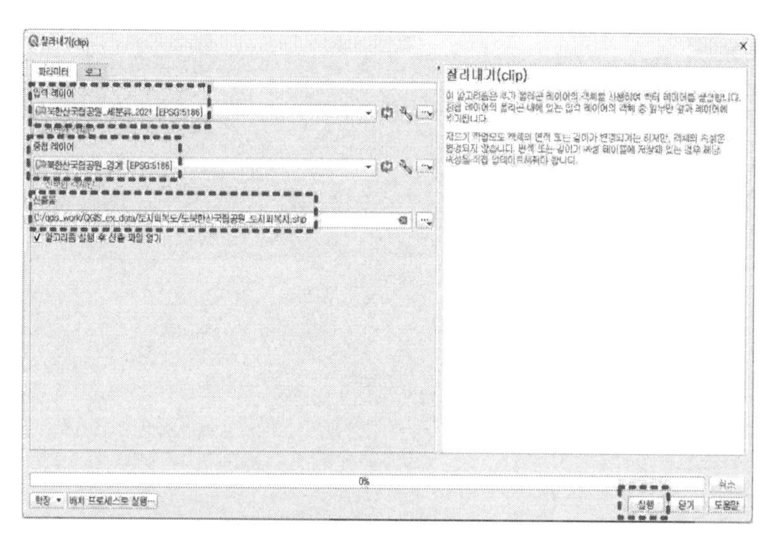

그림 42. 잘라내기 대화상자

북한산국립공원 경계에 맞게 잘라진 토지피복지도를 확인할 수 있다.

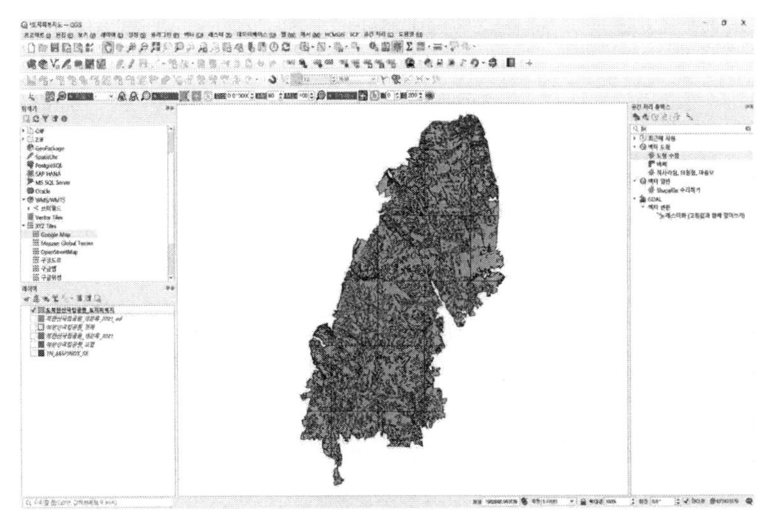

그림 43. 북한산국립공원 경계에 맞는 토지피복지도

토지피복지도는 지표면을 몇 가지 유형으로 구분하여 제작되는데 환경부 토지피복지도는 대분류, 중분류, 세분류 등 3가지 유형으로 제작된다.

대분류 7가지 유형의 지도로 표현하기 위해서 파일을 선택하고 마우스 오른쪽 버튼을 클릭해서 속성을 선택한다.

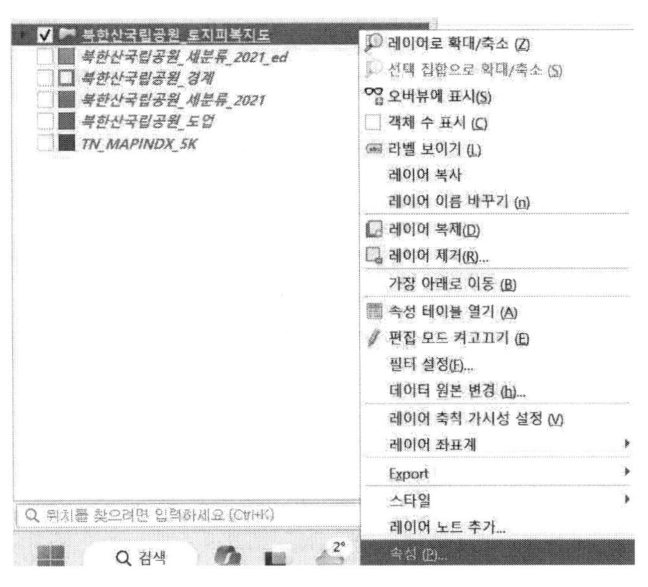

그림 44. 레이어 속성

속성 대화상자에서 심볼을 선택하고 분류값 사용을 선택하고 값은 L1_NAME을 선택한 후에 분류 버튼을 선택하고 확인 버튼을 클릭한다.

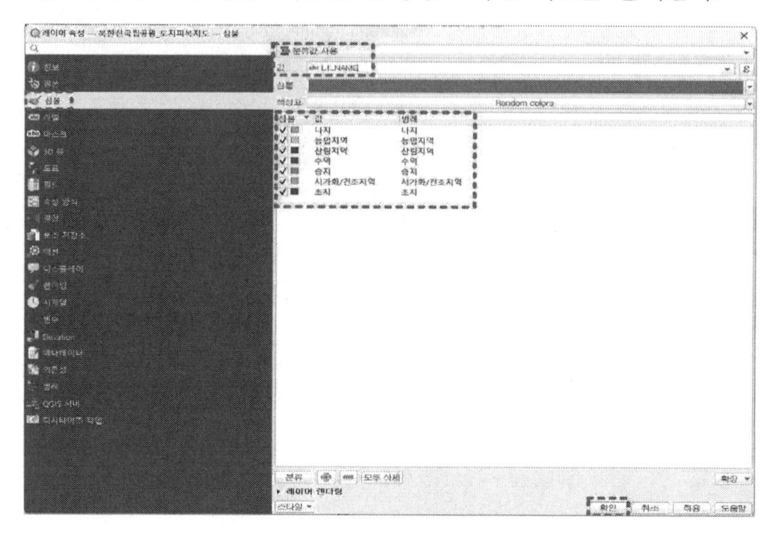

그림 45. 속성 대화상자

L1_NAME은 대분류 7가지 유형을 나타내고, L2_NAME은 중분류 22가지 유형, L3_NAME은 세분류 41가지 유형을 나타낸다. 다음 그림은 L1_NAME을 이용한 대분류 7가지 유형을 나타낸 토지피복지도이다.

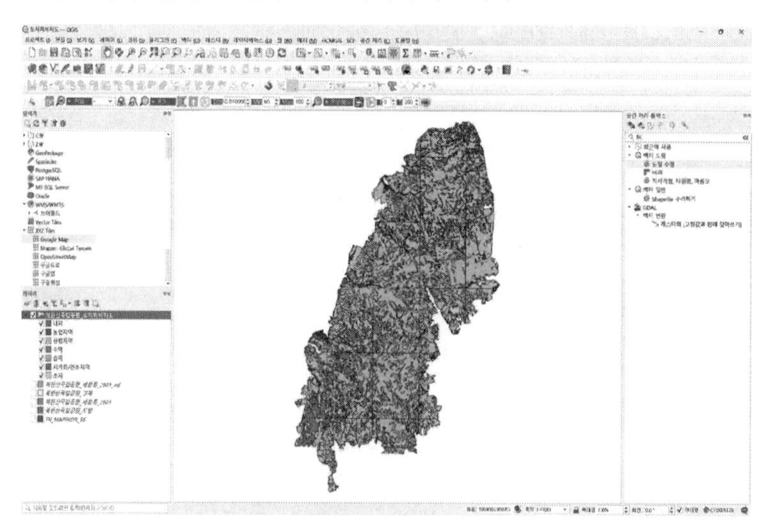

그림 46. 대분류 토지피복지도

12.6 북한산국립공원 토지피복도 동일 유형 합치기

북한산국립공원에 맞게 잘라진 토지피복도의 피복유형이 동일한 경우 합치기 위해서 벡터 메뉴의 데이터 관리도구 기능 중에 디졸브...를 선택한다.

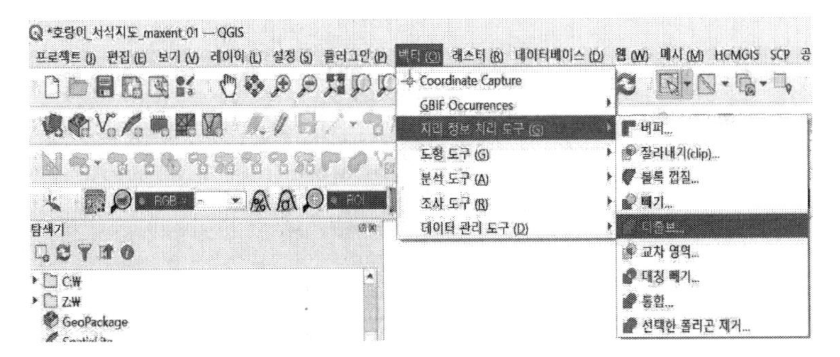

그림 47. 데이터 관리도구 기능의 디졸브

디졸브 대화상자에서 입력레이어 란에 북한산국립공원_토지피복지도 레이어를 선택하고 디졸브 필드(옵션) 란의 오른쪽에 있는 버튼을 클릭한다.

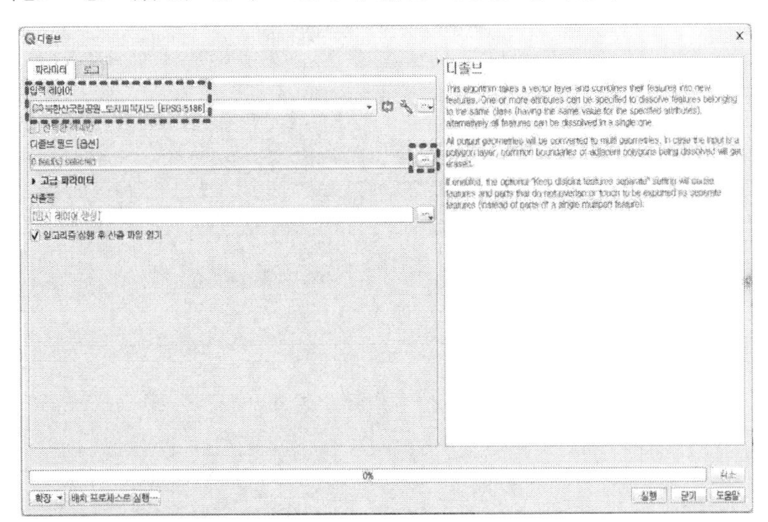

그림 48. 디졸브 대화상자

디졸브 필드를 선택하는 대화상자에서 피복유형이 이 동일하면 합치기 L1_NAME 필드를 선택하고 확인 버튼을 선택한다.

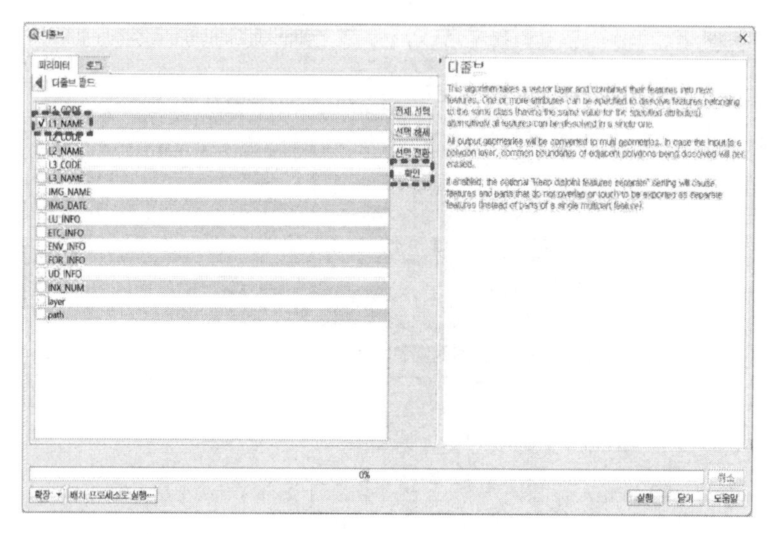

그림 49. 디졸브 필드 선택 대화상자

디졸브 대화상자에서 입력레이어와 디졸브 필드에 내용이 제대로 등록되었는지 확인하고 산출물 란의 오른쪽에 있는 버튼을 클릭해서 파일로 저장...을 선택한다.

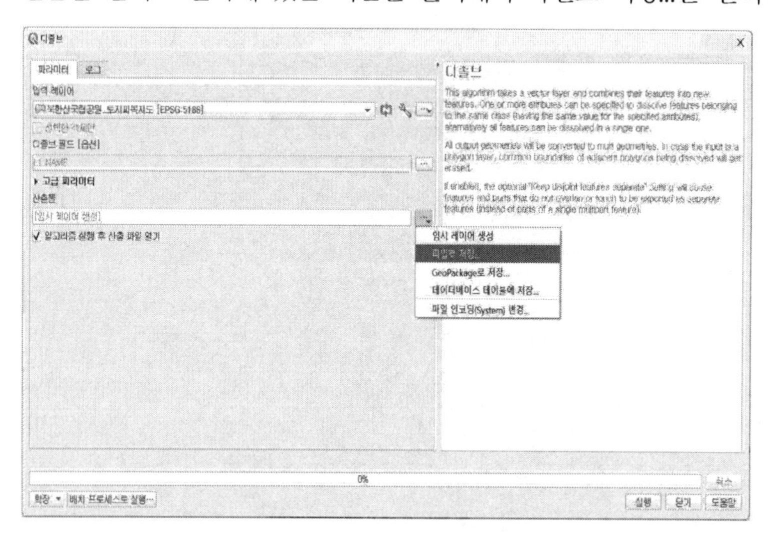

그림 50. 디졸브 대화상자

파일 저장 대화상자에서 사용자가 원하는 폴더로 이동해서 파일 이름(예, 북한산국립공원_토지피복지도_디졸브.shp)을 부여하고 저장 버튼을 클릭한다.

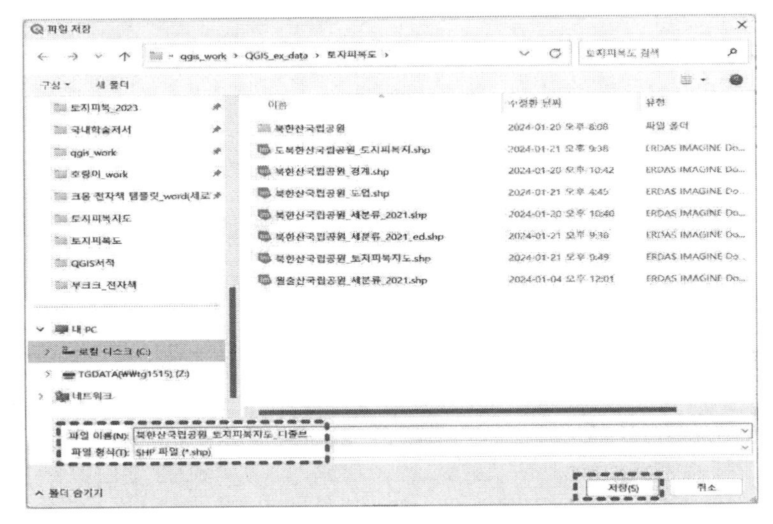

그림 51. 파일 저장 대화상자

디졸브 대화상자에서 사용자가 입력한 내용을 확인하고 실행 버튼을 선택한다.

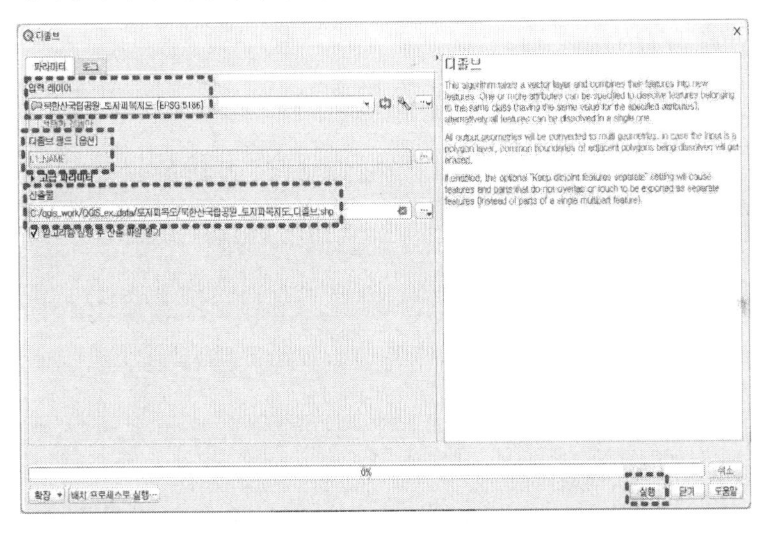

그림 52. 디졸브 대화상자

북한산국립공원 토지피복유형이 동일한 경계가 합쳐진 토지피복지도를 확인할 수 있다.

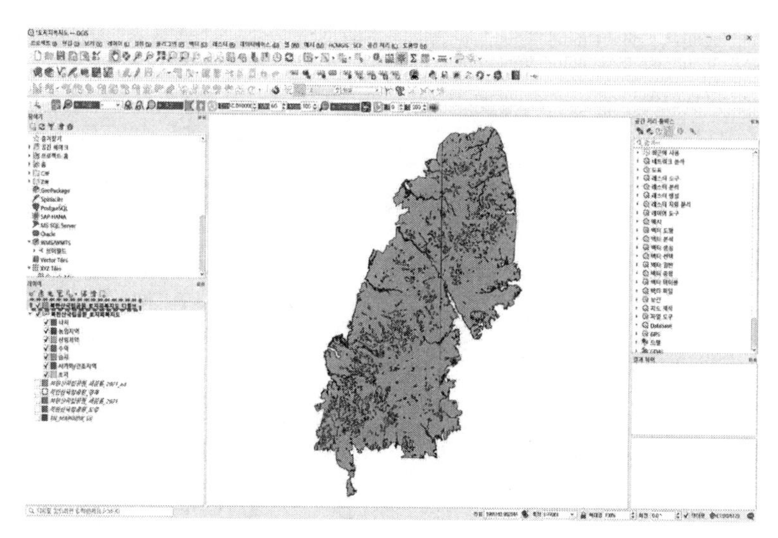

그림 53. 토지피복유형이 동일한 경계가 합쳐진 토지피복지도

토지피복 유형별 색상을 부여하기 위해서 파일을 선택하고 마우스 오른쪽 버튼을 클릭해서 속성을 선택한다.

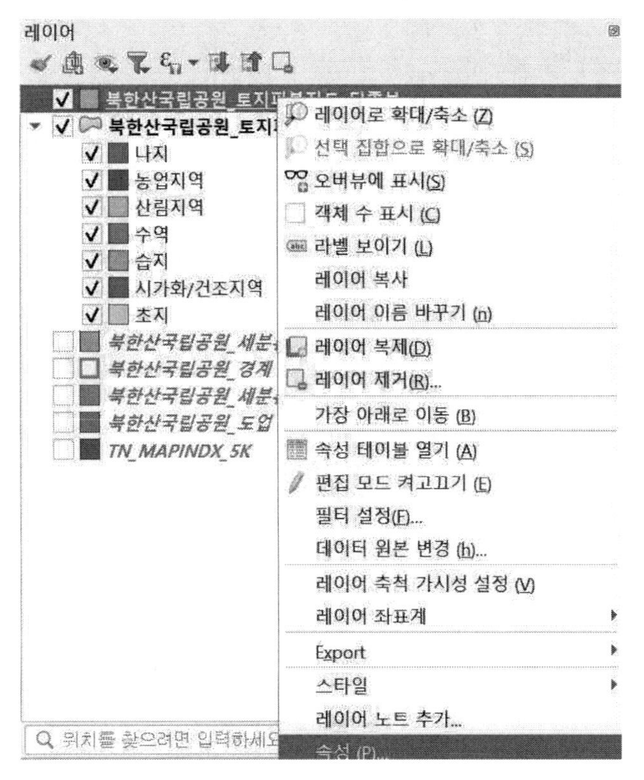

그림 54. 레이어 속성

속성 대화상자에서 심볼을 선택하고 분류값 사용을 선택하고 값은 L1_NAME을 선택한 후에 분류 버튼을 선택하고 확인 버튼을 클릭한다.

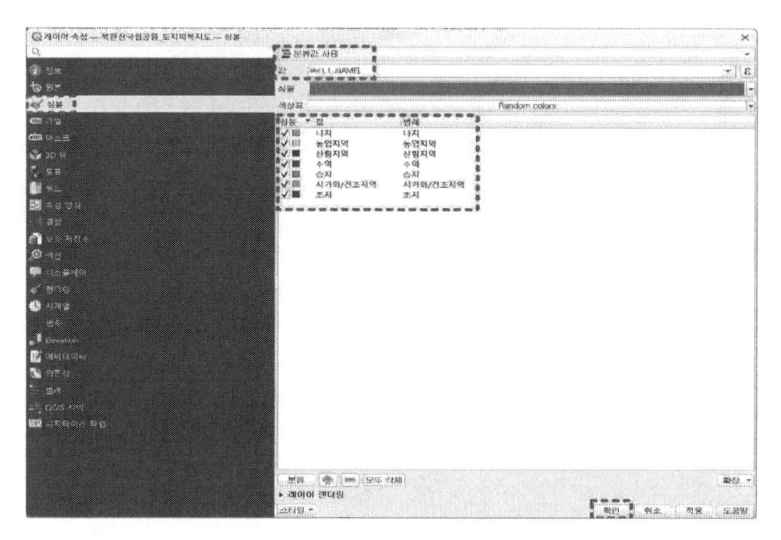

그림 55. 속성 대화상자

L1_NAME을 이용한 대분류 7가지 유형이 하나의 폴리곤으로 합쳐진 북한산국립공원 토지피복지도을 확인할 수 있다.

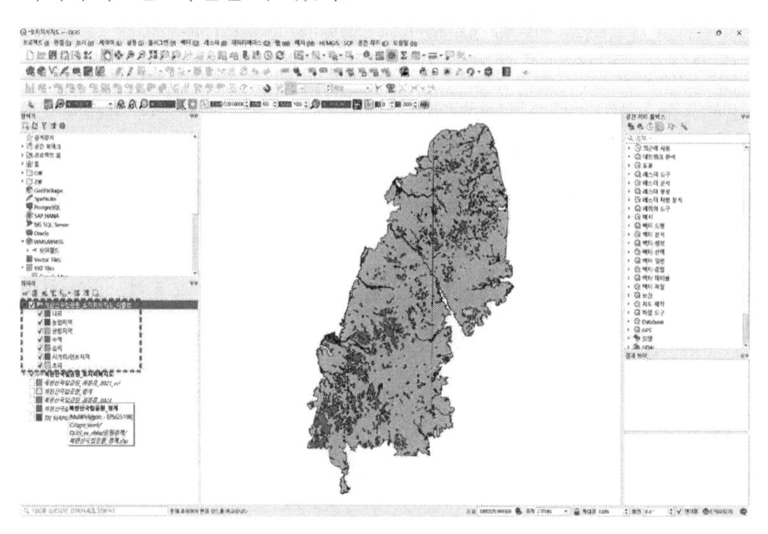

그림 56. 동일한 피복유형이 합쳐진 토지피복지도

제13장 지방 소멸위험지수 지도 제작하기

지방 소멸위험 지수는 결혼 및 출산 적령기 인구인 만 20~39세 여성 인구를 UN에서 분류하는 노인 기준인 65세 이상 인구로 나누어 낸 지수로 일본의 사회학자 마스다 히로야가 처음 개념을 세웠다. 이 지수가 1.5 이상이면 이 지역은 소멸 위험이 매우 낮은 소멸 저위험 지역, 1.0~1.5인 경우 보통, 0.5~1.0인 경우 주의, 0.2~0.5는 소멸 위험, 0.2 미만은 소멸 고위험 지역으로 분류된다. 소멸위험지수가 0.5 미만이면 소멸위험지역이라고 정의한다.

소멸 저위험 지역은 초록색으로 표시하고, 소멸 위험 보통 지역은 연두색, 소멸 위험 주의 지역은 노란색, 소멸 위험 지역은 주황색, 소멸 고위험 지역 붉은색으로 표시한다.

13.1 우리나라 행정구역 지도 다운로드 및 불러오기

우리나라 행정구역 지도를 다운받기 위해서 브이월드 사이트에 접속하여 공간정보 다운로드 메뉴에서 오픈마켓을 선택한다. 브이월드 공식사이트 주소는 https://www.vworld.kr/v4po_main.do 이다.

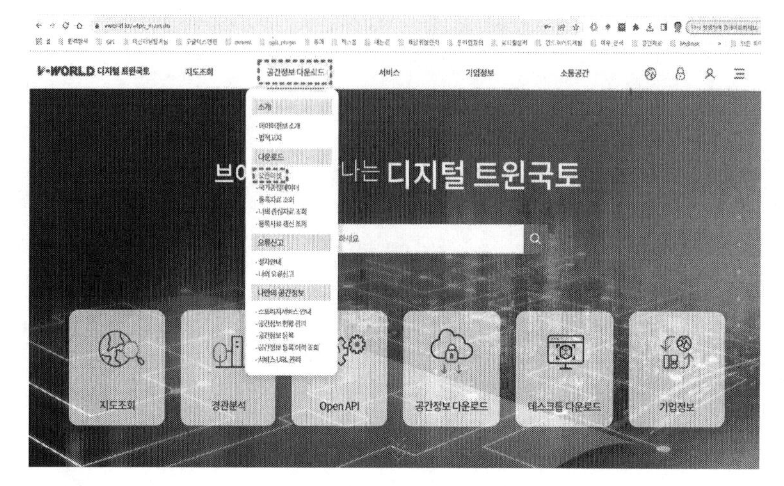

그림 1. 브이월드 공식사이트

오픈마켓 사이트에서 검색창에 행정구역을 키워드로 검색한다.

그림 2. 오프마켓 사이트

검색한 결과 화면 중간 부분에 행정구역_읍면동(법정동) 부분을 선택한다.

그림 3. 행정구역_읍면동(법정동) 파일 데이터 검색 결과

행정구역_읍면동(법정동) 파일데이터를 다운로드할 수 있는 사이트에서 목록을 50개로 하고 전체선택을 클릭한 다음 선택 다운로드 버튼을 클릭한다.

그림 4. 행정구역_읍면동(법정동) 파일데이터 다운로드 사이트

행정구역 읍면동 경계지도를 다운로드하는 폴더를 사용자가 원하는 폴더를 생성하고 선택한 후 폴더선택 버튼을 클릭한다.

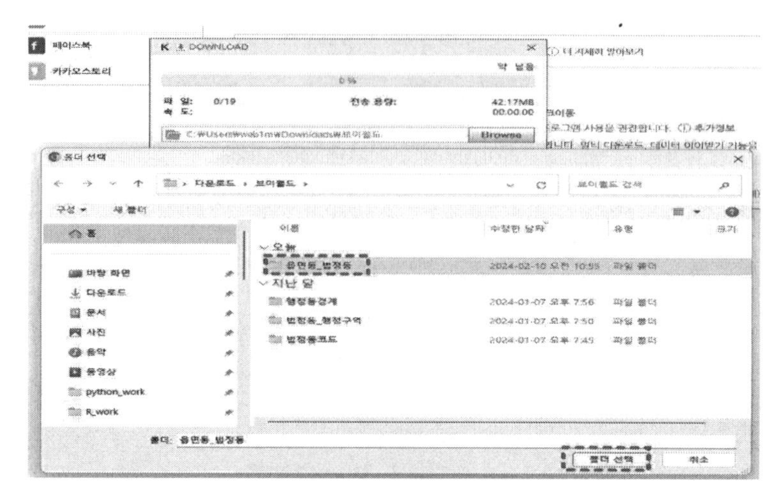

그림 5. 행정구역 읍면동 경계 파일 저장폴더 선택

선택된 행정구역 읍면동 경계 파일 데이터의 다운로드가 진행된다.

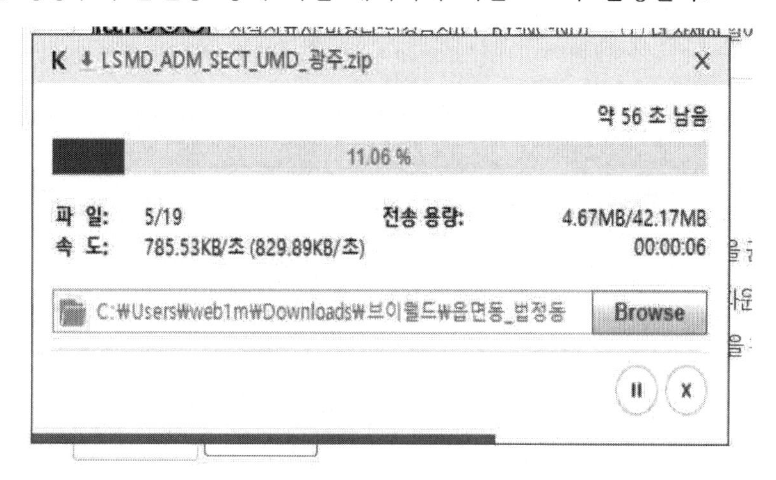

그림 6. 행정구역 읍면동 경계 파일 다운로드 진행

결과적으로 18개 파일이 사용자가 지정한 폴더에 다운로드 된 것을 확인할 수 있다.

다운로드 > 브이월드 > 읍면동_법정동 >

이름	수정한 날짜	유형	크기
LSMD_ADM_SECT_UMD_강원특별자치도.zip	2024-02-10 오전 10:58	ALZip ZIP File	2,610KB
LSMD_ADM_SECT_UMD_제주.zip	2024-02-10 오전 10:58	ALZip ZIP File	999KB
LSMD_ADM_SECT_UMD_경남.zip	2024-02-10 오전 10:58	ALZip ZIP File	4,727KB
LSMD_ADM_SECT_UMD_경북.zip	2024-02-10 오전 10:58	ALZip ZIP File	4,445KB
LSMD_ADM_SECT_UMD_전남.zip	2024-02-10 오전 10:58	ALZip ZIP File	6,592KB
LSMD_ADM_SECT_UMD_전북.zip	2024-02-10 오전 10:58	ALZip ZIP File	3,890KB
LSMD_ADM_SECT_UMD_충남.zip	2024-02-10 오전 10:58	ALZip ZIP File	3,340KB
LSMD_ADM_SECT_UMD_충북.zip	2024-02-10 오전 10:58	ALZip ZIP File	2,059KB
LSMD_ADM_SECT_UMD_경기.zip	2024-02-10 오전 10:58	ALZip ZIP File	5,460KB
LSMD_ADM_SECT_UMD_세종.zip	2024-02-10 오전 10:58	ALZip ZIP File	350KB
LSMD_ADM_SECT_UMD_울산.zip	2024-02-10 오전 10:58	ALZip ZIP File	654KB
LSMD_ADM_SECT_UMD_광주.zip	2024-02-10 오전 10:58	ALZip ZIP File	857KB
LSMD_ADM_SECT_UMD_대전.zip	2024-02-10 오전 10:58	ALZip ZIP File	615KB
LSMD_ADM_SECT_UMD_인천.zip	2024-02-10 오전 10:58	ALZip ZIP File	958KB
LSMD_ADM_SECT_UMD_대구.zip	2024-02-10 오전 10:58	ALZip ZIP File	752KB
LSMD_ADM_SECT_UMD_부산.zip	2024-02-10 오전 10:58	ALZip ZIP File	747KB
LSMD_ADM_SECT_UMD.xlsx	2024-02-10 오전 10:58	Microsoft Excel 워크...	10KB
LSMD_ADM_SECT_UMD_서울.zip	2024-02-10 오전 10:58	ALZip ZIP File	1,736KB

그림 7. 행정구역 읍면동 경계 파일 다운로드 결과

13.2 인구통계자료 다운로드

우리나라 읍면동 인구통계자료를 다운받기 위해서 공공데이터 포털사이트에서 읍면동 키워드를 입력하고 검색한다. 공공 데이터 포털의 공식사이트 주소는 https://www.data.go.kr/index.do 이다.

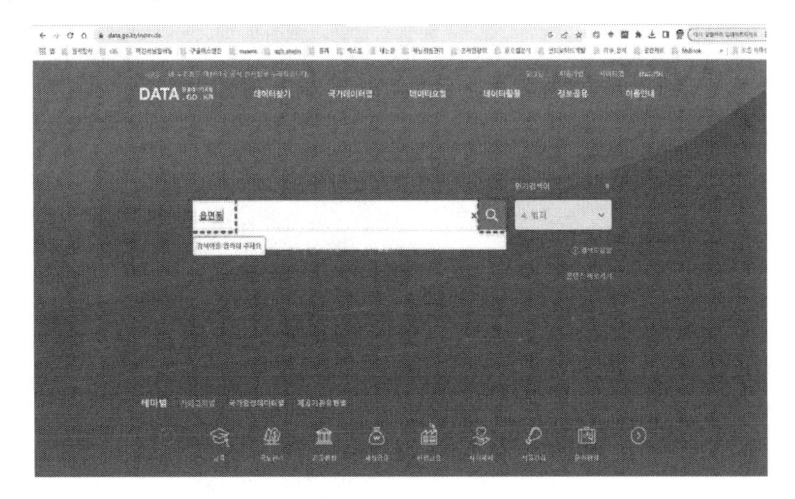

그림 8. 공공데이터 포털 사이트

검색한 결과 화면 중간 부분에서 행정안전부_지역별(시도/시군구/읍면동) 연령별 주민등록 인구현황을 선택한다.

그림 9. 읍면동 연령별 주민등록 인구현황 검색결과

연령별 주민등록 인구현황 파일데이터 상세 사이트에서 바로가기 버튼을 클릭한다.

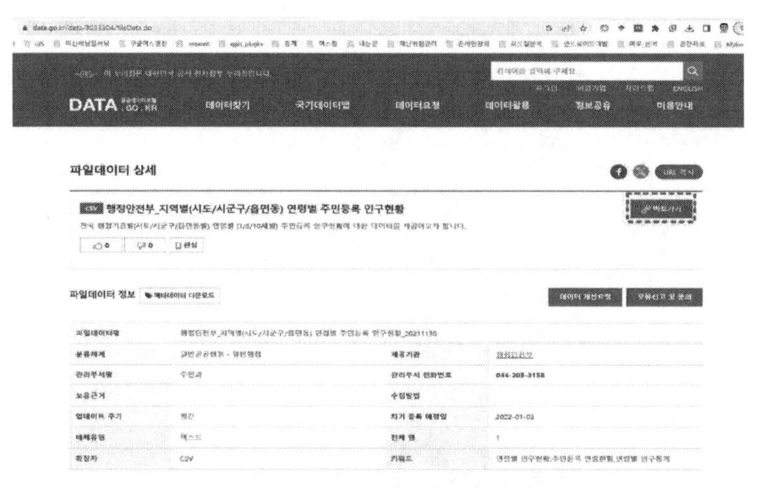

그림 10. 연령별 주민등록 인구현황 파일데이터 상세 사이트

연령별 인구현황 파일데이터 다운로드 사이트에서 행정구역은 전국으로 하고 조회기간을 연간을 선택한다. 연령 구분 단위는 5세, 만 연령구분은 0과 100이상으로 지정한 다음 검색 버튼을 클릭한다. 전체 읍면동 현황을 체크하고 csv 파일 다운로드 버튼을 클릭한다.

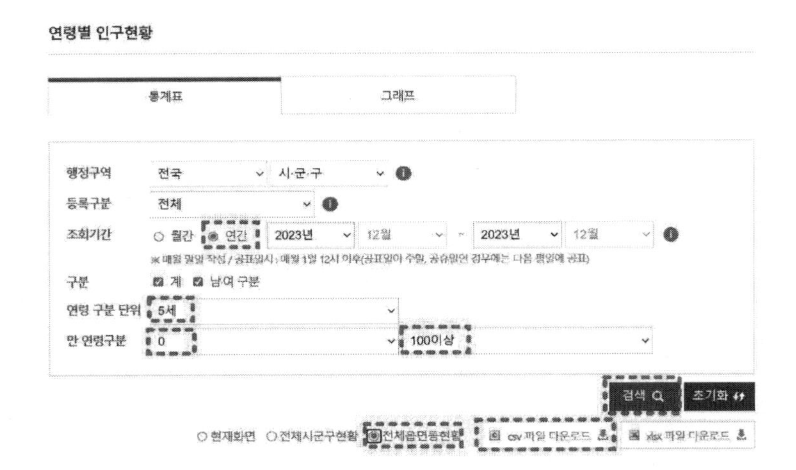

그림 11. 연령별 인구현황 다운로드 조건

다운로드 한 결과 행정구역 읍면동과 연령대별 인구수 파일을 사용자가 원하는 폴더에 이름(예, 202401_202401_연령별인구현황_연간.csv)을 부여한 후 저장한다.

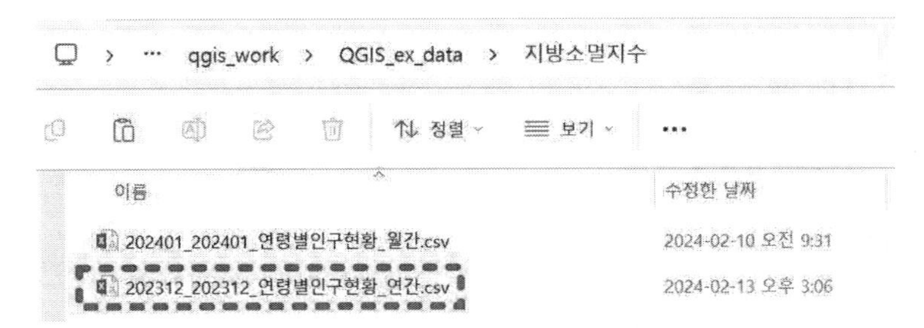

그림 12. 행정구역 읍면동별 연령별 인구수 현황 파일 저장

결과적으로 202312_202312_연령별인구현황_연간.csv 파일에서 읍면동에 따른 연간 연령대별 성별 인구수를 확인할 수 있다.

행정구역	2024년01월_계_총인구수	2024년01월_계_연령구간인구수	2024년01월_계_0~9세	2024년01월_계_10~19세	2024년01월_계_20~29세	2024년01월_계_30~39세	2024년01월_계_40~49세
서울특별시 (1100000000)	9,384,325	9,384,325	510,839	732,095	1,351,857	1,426,653	1,418,358
서울특별시 종로구 (1111000000)	139,378	139,378	5,865	9,728	21,514	19,272	19,185
서울특별시 종로구 청운효자동(1111051500)	11,323	11,323	587	1,084	1,387	1,508	1,877
서울특별시 종로구 사직동(1111053000)	8,992	8,992	458	654	1,041	1,418	1,403
서울특별시 종로구 삼청동(1111054000)	2,250	2,250	85	166	237	284	320
서울특별시 종로구 부암동(1111055000)	9,050	9,050	374	804	1,094	1,162	1,377
서울특별시 종로구 평창동(1111056000)	17,373	17,373	986	1,541	1,994	2,050	2,496
서울특별시 종로구 무악동(1111057000)	7,988	7,988	547	929	837	809	1,303
서울특별시 종로구 교남동(1111058000)	9,689	9,689	735	782	1,141	1,383	1,699

그림 13. 행정구역 읍면동별 인구수 현황

13.3 행정구역도와 인구통계자료 결합하기

우리나라 읍면동 경계지도와 인구수 통계자료를 결합하기 위해서 우선 행정구역 읍면동 경계지도를 전국지도로 병합한다.

다운로드 받은 읍면동 경계지도의 압축 파일을 해제한 후 QGIS 프로그램으로 불러온다. 이를 위해서 레이어 메뉴 → 레이어 추가→ 벡터레이어 추가 기능을 이용한다.

17개 행정구역 경계지도를 불러온 결과 좌표계는 GRS80 TM좌표계인 EPSG 5186을 확인할 수 있다.

그림 14. 17개 행정구역 경계지도

17개 행정구역 읍면동 지도를 하나의 전국지도로 병합하기 위해서 벡터 메뉴 → 데이터 관리도구 → 벡터레이어 병합... 기능을 이용한다.

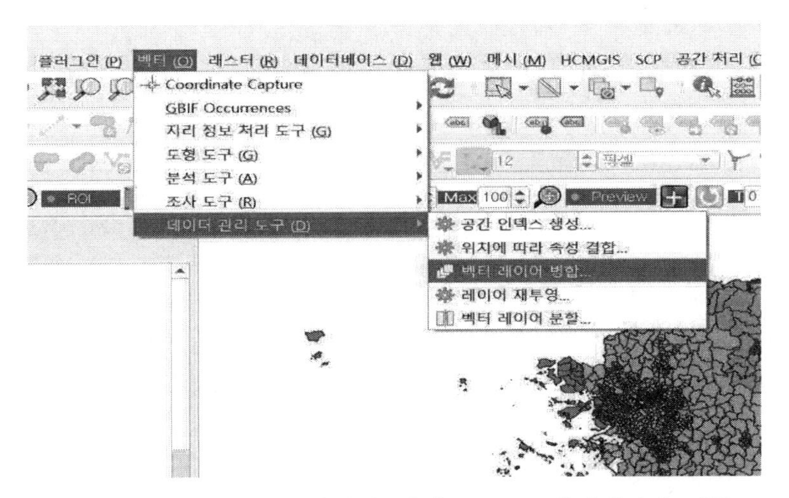

그림 15. 벡터 메뉴 → 데이터 관리도구 → 벡터레이어 병합...

벡터 레이어 병합 대화상자에서 입력 레이어 란의 오른쪽에 있는 버튼을 선택한다.

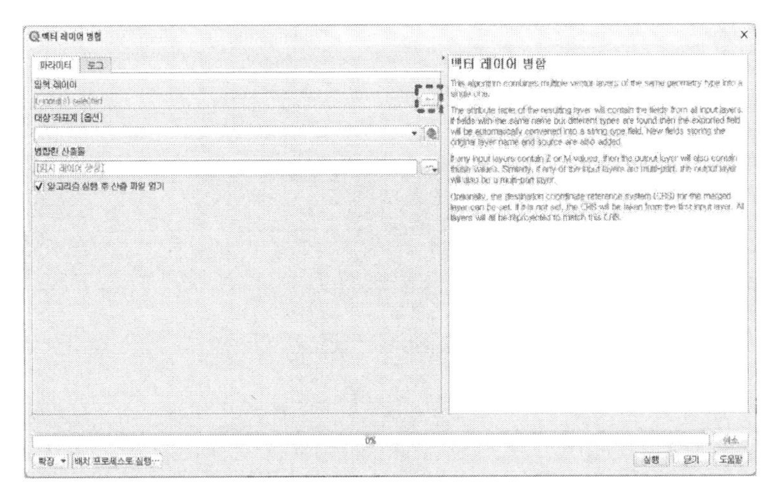

그림 16. 벡터 레이어 병합

벡터 레이어를 선택할 수 있는 대화상자에서 전체선택 버튼을 선택하고 확인 버튼을 클릭한다.

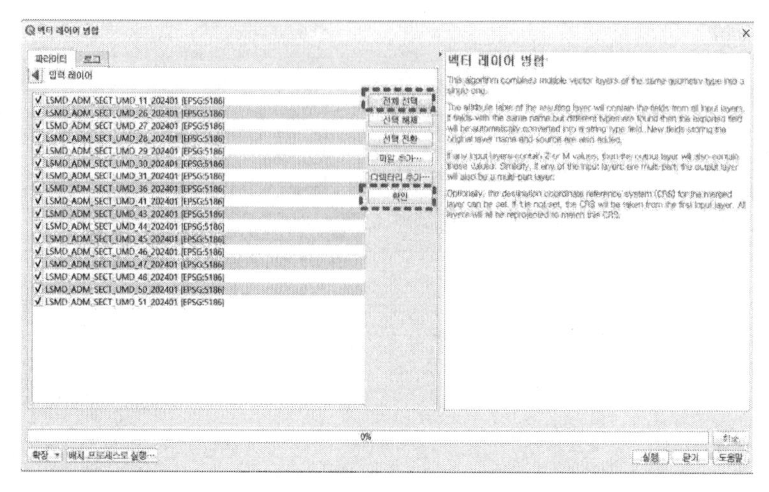

그림 17. 벡터 레이어를 선택할 수 있는 대화상자

벡터 레이터 병합 대화상자에서 입력 레이어 란에 17개 파일 선택되었는지 확인하고 대상 좌표계는 EPSG: 5186으로 선택한다.

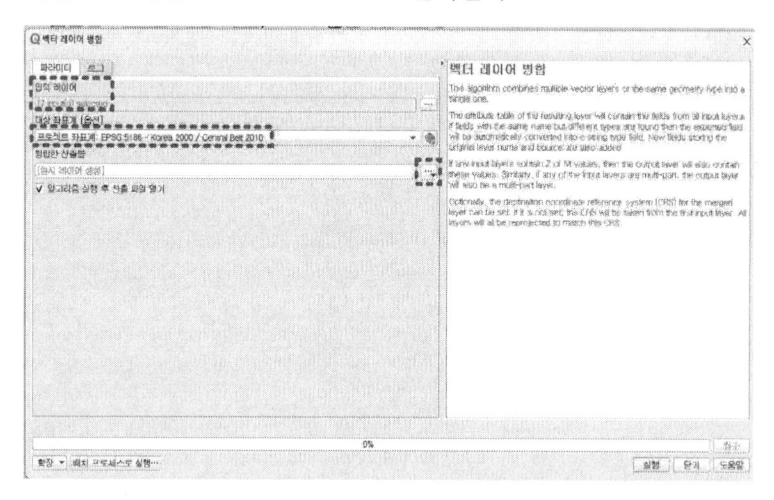

그림 18. 벡터 레이어 병합 대화상자

실행 결과를 저장하기 위해서 병합한 산출물 란의 오른쪽에 있는 버튼을 클릭하여 파일로 저장...을 선택한다.

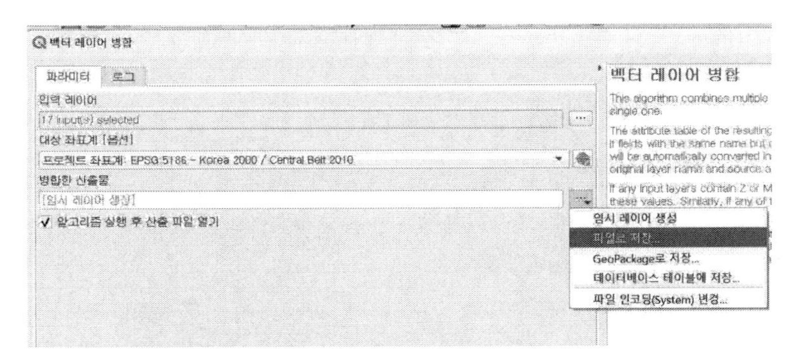

그림 19. 병합한 산출물 파일로 저장

파일 저장 대화상자에서 사용자가 원하는 폴더로 이동해서 파일 이름(예, 전국_읍면동_행정구역지도.shp)을 부여하고 저장 버튼을 클릭한다.

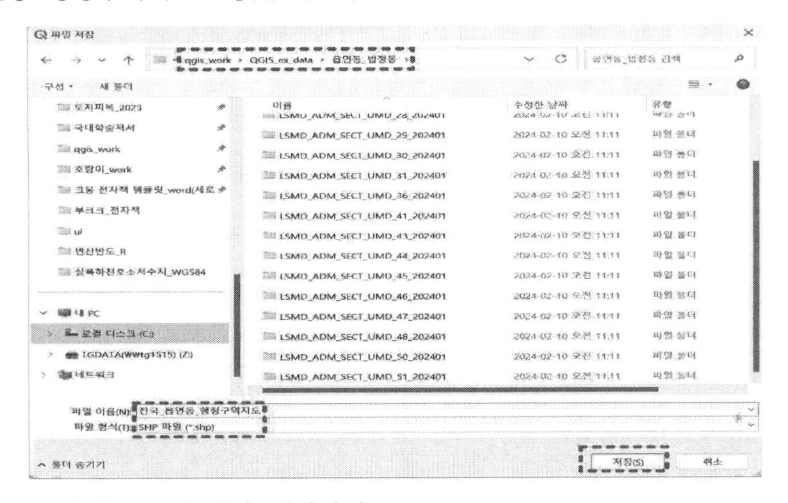

그림 20. 파일 저장 대화상자

하나의 파일로 행정구역이 병합된 전국 읍면동 행정구역지도를 확인할 수 있다.

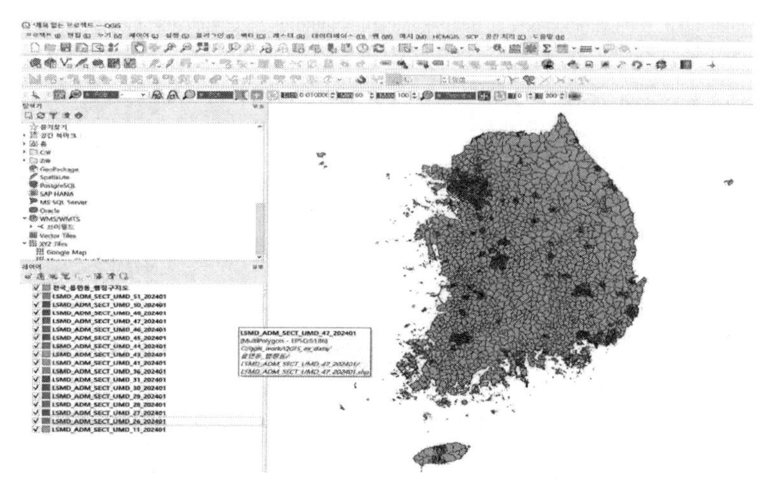

그림 21. 전국 읍면동 행정구역 지도

전국 읍면동 행정구역지도와 결합할 인구현황 파일을 불러오기 전에 소멸위험지수는 결혼 및 출산 적령기 인구인 만 20~39세 여성 인구수와 UN에서 분류하는 노인 기준인 65세 이상 인구수를 이용하기 때문에 불필요한 인구현황 필드는 삭제한다.

행정구역	2023년_계_65~69세	2023년_계_70~74세	2023년_계_75~79세	2023년_계_80~84세	2023년_계_85~89세	2023년_계_90~94세	2023년_계_95~99세	2023년_계_100세 이상	2023년_여_20~24세	2023년_여_25~29세	2023년_여_30~34세	2023년_여_35~39세

행정구역은 주소명과 코드를 분리한다. 이를 위해서 엑셀에서 데이터 메뉴의 텍스트 나누기 기능을 이용한다.

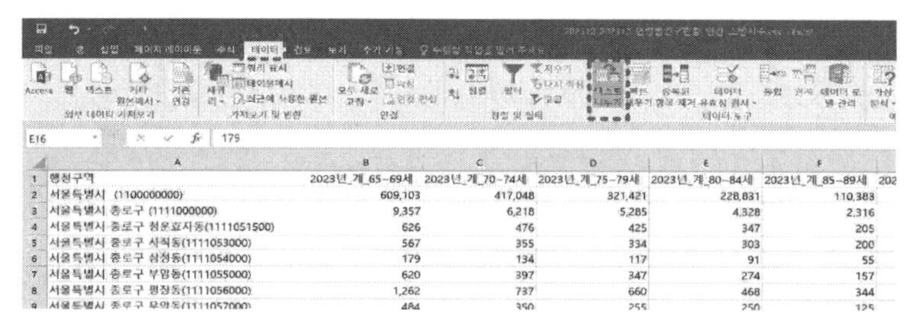

그림 22. 데이터 메뉴의 텍스트 나누기

행정구역 읍면동 지도와 결합하게 되는 소멸지수 값은 65세 이상 인구수와

만 20~39세 여성 인구수 합계를 구한 다음 만 20~39세 여성 인구수를 65세 이상 인구수로 나누어 구한다.

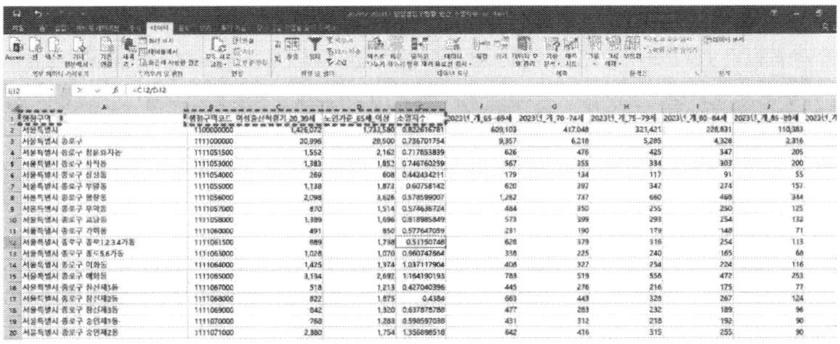

소멸지수 값이 계산된 csv파일은 C:\qgis_work\QGIS_ex_data\지방소멸지수 폴더에 202312_202312_연령별인구현황_연간_소멸지수.csv 파일로 저장하여 이용한다.

전국 읍면동 행정구역 지도와 결합할 소멸지수 값이 포함된 csv 파일을 불러오기 위해서 레이어 메뉴 → 레이어 추가 → 구분자로 분리된 텍스트 레이어 추가... 기능을 이용한다.

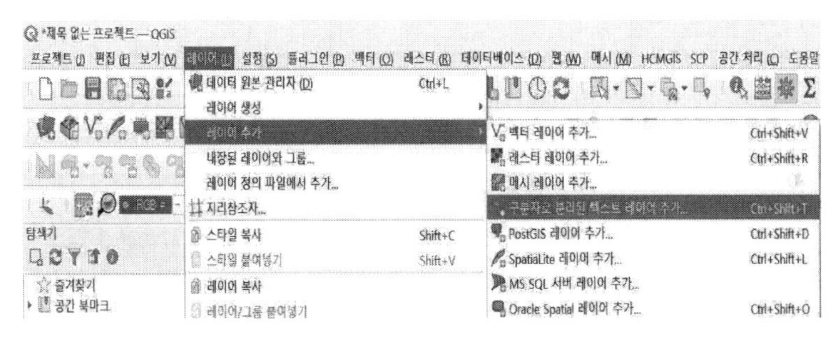

그림 24. 구분자로 분리된 텍스트 레이어 추가

데이터 원본 관리자 대화상자에서 파일이름 란의 오른쪽에 있는 버튼을 클릭하여 앞서 다운받은 202401_202401_연령별인구현황_월간.csv를 지정한다. 도형정의에서 도형없음(속성만 있는 테이블)을 선택하고 추가 버튼을 클릭하고 닫기 버튼을 클릭한다.

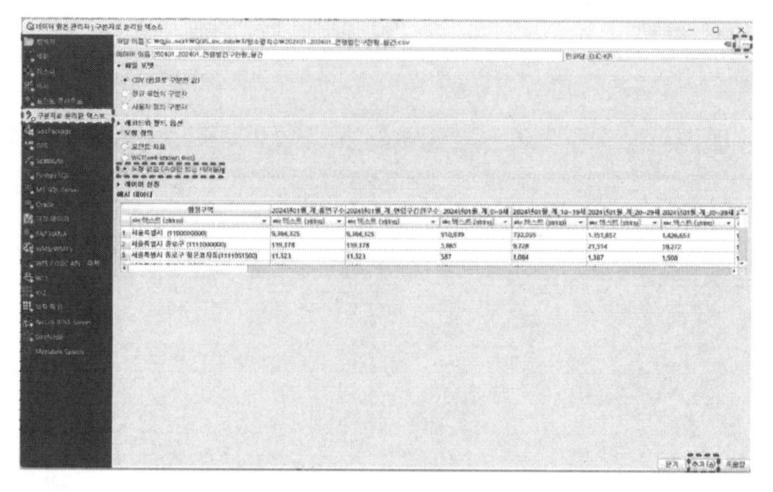

그림 25. 데이터 원본 관리자 대화상자

행정구역 읍면동 지도의 법정동 코드와 소멸지수 데이터의 행정동 코드를 연결하기 위해서 행정동 코드를 법정동 코드로 변환하는 데이터가 필요하다. 이는 다음 사이트에서 행정기관(행정동) 및 관할구역(법정동) 변경내역(2023.12.27. 시행)을 선택한다.

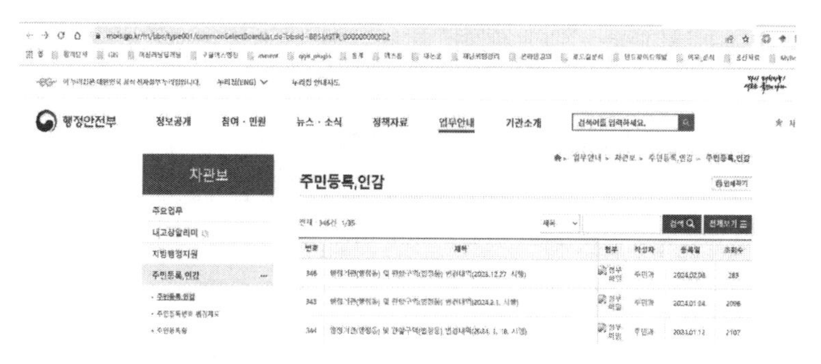

그림 26

다운로드 사이트 중간 부분에 주소코드1인 jscode20240208.zip 파일을 클릭하여 다운받는다.

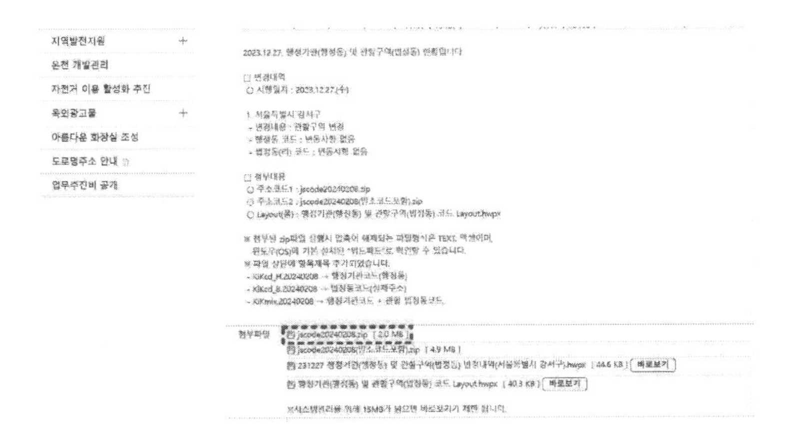

그림 27. 행정코드 및 법정동 코드 데이터

다운받은 압축파일을 해제하고 KIKmix.20240208.xlsx 엑셀파일을 불러온다.

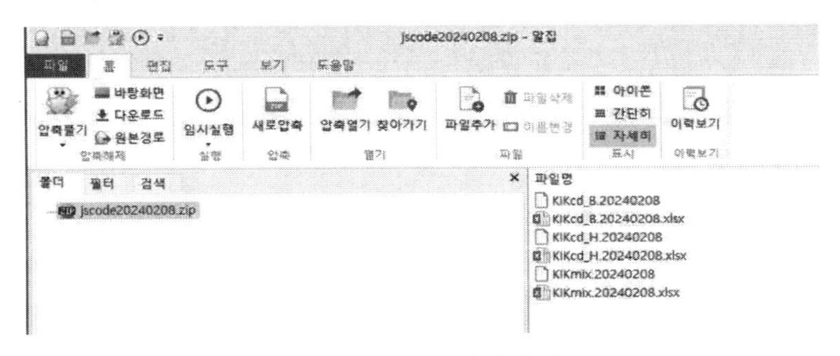

그림 28. KIKmix.20240208.xlsx 엑셀파일

다음과 같이 행정동 코드와 법정동 코드가 연결되어 있는 것을 알 수 있다. 이 파일도 QGIS에 불러오기 위해서 csv파일로 저장한다.

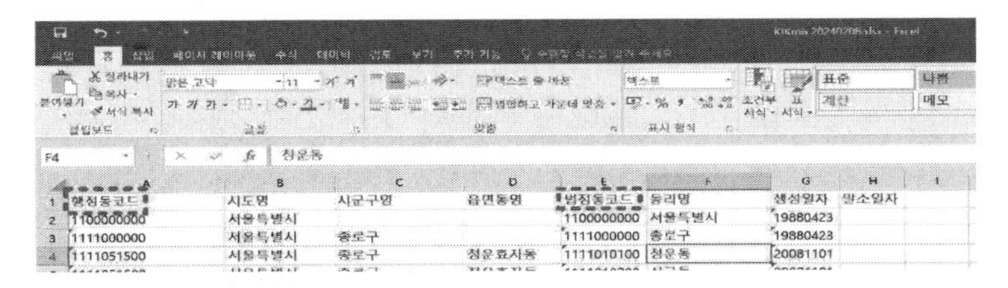

그림 29. 행정동 코드와 법정동 코드가 연결

위해서 레이어 메뉴 → 레이어 추가 → 구분자로 분리된 텍스트 레이어 추가... 기능을 이용한다.

13.4 소멸위험지수 지도 제작하기

우리나라 소멸위험지수 지도를 제작하기 위해서 행정구역 읍면동 경계지도, 행정동별 소멸지수 값이 포함된 csv 파일, 행정동을 법정동으로 변환하는 csv 파일을 이용한다.

읍면동 경계지도의 법정동 코드는 8자리인데 행정동을 법정동으로 변환하는 csv파일의 법정동 코드는 10자리이기 때문에 자리수를 맞춘다. 이를 위해서 읍면동 경계지도의 법정동 코드는 8자리에 100을 곱한다. 이는 필드 계산기를 통해서 할 수 있다. 읍면동 경계지도 파일을 선택하고 마우스 오른쪽 버튼을 클릭해서 속성테이블을 선택한다.

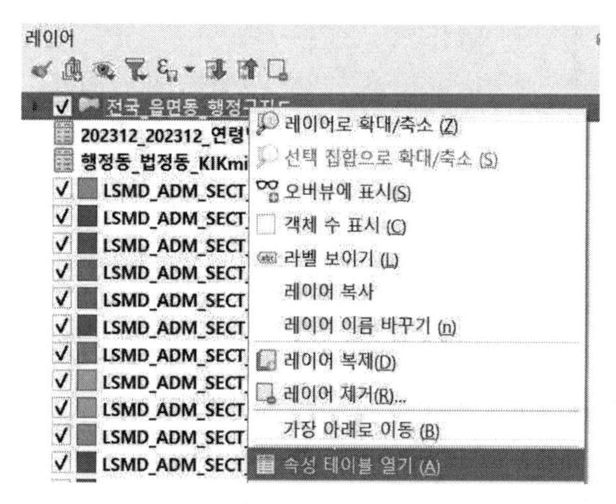

그림 30. 속성테이블 열기

속성테이블에서 필드 계산기 열기 툴을 선택한다.

전국_읍면동_행정구지도 — Features Total: 5061, Filtered: 5061, Selected: 0

필드 계산기 열기 (Ctrl+I)

	EMD_CD	COL_ADM_SE	EMD_NM	SGG_OID	layer	
1	11110101	11110	청운동	1036	LSMD_ADM_SE...	C:/qgis_work/QGIS...
2	11110102	11110	신교동	4263	LSMD_ADM_SE...	C:/qgis_work/QGIS...
3	11110103	11110	궁정동	1034	LSMD_ADM_SE...	C:/qgis_work/QGIS...

그림 31. 속성테이블에서 필드 계산기 열기

필드 계산기 대화상자에서 새로운 필드 생성을 체크하고 산출 필드 이름은 읍면동code, 산출 필드 유형은 integer(32bit), 산출 필드 길이는 10으로 하고 표현식에는 법정동 코드를 나타내는 EMD_CD에 100을 곱한 다음 확인 버튼을 클릭한다.

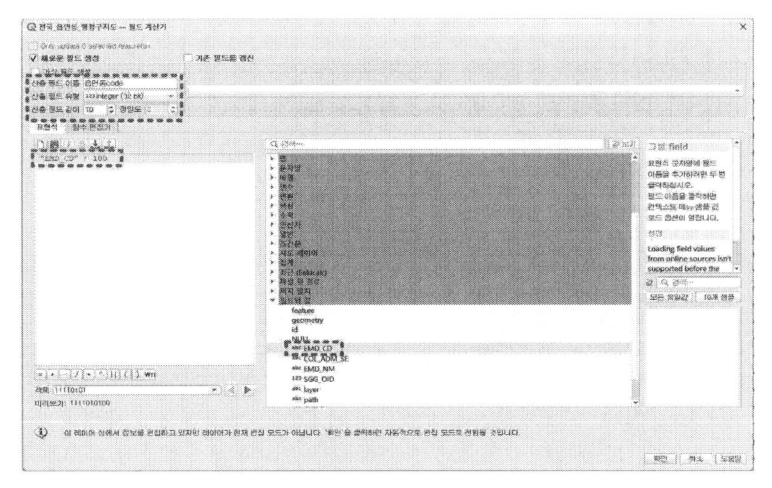

그림 32. 필드 계산기 대화상자

행정구역 읍면동 경계지도에 행정동을 법정동으로 변환하는 csv 파일을 연결한다. 이를 위해서 읍면동 경계지도 파일을 선택하고 마우스 오른쪽 버튼을 클릭해서 나온 속성을 선택한다.

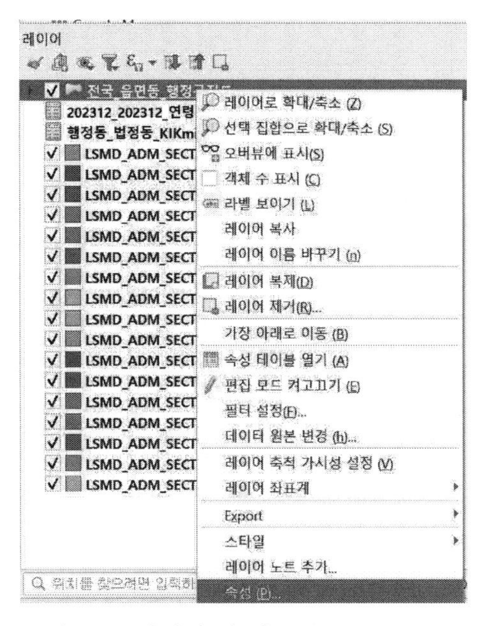

그림 33. 레이어 속성

속성 대화상자에서 왼쪽 패널의 결합을 선택하고 새 결합 추가 버튼을 클릭한다.

그림 34. 레이어 속성 대화상자의 결합

벡터 결합 편집 대화상자에서 결합 레이어는 행정동을 법정동으로 변환하는 csv 파일을 지정한다. 결합 필드는 행정동을 법정동으로 변환하는 csv 파일에 있는 법정동코드를 지정하고 대상필드는 행정구역 읍면동 경계지도의 속성에 있는 읍면동code를 선택한 후 확인 버튼을 클릭한다.

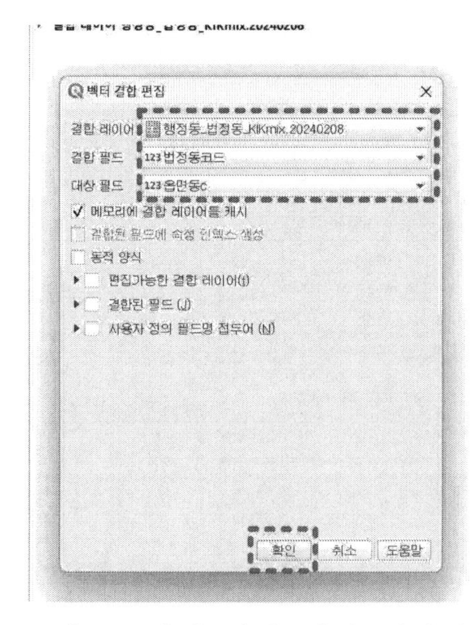

그림 35. 벡터 결합 편집 대화상자

결합된 행정동을 법정동으로 변환하는 csv 파일의 속성 중에서 필요한 행정도 코드만 행정구역 읍면동 경계지도의 속성으로 만들기 위해서 파일을 선택하고 마우스 오른쪽 버튼을 클릭해서 속성테이블을 선택한다.

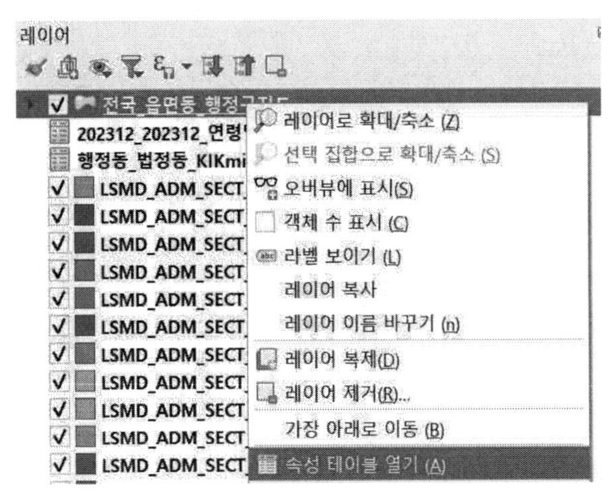

그림 36. 속성테이블 열기

속성테이블 대화상자에서 결합된 행정동 코드를 확인하고 필드 계산기 열기 툴을 선택한다.

전국_읍면동_행정구지도 — Features Total: 5061, Filtered: 5061, Selected: 0

필드 계산기 열기 (Ctrl+I)

	EMD_CD	COL_ADM_SE	EMD_NM	SGG_OID	layer		읍면동c	행정동_법정동_KIKmix.20240208_행정동코드
1	11110101	11110	청운동	1036	LSMD_ADM_SE...	C:/qgis_work/QGIS_ex_...	1111010100	1111051500
2	11110102	11110	신교동	4263	LSMD_ADM_SE...	C:/qgis_work/QGIS_ex_...	1111010200	1111051500
3	11110103	11110	궁정동	1034	LSMD_ADM_SE...	C:/qgis_work/QGIS_ex_...	1111010300	1111051500
4	11110104	11110	효자동	4265	LSMD_ADM_SE...	C:/qgis_work/QGIS_ex_...	1111010400	1111051500
5	11110105	11110	창성동	4266	LSMD_ADM_SE...	C:/qgis_work/QGIS_ex_...	1111010500	1111051500

그림 37. 속성테이블의 필드 계산기 열기 툴

필드 계산기 대화상자에서 새로운 필드 생성을 체크하고 산출 필드 이름은 행정동code, 산출 필드 유형은 integer(32bit), 산출 필드 길이는 10으로 하고 표현식에는 행정동 코드를 나타내는 "행정동_법정동_KIKmix.20240208_행정동코드"를 선택하고 확인 버튼을 클릭한다.

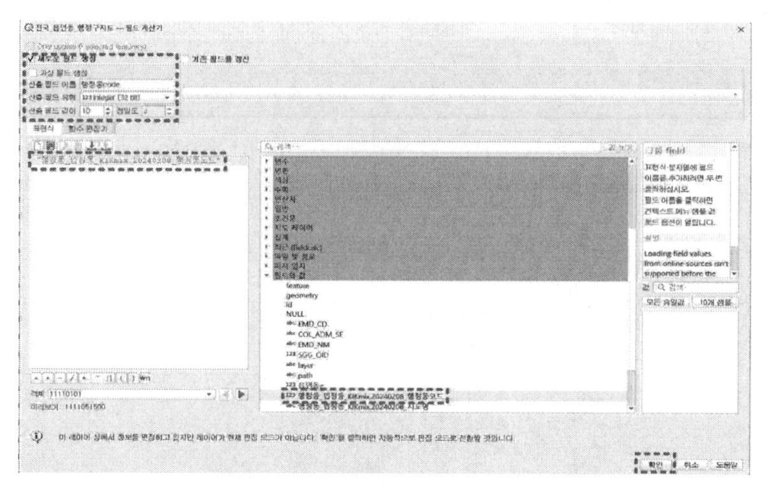

그림 38. 필드 계산기 대화상자

행정동 코드를 읍면동 경계지도의 속성으로 영구적으로 결합해기 때문에 행정동을 법정동으로 변환하는 csv 파일을 결합 제거한다. 이를 위해서 읍면동 경계지도를 선택하고 마우스 오른쪽 버튼을 클릭해서 속성을 선택한다. 속성 대화상자의 왼쪽 패널의 결합 메뉴에서 선택한 결합 제거를 선택하고 확인 버튼을 클릭한다.

그림 39. 레이어 속성의 결합 대화상자

이제 소멸지수 값을 결합하기 위해서 행정동별 소멸지수 값이 포함된 csv 파일을 결합한다. 이를 위해서 읍면동 경계지도 파일을 선택하고 마우스 오른쪽 버튼을 클릭해서 속성테이블을 선택한다.

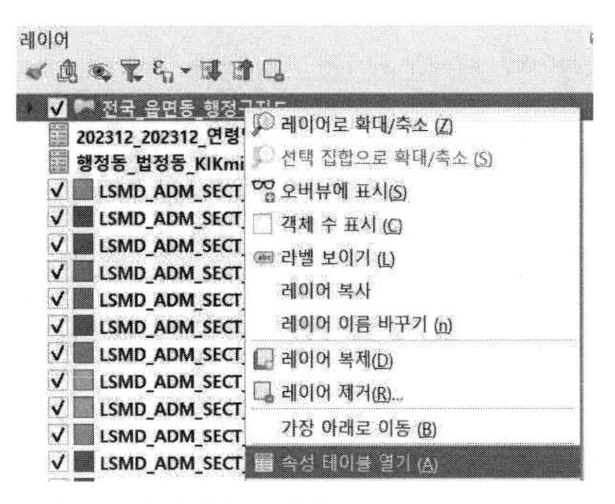

그림 40. 속성테이블 열기

속성 대화상자의 왼쪽 패널의 결합 메뉴에서 새로운 결합 추가 버튼을 클릭한다.

그림 41. 레이어 속성 대화상자의 결합

벡터 결합 편집 대화상자에서 결합 레이어는 소멸지수 값이 계산된 csv 파일을 지정한다. 결합 필드는 소멸지수 값이 계산된 csv 파일에 있는 행정동코드를 지정하고 대상필드는 행정구역 읍면동 경계지도의 속성에 있는 행정동

code를 선택한 후 확인 버튼을 클릭한다.

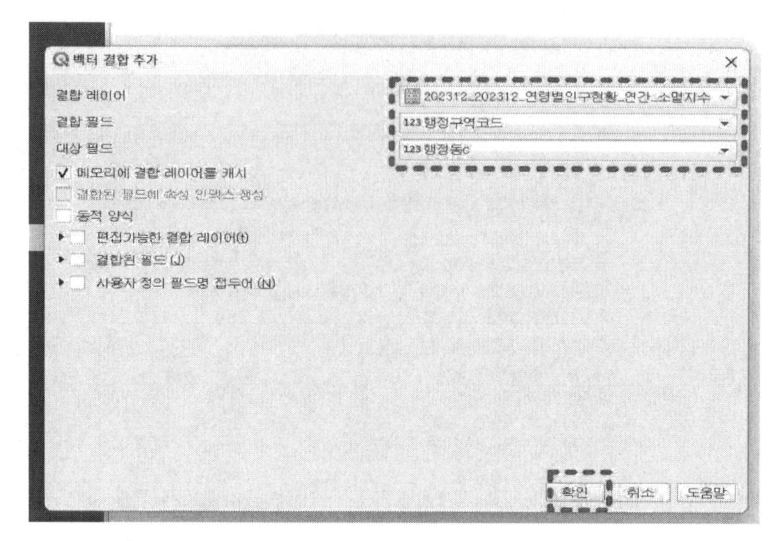

그림 42. 벡터 결합 추가 대화상자

결합된 소멸지수 값을 행정구역 읍면동 경계지도의 속성으로 만들기 위해서 파일을 선택하고 마우스 오른쪽 버튼을 클릭해서 속성테이블을 선택한다.

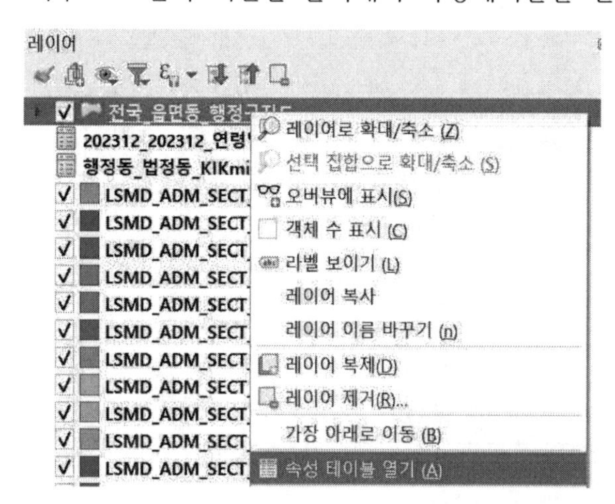

그림 43. 속성테이블 열기

속성테이블 대화상자에서 결합된 소멸지수 값이 있는 필드를 확인하고 필드 계산기 열기 툴을 선택한다.

그림 44. 속성테이블의 필드 계산기 열기 툴

필드 계산기 대화상자에서 새로운 필드 생성을 체크하고 산출 필드 이름은 소멸지수, 산출 필드 유형은 십진수(실수), 산출 필드 길이는 10, 정밀도는 3으로 하고 표현식에는 소멸지수 값을 나타내는 "202312_202312_연령별인구현황_연간_소멸지수_소멸지수"를 선택하고 확인 버튼을 클릭한다.

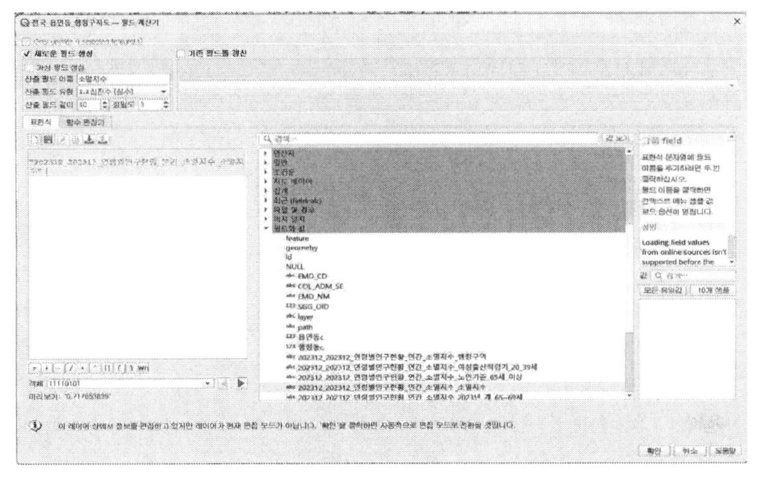

그림 45. 필드 계산기 대화상자

소멸지수 값을 읍면동 경계지도의 속성으로 영구적으로 결합해기 때문에 소멸지수 값을 포함하는 csv 파일을 결합 제거한다. 이를 위해서 읍면동 경계지도를 선택하고 마우스 오른쪽 버튼을 클릭해서 속성을 선택한다. 속성 대화상자의 왼쪽 패널의 결합 메뉴에서 선택한 결합 제거를 선택하고 확인 버튼을 클릭한다.

그림 46. 레이어 속성의 결합 대화상자

읍면동 경계지도의 속성테이블에서 읍면동 코드, 행정동 코드, 소멸지수 값을 확인할 수 있어야 한다.

	EMD_CD	COL_ADM_SE	EMD_NM	SGG_OID	layer	path	읍면동c	행정동c	소멸지
1	11110101	11110	청운동	1036	LSMD_ADM_SE...	C:/qgis_work/QGIS_ex_...	1111010100	1111051500	0.718
2	11110102	11110	신교동	4263	LSMD_ADM_SE...	C:/qgis_work/QGIS_ex_...	1111010200	1111051500	0.718
3	11110103	11110	궁정동	1034	LSMD_ADM_SE...	C:/qgis_work/QGIS_ex_...	1111010300	1111051500	0.718
4	11110104	11110	효자동	4265	LSMD_ADM_SE...	C:/qgis_work/QGIS_ex_...	1111010400	1111051500	0.718
5	11110105	11110	창성동	4266	LSMD_ADM_SE...	C:/qgis_work/QGIS_ex_...	1111010500	1111051500	0.718
6	11110106	11110	통의동	4267	LSMD_ADM_SE...	C:/qgis_work/QGIS_ex_...	1111010600	1111053000	0.747
7	11110107	11110	적선동	4268	LSMD_ADM_SE...	C:/qgis_work/QGIS_ex_...	1111010700	1111053000	0.747
8	11110108	11110	통인동	4269	LSMD_ADM_SE...	C:/qgis_work/QGIS_ex_...	1111010800	1111051500	0.718

그림 47. 읍면동 경계지도의 속성테이블

읍면동 경계지도의 속성 중 소멸지수 값을 이용해서 5개 단계로 시각화하기 위해서 읍면동 경계지도 파일을 선택하고 마우스 오른쪽 버튼을 클릭해서 나온 속성을 선택한다.

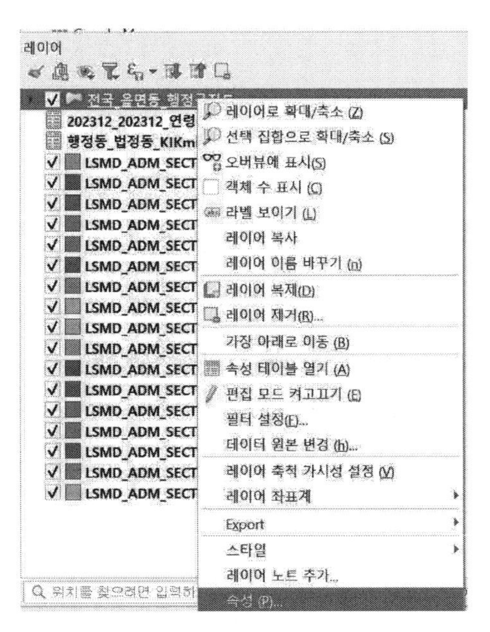

그림 48. 레이어 속성

속성 대화상자에서 왼쪽 패널의 심볼을 선택한다. 오른쪽 패널에서 단계구분을 선택하고 값을 소멸지수를 지정한다. 색상표는 spectral을 선택한다. 분류 모드는 내추럴 브레이크를 선택하고 분류 5로 지정한다.

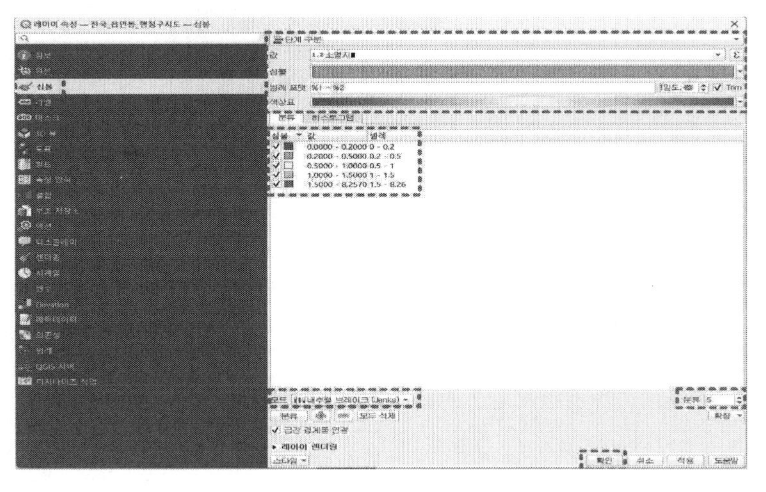

단계별 값을 특정 값으로 변경하기 위해서 해당되는 단계를 더블클릭하여 나온 급간 경계 입력 대화상자에서 낮은 값이나 높은 값을 변경하면 된다.

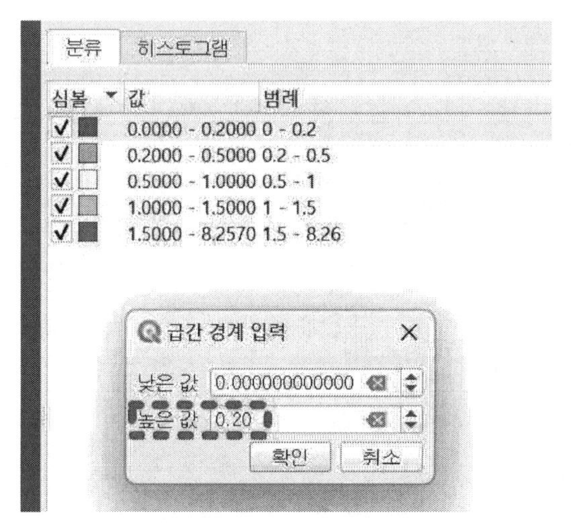

그림 50. 급간 경계 입력 창

결과적으로 5 단계로 구분된 전국 지방 소멸지수 지도를 확인할 수 있다. 대부분의 지역이 소멸지수가 0.2 미만으로 나타났다.

그림 51. 전국 지방 소멸지수 지도

제14장 생물종 분포지도 제작하기

14.1 Maxent 프로그램 다운로드 및 설치

이 장은 Maxent 프로그램을 다운로드하고 설치하는 방법을 설명한다.

기존에 알려진 지역에서 생물종이 서식하는 환경의 특성을 기반으로 미지의 환경에서 생물종에게 얼마나 적합한 서식환경일지를 확률적으로 예측하는 생물종 분포모델로 널리 활용되고 있는 Maxent 프로그램을 다운받아 설치한다. 우선 다음 사이트에 접속하거나 구글 검색으로 Maxent를 검색하여 접속한다.

Maxent 프로그램 다운로드 사이트 URL은 다음과 같다.

(https://biodiversityinformatics.amnh.org/open_source/maxent/)

접속된 사이트에서 중간부분까지 이동해서 다운로드할 수 있는 정보를 입력하는 곳을 찾아서 4가지 정보를 입력한다. 첫 번째는 이름, 두 번째는 다니고 있는 직장명이나 학교명, 세 번째는 사용자 이메일, 네 번째는 Maxent 프로그램을 사용하는 목적을 간략하게 입력하고 submit 버튼을 클릭하면 압축된 Maxent 프로그램을 다운로드 할 수 있다. 현재 기준으로 Maxent 버전은 3.4.4이다.

그림 1. Maxent 프로그램 다운로드 사이트

다운받은 maxent.zip 파일을 C:\ 드라이브에 복사하고 압축을 풀면 Maxent 폴더에 다음 그림처럼 maxent.bat, maxent.jar, maxent.sh, readme.txt 등 4개의 파일이 볼 수 있다.

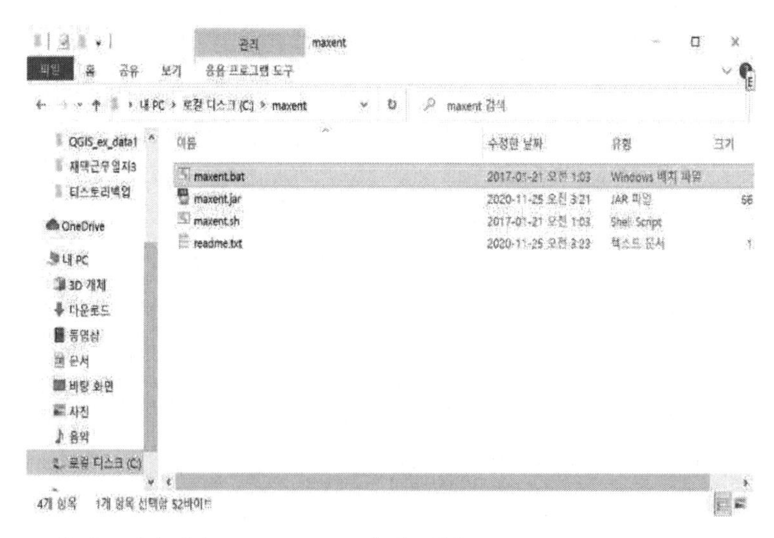

그림 2. 다운받은 maxent.zip 파일 내용

Maxent 프로그램은 maxent.bat 파일을 더블클릭해서 실행하면 그림 3과 같은 프로그램이 구동된다. 구동된 프로그램 화면을 간략하게 설명하자면 왼쪽 패널의 Samples의 File은 생물종의 위치좌표를 불러오고, 오른쪽 패널의 Environmental layers의 Directory/File은 지형, 식생, 토지이용 등 서식환경과 관련된 GIS 주제도 파일을 불러온다. 화면 맨 아래에 있는 output directory에는 프로그램 실행 결과가 저장하는 폴더를 지정한다. Projection layers directory files에는 미래 기후변화 시나리오 데이터를 입력할 수 있다.

Maxent 프로그램을 실행하기 위해서 기본으로 설정된 값은 Auto features에서 Threshold feature 만 제외하고 나머지는 모드 체크되어 있고, Make pictures of predictions가 체크되어 있으며 Output format은 Cloglog로 설정되어 있다. Output File types는 asc 형식으로 설정되어 있다.

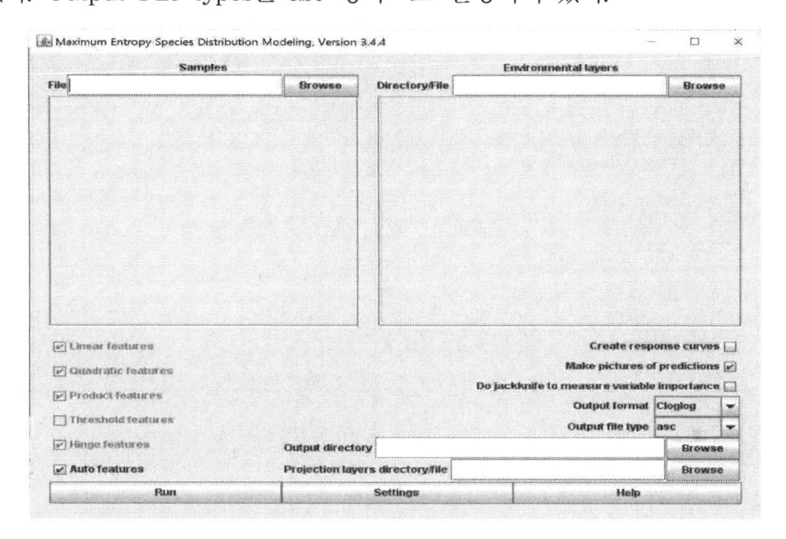

그림 3. 구동된 Maxent 프로그램 화면

14.2 Maxent 프로그램 실행을 위한 폴더 생성하기

호랑이 서식지도를 제작하기 위해서 필요한 데이터 3가지는 호랑이 위치 데이터, GIS 환경지도, 그리고 Maxent 프로그램 이다. 호랑이 서식지도는 종 분포 모델을 주로 이용하여 제작한다.

종 분포 모델은 생물종이 기존에 서식하는 지역의 환경 특성을 분석하여 아직 조사되지 않거나 알려지지 않은 지역이 과연 그 생물종에게 얼마나 적합한지를 확률로서 알려주는 모델이다. 기존의 로지스틱 회귀식과 달리 Maxent 알

고리즘은 생물종이 출현한 지점의 환경 특성을 고려하는 모델이다. 그리고 Maxent 프로그램은 사용하기 쉽고 널리 검증된 알고리즘이다. Maxent 프로그램을 설치했다면 호랑이 위치 데이터와 GIS 환경 지도를 이용해서 호랑이 서식 지역을 예측한다. 이를 위해서 C:\드라이브에 호랑이_work 폴더를 생성하고 이 폴더 안에 loc, env_data, output 폴더를 미리 생성한다. 호랑이 생물종 위치 데이터는 loc 폴더에 저장하고 GIS 환경변수 데이터 20개는 asc 파일형식으로 env_data\asc_file 폴더에 저장한다. 그리고 Maxent 프로그램 실행 결과는 output 폴더에 저장된다.

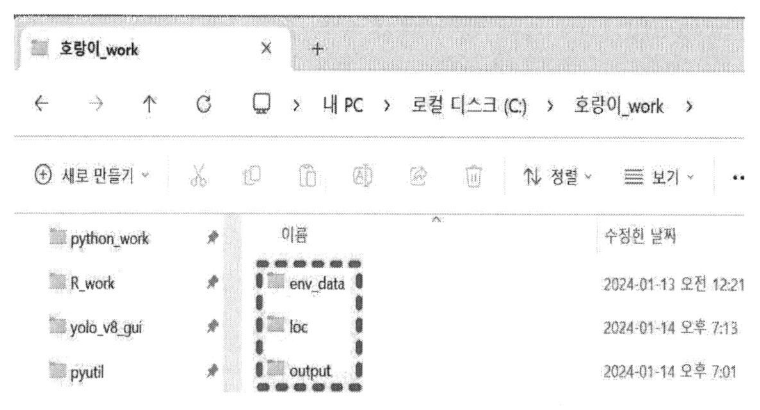

그림 4. Maxent를 실행하기 위한 폴더 구조

14.3 호랑이 위치 데이터 다운로드

호랑이 위치 데이터를 다운로드 하기 위해서는 호랑이의 학명을 이용해서 GBIF 생물종 사이트에서 검색하여 다운로드 할 수 있다.

이 장에서는 QGIS 프로그램에서 플러그인을 설치하여 호랑이 위치 데이터를 다운로드 할 것이다. 우선 QGIS 프로그램을 실행하여 플러그인 메뉴에서 플러그인 관리 및 설치… 기능을 선택하여 플러그인 설치 대화상자를 불러온다.

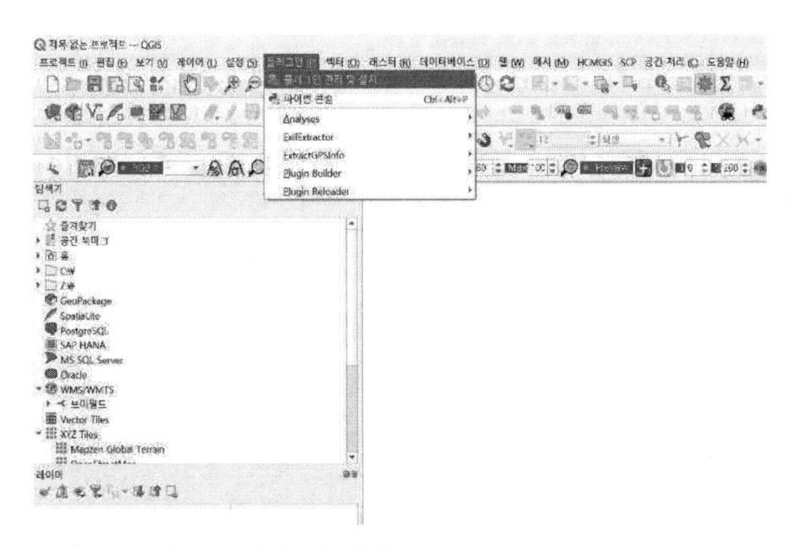

그림 5. 플러그인 관리 및 설치

플러그인 설치 대화상자에서 검색창에 gbif를 입력하여 검색된 GBIF Occurrences 플러그인을 확인 선택하고 화면 오른쪽 하단에 있는 플러그인 설치 또는 재설치 버튼을 클릭하여 플러그인 설치를 완료한다.

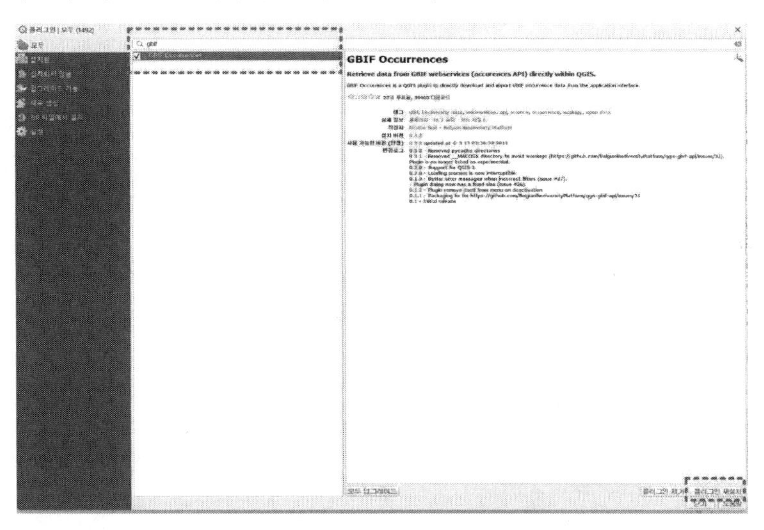

그림 6. 플러그인 설치 대화상자

우리나라 호랑이 학명은 *Panthera tigris altaica* 이다. 벡터 메뉴에 있는 설치된 GBIF Occurrences 플러그인을 실행한다.

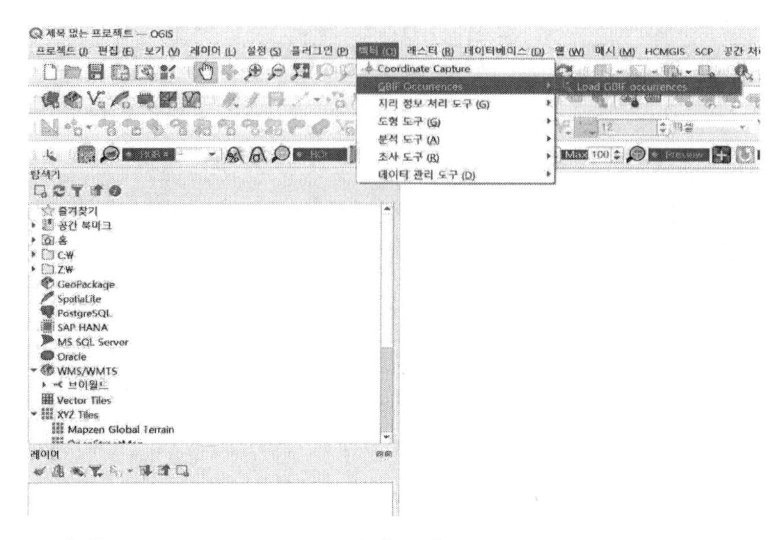

그림 7. GBIF Occurrences 플러그인

GBIF Occurrences 대화상자에서 호랑이 학명을 Scientific name 란에 입력한다. 호랑이 위치 데이터를 다운로드 하기 위해서 추가적인 정보를 입력할 수 있지만 여기서는 학명만을 입력한다. 대화상자 왼쪽 하단에 있는 Load Occurrence 버튼을 클릭하여 호랑이 위치 데이터를 검색하고 다운로드 한다.

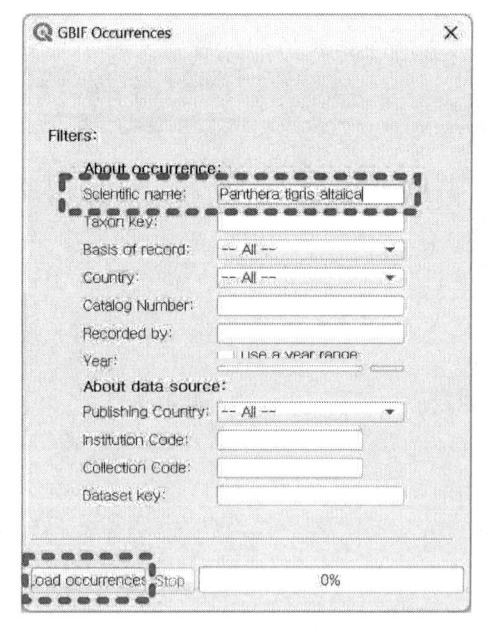

그림 8. GBIF Occurrences 대화상자

호랑이 위치 데이터가 검색되어 QGIS 프로그램의 맵 창에 표시된다. 지리적 위치는 구글지도를 배경지도로 불러와서 확인할 수 있다. 검색된 위치 데이터는 총 131개로 확인되었다. 분포지역은 아시아, 북아메리카, 유럽으로 나타났다.

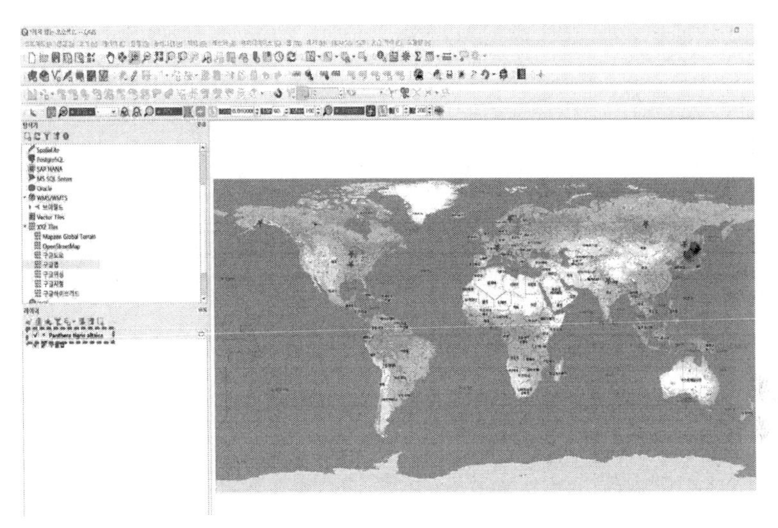

그림 9. 검색된 호랑이 위치 데이터

하지만 이 데이터는 임시적으로 생성되었기 때문에 컴퓨터에 영구적으로 저장하기 위해서는 호랑이 위치 데이터를 선택하고 마우스 오른쪽 버튼을 클릭해서 나온 팝업 메뉴에서 Export 기능 중에서 객체를 다른 이름으로 저장(A)… 을 선택하여 저장한다.

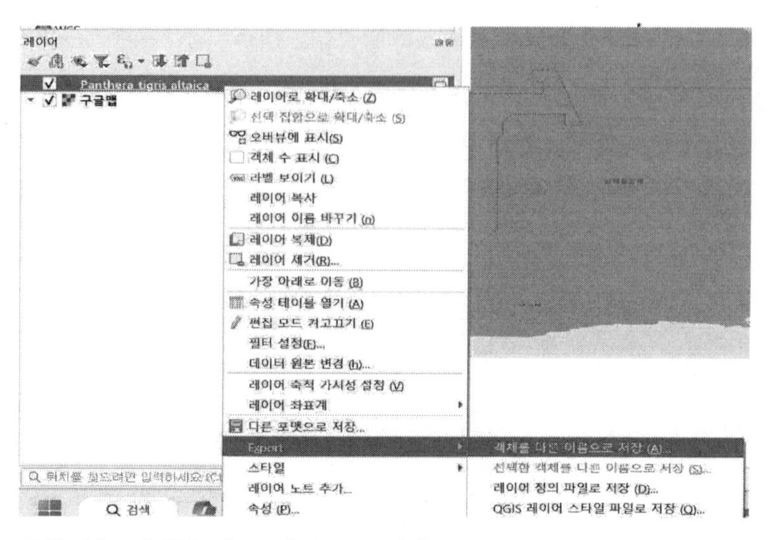

그림 10. 객체를 다른 이름으로 저장

벡터 레이어를 다른 이름으로 저장 대화상자에서 포맷은 ESRI shapefile로 하고 좌표계는 WGS84(EPSG: 4326)로 설정한 다음, 빨간 색상의 점선으로 표시된 버튼을 클릭한다.

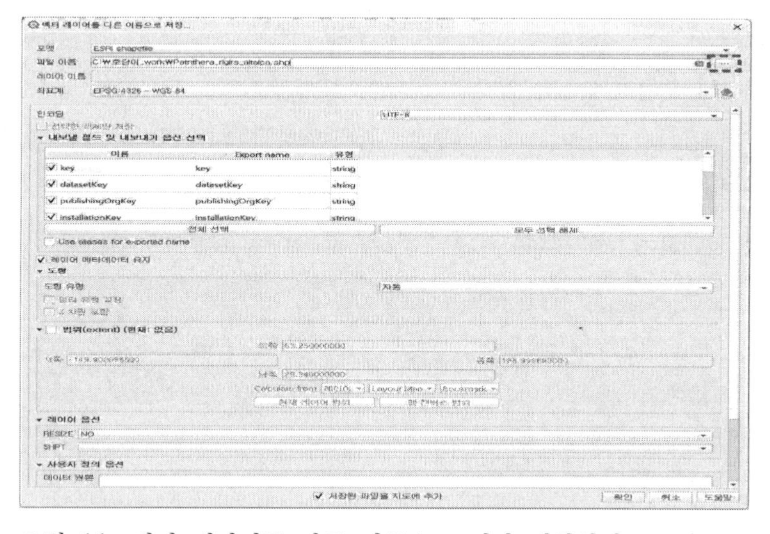

그림 11. 벡터 레이어를 다른 이름으로 저장 대화상자

레이어를 다른 이름으로 저장 대화상자에서 다른 이름으로 저장할 폴더를 선택하고 파일 이름은 Patnthera_tigris_altaica.shp하고 C:\호랑이_work\loc 폴더에 저장 한다. 호랑이_work 폴더는 사용자가 원하는 다른 이름으로 생성해도

된다.

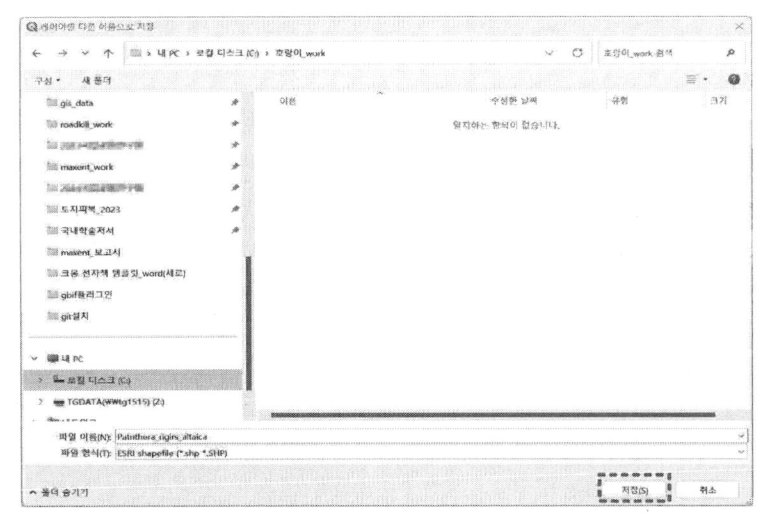

그림 12. 레이어를 다른 이름으로 저장 대화상자

다운로드 된 호랑이 위치 데이터에 저장된 속성을 살펴보기 위해서 호랑이 벡터 데이터 레이어를 선택하고 마우스 오른쪽 버튼을 클릭해서 나온 팝업 창에서 속성테이블 열기(A)...을 선택하여 확인할 수 있다.

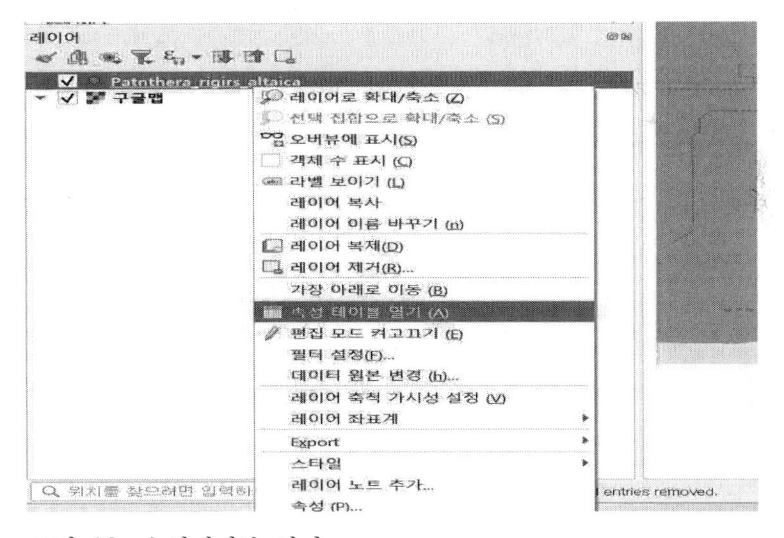

그림 13. 속성테이블 열기

호랑이 서식지도를 제작하기 위해서 속성 중에서 필요한 정보는 경도(x)와 위도(y)를 나타내는 decimalLon과 decimalLat이다.

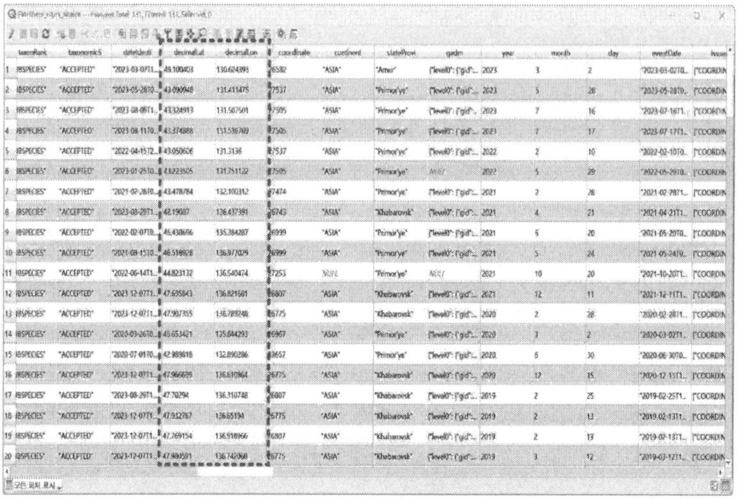

Panthera_tigris_altaica — Features Total: 131, Filtered: 131, Selected: 0

	taxonRank	taxonomicS	dateIdenti	decimalLat	decimalLon	coordinate	continent	stateProvi	gadm	year	month	day	eventDate	issue
1	SPECIES"	"ACCEPTED"	"2023-03-07T1...	49.100403	130.624393	6582	"ASIA"	"Amur"	{"level0": {"gid"...	2023	3	2	"2023-03-02T0...	["COORDIN
2	SPECIES"	"ACCEPTED"	"2023-05-28T0...	43.090948	131.411475	7537	"ASIA"	"Primor'ye"	{"level0": {"gid"...	2023	5	28	"2023-05-28T0...	["COORDIN
3	SPECIES"	"ACCEPTED"	"2023-08-09T1...	43.324913	131.507501	7505	"ASIA"	"Primor'ye"	{"level0": {"gid"...	2023	7	16	"2023-07-16T1...	["COORDIN
4	SPECIES"	"ACCEPTED"	"2023-08-11T0...	43.374888	131.536789	7505	"ASIA"	"Primor'ye"	{"level0": {"gid"...	2023	7	17	"2023-07-17T1...	["COORDIN
5	SPECIES"	"ACCEPTED"	"2022-04-15T2...	43.050606	131.3136	7537	"ASIA"	"Primor'ye"	{"level0": {"gid"...	2022	2	10	"2022-02-10T0...	["COORDIN
6	SPECIES"	"ACCEPTED"	"2023-01-25T0...	43.223505	131.751122	7505	"ASIA"	"Primor'ye"	NULL	2022	5	29	"2022-05-29T0...	["COORDIN
7	SPECIES"	"ACCEPTED"	"2021-02-28T0...	43.478784	132.100312	7474	"ASIA"	"Primor'ye"	{"level0": {"gid"...	2021	2	28	"2021-02-28T1...	["COORDIN
8	SPECIES"	"ACCEPTED"	"2023-08-29T1...	42.19087	136.437391	6743	"ASIA"	"Khabarovsk"	{"level0": {"gid"...	2021	4	21	"2021-04-21T1...	["COORDIN
9	SPECIES"	"ACCEPTED"	"2022-02-07T0...	46.438696	135.384287	6999	"ASIA"	"Primor'ye"	{"level0": {"gid"...	2021	5	20	"2021-05-20T0...	["COORDIN
10	SPECIES"	"ACCEPTED"	"2021-08-15T0...	46.518928	136.977029	6999	"ASIA"	"Primor'ye"	{"level0": {"gid"...	2021	5	24	"2021-05-24T0...	["COORDIN
11	SPECIES"	"ACCEPTED"	"2022-06-14T1...	44.823132	136.540474	7253	NULL	"Primor'ye"	NULL	2021	10	20	"2021-10-20T1...	["COORDIN
12	SPECIES"	"ACCEPTED"	"2023-12-07T1...	47.695843	136.821681	6807	"ASIA"	"Khabarovsk"	{"level0": {"gid"...	2021	12	11	"2021-12-11T1...	["COORDIN
13	SPECIES"	"ACCEPTED"	"2023-12-07T1...	47.907355	136.789246	6775	"ASIA"	"Khabarovsk"	{"level0": {"gid"...	2020	2	28	"2020-02-28T1...	["COORDIN
14	SPECIES"	"ACCEPTED"	"2020-03-26T0...	46.653421	135.844293	6967	"ASIA"	"Primor'ye"	{"level0": {"gid"...	2020	3	2	"2020-03-02T1...	["COORDIN
15	SPECIES"	"ACCEPTED"	"2020-07-01T0...	42.989818	132.890286	3657	"ASIA"	"Primor'ye"	{"level0": {"gid"...	2020	6	30	"2020-06-30T0...	["COORDIN
16	SPECIES"	"ACCEPTED"	"2023-12-07T1...	47.966699	136.610964	6775	"ASIA"	"Khabarovsk"	{"level0": {"gid"...	2020	12	15	"2020-12-15T1...	["COORDIN
17	SPECIES"	"ACCEPTED"	"2023-08-29T1...	47.70294	136.310748	6807	"ASIA"	"Khabarovsk"	{"level0": {"gid"...	2019	2	25	"2019-02-25T1...	["COORDIN
18	SPECIES"	"ACCEPTED"	"2023-12-07T1...	47.932767	136.65194	6775	"ASIA"	"Khabarovsk"	{"level0": {"gid"...	2019	2	13	"2019-02-13T1...	["COORDIN
19	SPECIES"	"ACCEPTED"	"2023-12-07T1...	47.769154	136.918966	6807	"ASIA"	"Khabarovsk"	{"level0": {"gid"...	2019	2	13	"2019-02-13T1...	["COORDIN
20	SPECIES"	"ACCEPTED"	"2023-12-07T1...	47.980591	136.742068	6775	"ASIA"	"Khabarovsk"	{"level0": {"gid"...	2019	3	12	"2019-03-12T1...	["COORDIN

모든 피처 표시

그림 14. 호랑이 위치 데이터 속성테이블

14.4 GIS 환경지도 다운로드

호랑이의 서식지도를 제작하려면 해당 지역의 환경 데이터를 활용해야 한다. 이를 위해서는 호랑이의 위치 데이터와 관련된 GIS 환경 지도를 확보하고, 그에 따라 필요한 환경 변수들을 준비해야 한다. 물론 다양한 GIS 환경 지도가 있지만 이 책에서는 GIS 환경 지도로 기후 변수와 해발고도와 관련된 데이터를 이용할 예정이다.

WorldClim 웹사이트(https://worldclim.org/)에서 제공하는 19개의 생물 기후 변수와 해발고도 데이터를 다운로드 한다. 파일 형식은 zip 압축 파일이다. 이러한 데이터는 기후 요소와 지형의 높낮이에 대한 공간적 분포를 표현하기 위해 사용된다.

WorldClim 웹사이트에 접속해서 다운로드 사이트(https://worldclim.org/data/worldclim21.html)로 이동해서 화면 중간에 있는 Bioclimatic variables의 bio 10m 를 클릭해서 생물기후변수를 다운받고, Elevation의 elev 10m 를 클릭해서 해발고도 데이터를 다운로드 한다.

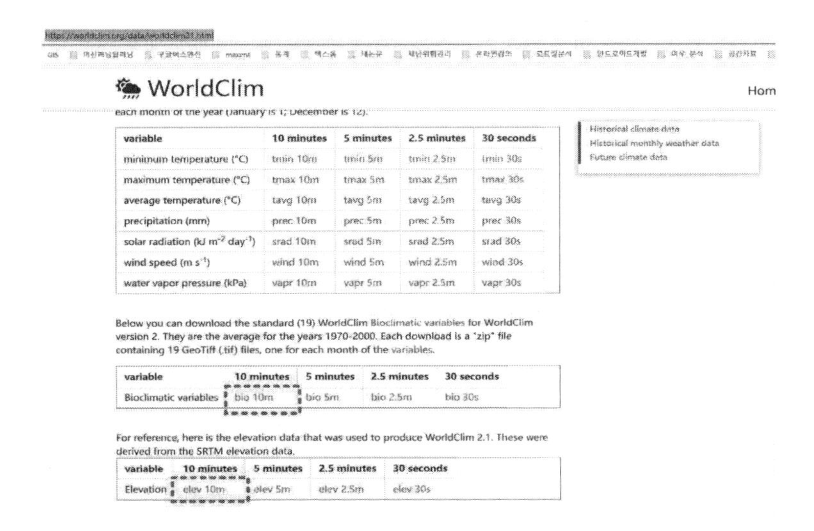

https://worldclim.org/data/worldclim21.html

WorldClim

Hom

each month of the year (January is 1; December is 12).

variable	10 minutes	5 minutes	2.5 minutes	30 seconds
minimum temperature (°C)	tmin 10m	tmin 5m	tmin 2.5m	tmin 30s
maximum temperature (°C)	tmax 10m	tmax 5m	tmax 2.5m	tmax 30s
average temperature (°C)	tavg 10m	tavg 5m	tavg 2.5m	tavg 30s
precipitation (mm)	prec 10m	prec 5m	prec 2.5m	prec 30s
solar radiation (kJ m^{-2} day^{-1})	srad 10m	srad 5m	srad 2.5m	srad 30s
wind speed (m s^{-1})	wind 10m	wind 5m	wind 2.5m	wind 30s
water vapor pressure (kPa)	vapr 10m	vapr 5m	vapr 2.5m	vapr 30s

Historical climate data
Historical monthly weather data
Future climate data

Below you can download the standard (19) WorldClim Bioclimatic variables for WorldClim version 2. They are the average for the years 1970-2000. Each download is a "zip" file containing 19 GeoTiff (.tif) files, one for each month of the variables.

variable	10 minutes	5 minutes	2.5 minutes	30 seconds
Bioclimatic variables	bio 10m	bio 5m	bio 2.5m	bio 30s

For reference, here is the elevation data that was used to produce WorldClim 2.1. These were derived from the SRTM elevation data.

variable	10 minutes	5 minutes	2.5 minutes	30 seconds
Elevation	elev 10m	elev 5m	elev 2.5m	elev 30s

그림 15. WorldClim의 다운로드 사이트

다운 받은 환경변수 zip파일은 C:\호랑이_work\env_data\raw_data 폴더에 저장하고 C:\호랑이_work\env_data 폴더에 압축을 푼다.

내 PC > 로컬 디스크 (C:) > 호랑이_work > env_data > raw_data >

이름	수정한 날짜	유형	크기
wc2.1_10m_bio	2024-01-13 오전 12:21	파일 폴더	
wc2.1_10m_elev	2024-01-13 오전 12:21	파일 폴더	
wc2.1_10m_bio.zip	2024-01-13 오전 12:19	ALZip ZIP File	48,701KB
wc2.1_10m_elev.zip	2024-01-13 오전 12:18	ALZip ZIP File	1,302KB

그림 16. 환경변수 zip파일 폴더

14.5 호랑이 위치 데이터 제작

호랑이 위치 데이터는 생물종 이름(species), 경도(decimalLon), 위도(decimalLat) 등 3개의 속성을 반드시 포함하고 경도, 위도의 순서도 지켜야 되고 파일 형식은 csv 파일로 저장해야 한다.

species	decimalLon	decimalLat
"Panthera tigris"	130.624393	49.100403
"Panthera tigris"	131.411475	43.090948
"Panthera tigris"	131.507501	43.324913
"Panthera tigris"	131.536769	43.374888
"Panthera tigris"	131.3136	43.050606

그림 17. 호랑이 위치 데이터 구조

csv 파일을 생성하기 위해서 GBIF Occurrences 플러그인을 이용하여 다운로드 한 호랑이 위치 데이터(Patnthera_tigris_altaica.shp)를 QGIS 프로그램 메뉴에서 레이어→레이어 추가→벡터 레이어 추가를 선택하여 불러온다. 호랑이 위치 데이터 레이어를 선택하고 마우스 오른쪽 버튼을 클릭해서 Export 기능 중 객체를 다른 이름으로 저장을 선택한다.

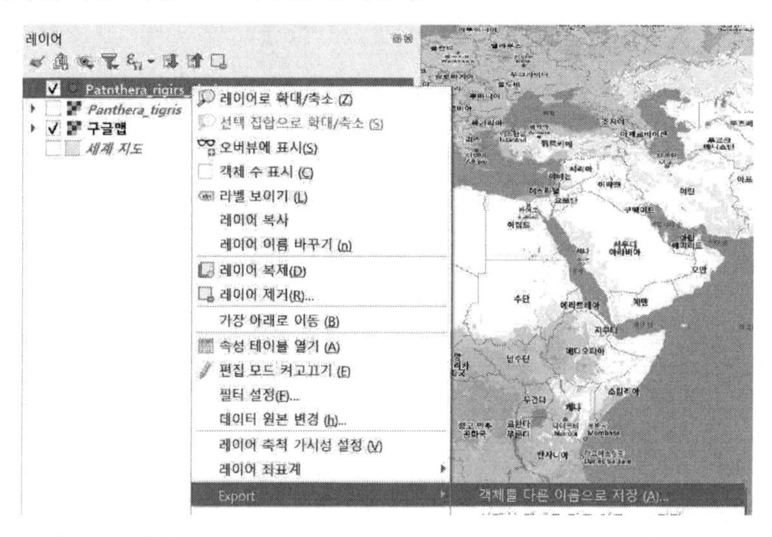

그림 18. 객체를 다른 이름으로 저장

벡터 레이어를 다른 이름으로 저장 대화상자에서 포맷은 쉼표로 구분한 값(csv)으로 지정한다. 그리고 좌표계는 WGS84로 설정한다. 내보낼 필드 및 내보기 옵션 선택에서 모두 선택 해제 버튼을 클릭한 후 species, decimalLat, decimalLon 3가지 속성만을 선택한다. 최종적으로 다른 이름으로 저장하기 위해서 파일이름 입력란의 맨 오른쪽 버튼을 클릭한다.

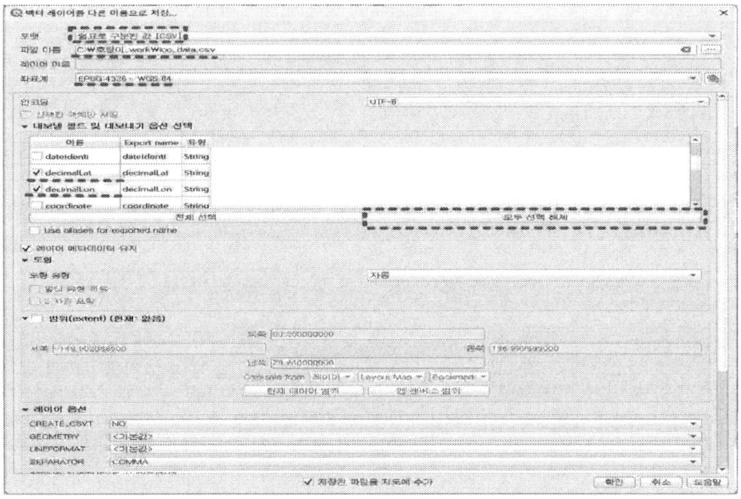

그림 19. 벡터 레이어를 다른 이름으로 저장 대화상자

레이어를 다른 이름으로 저장 대화상자에서 사용자가 저장하고자 하는 폴더로 이동해서 파일이름을 부여한 후 저장버튼을 클릭한다. 다시 나타난 벡터 레이어를 다른 이름으로 저장 대화 상자에서 확인 버튼을 클릭하여 호랑이 위치 데이터의 csv파일을 c:\호랑이_work\loc 폴더에 loc_data.csv 이름으로 저장한다.

그림 20. 레이어를 다른 이름으로 저장 대화상자

파일 c:\호랑이_폴더\loc\loc_data.csv를 엑셀 프로그램에서 불러와서 그림 21

과 같이 확인할 수 있다.

파일 홈 삽입 페이지 레이아웃 수식 데이터 검토 보기 추가 기능 수행할

잘라내기 복사 서식 복사 붙여넣기 클립보드 맑은 고딕 11 가 가 가 가 가 글꼴 텍스트 줄 바꿈 병합하고 가운데 맞춤

E8 fx

	A	B	C	D	E	F
1	species	decimalLon	decimalLat			
2	"Panthera tigris"	130.624393	49.100403			
3	"Panthera tigris"	131.411475	43.090948			
4	"Panthera tigris"	131.507501	43.324913			
5	"Panthera tigris"	131.536769	43.374888			
6	"Panthera tigris"	131.3136	43.050606			
7	"Panthera tigris"	131.751122	43.223505			

그림 21. loc data.csv 파일 구조

14.6 호랑이 위치 데이터와 관련된 GIS 환경지도 제작

호랑이 서식지도는 아시아 지역으로 한정해서 제작한다. 아시아지역에 대한 GIS 파일을 생성하기 위해서 QGIS 프로그램 화면에서 맨 아래 좌표를 보여주는 좌표 란에 world를 입력하고 Enter를 치면 맵 창에 세계지도가 표시된다.

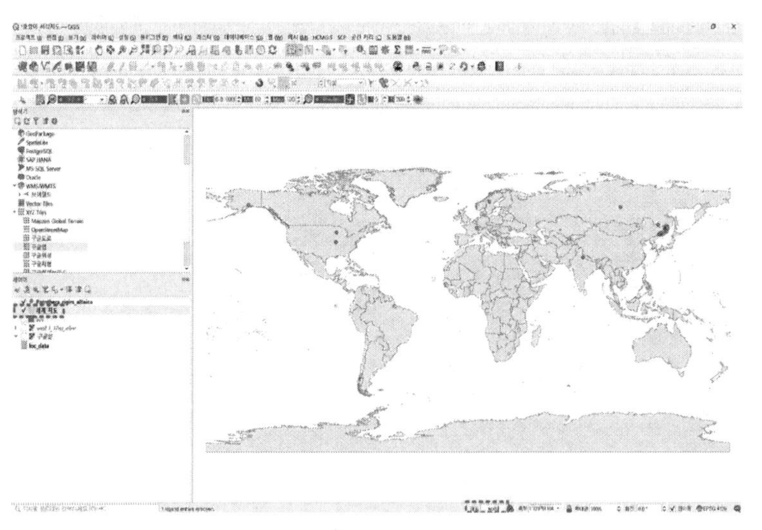

그림 22. 세계지도

세계지도에서 아시아 지역을 추출하기 위해서 툴바 중 영역 및 단일 클릭으로 객체 선택 툴을 선택한다.

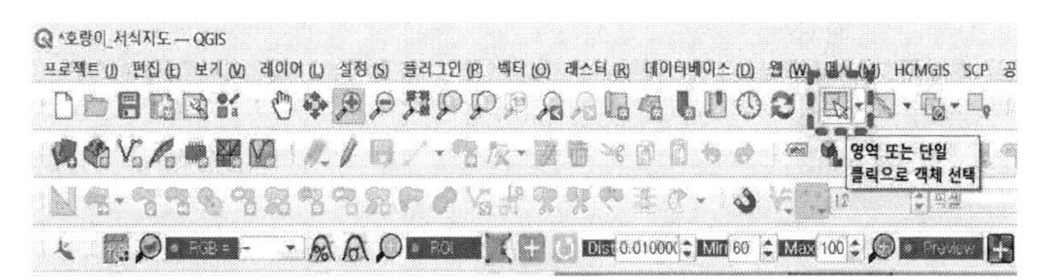

그림 23. 영역 및 단일 클릭으로 객체 선택 툴

세계지도에서 마우스로 드래그해서 아시아 지역에 해당하는 영역을 선택한다.

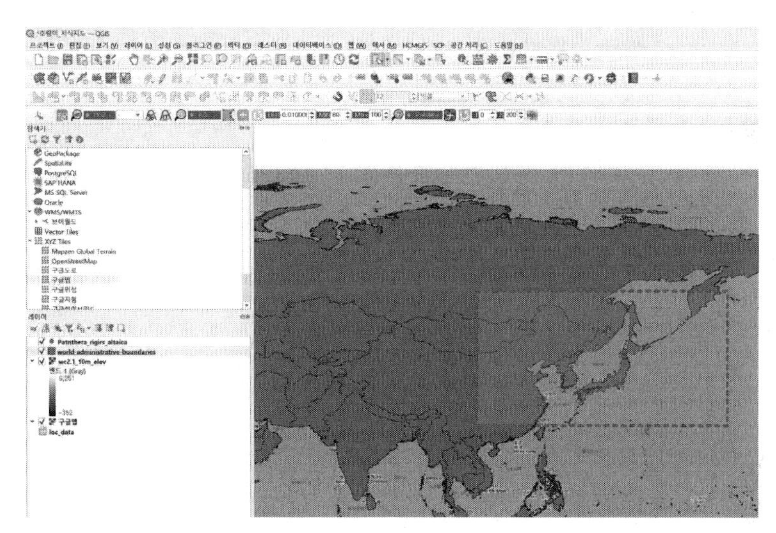

그림 24. 대상지역을 마우스로 드래그

아시아 지역이 노란색상으로 선택되어 나타난다.

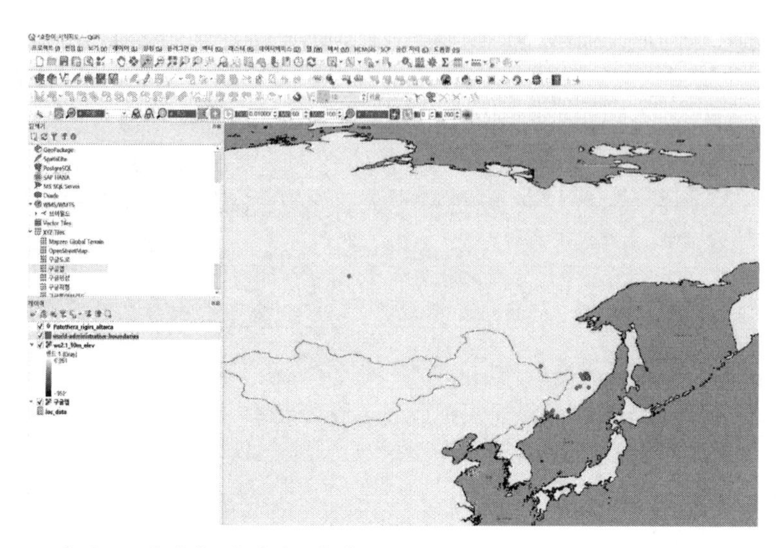

그림 25. 선택된 아시아 지역

선택된 아시아 지역을 별도로 저장하기 위해서 세계 지도 데이터 레이어를 선택하고 마우스 오른쪽 버튼을 클릭해서 Export 기능 중 객체를 다른 이름으로 저장...을 선택한다.

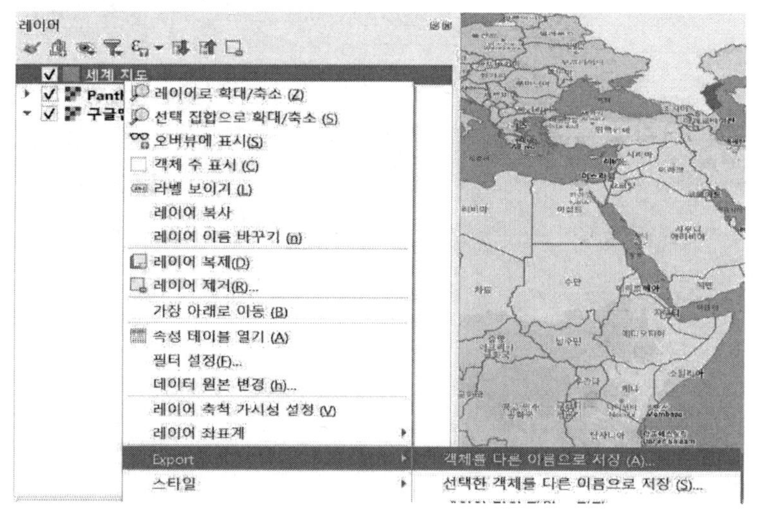

그림 26. 객체를 다른 이름으로 저장

벡터 레이어를 다른 이름으로 저장 대화상자에서 포맷은 ESRI shapefile 로 지정합니다. 그리고 좌표계는 WGS84로 설정합니다. 최종적으로 다른 이름으로 저장하기 위해서 파일이름 란의 맨 오른쪽 버튼을 클릭한다.

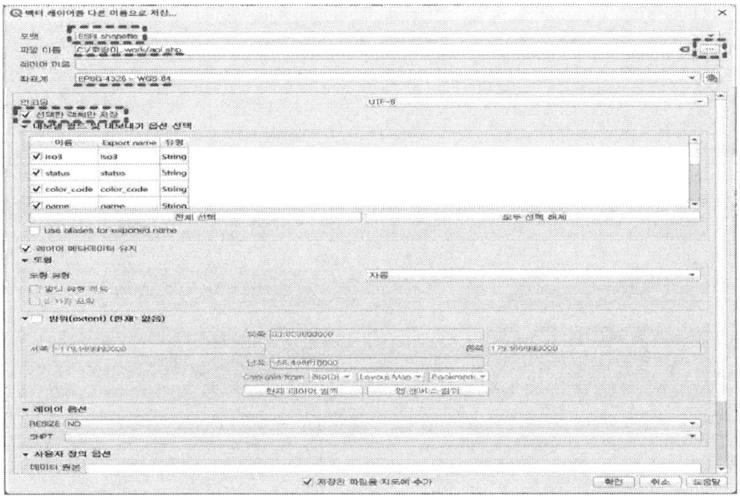

그림 27. 벡터 레이어를 다른 이름으로 저장 대화상자

레이어를 다른 이름으로 저장 대화상자에서 사용자가 저장하고자 하는 폴더를 선택하고 파일이름(예, C:\호랑이_work\기타_data\aoi.shp)을 부여한 후 저장버튼을 클릭한다.

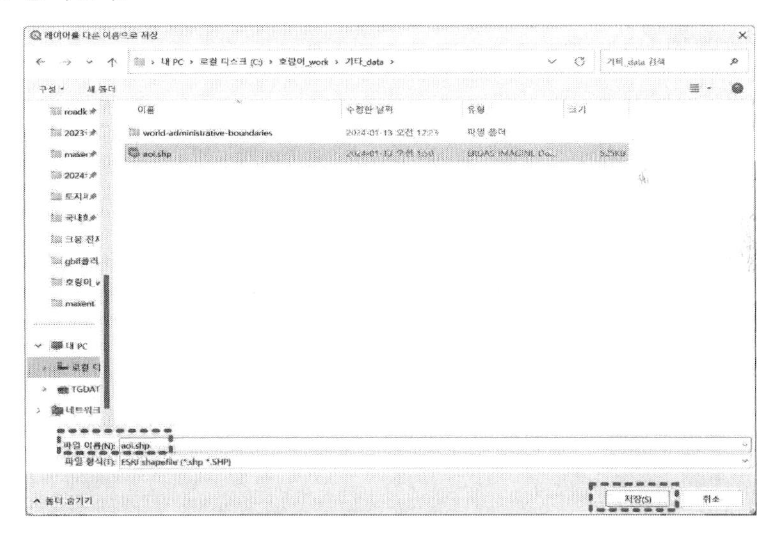

그림 28. 레이어를 다른 이름으로 저장 대화상자

맵 창에 아시아 지역을 나타내는 aoi.shp 레이어를 확인할 수 있다.

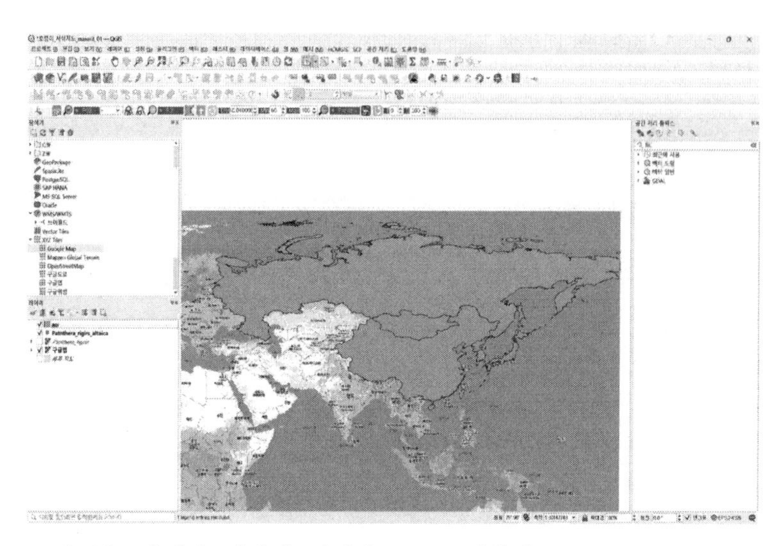

그림 29. 아시아 지역에 해당하는 aoi 레이어

20개 GIS 환경 지도를 아시아 지역에 맞게 잘라내기 위해서 우선 메뉴의 레이어 → 레이어 추가 → 래스터 레이어 추가...을 선택하여 GIS 환경 지도를 불러와야 한다.

데이터 원본 관리자 대화상자에서 래스터를 선택하고 래스터 데이터셋(들) 란의 맨 오른쪽 버튼을 클릭한다.

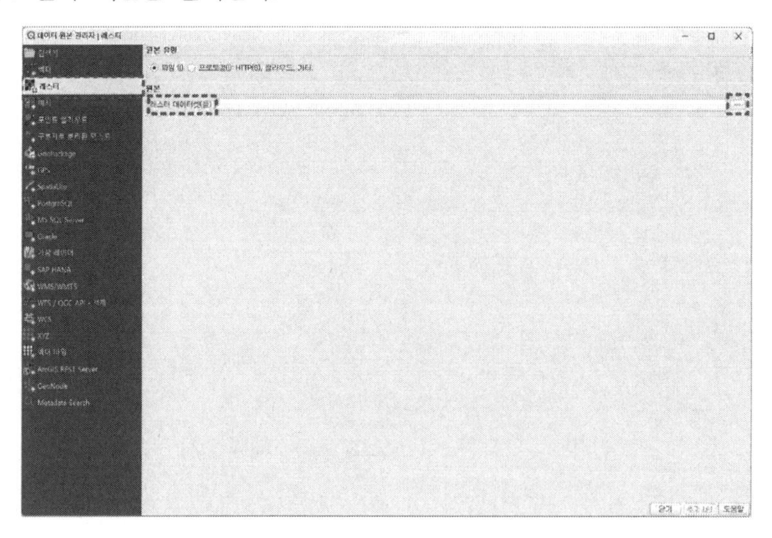

그림 30. 데이터 원본 관리자 대화상자

래스터 데이터셋(들) 열기 대화상자에서 C:\호랑이

_work\env_data\raw_data\wc2.1_10m_elev 폴더로 이동해서 해발고도 GIS 환경지도인 wc2.1_10m_elev.tif 파일을 선택하고 열기 버튼을 클릭한다.

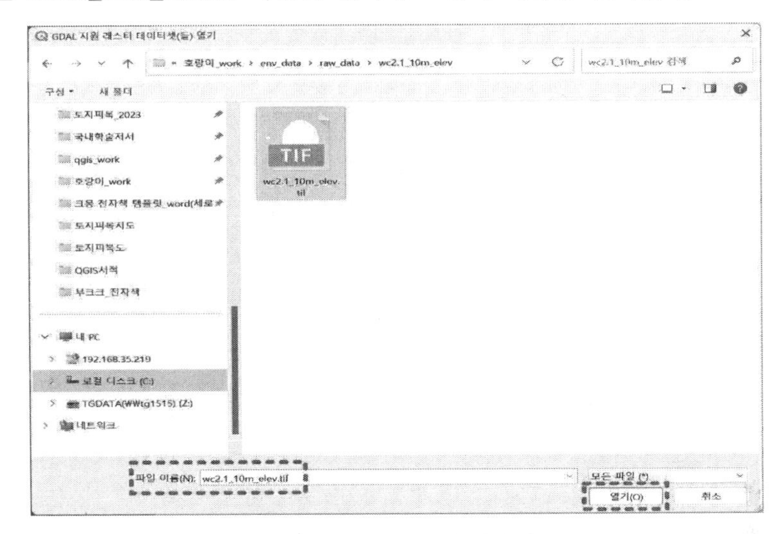

그림 31. 래스터 데이터셋(들) 열기 대화상자

데이터 원본 관리자 대화상자에서 사용자가 입력한 내용을 확인하고 추가 버튼을 클릭하고 닫기 버튼을 선택한다.

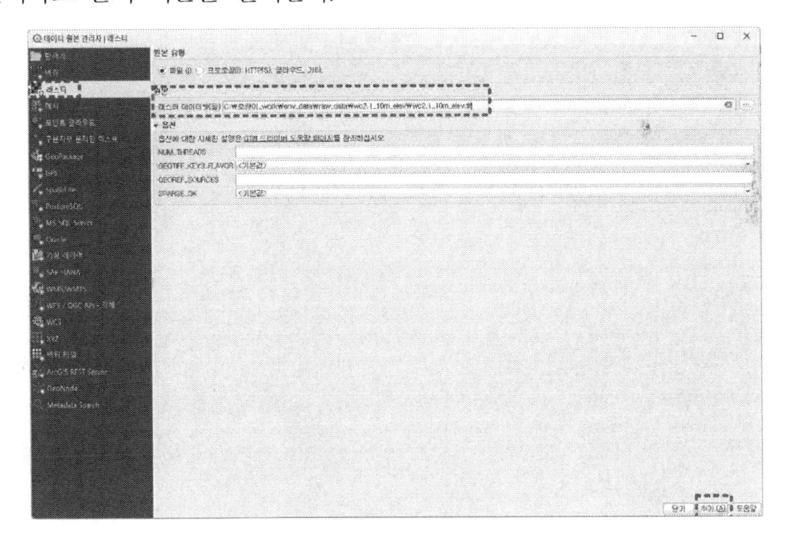

그림 32. 데이터 원본 관리자 대화상자

불러온 해발고도 GIS 환경지도를 아시아 지역에 맞게 자르기 위해서 래스터 메뉴에서 추출 기능 중에 마스크 레이어로 래스터 자르기를 선택한다.

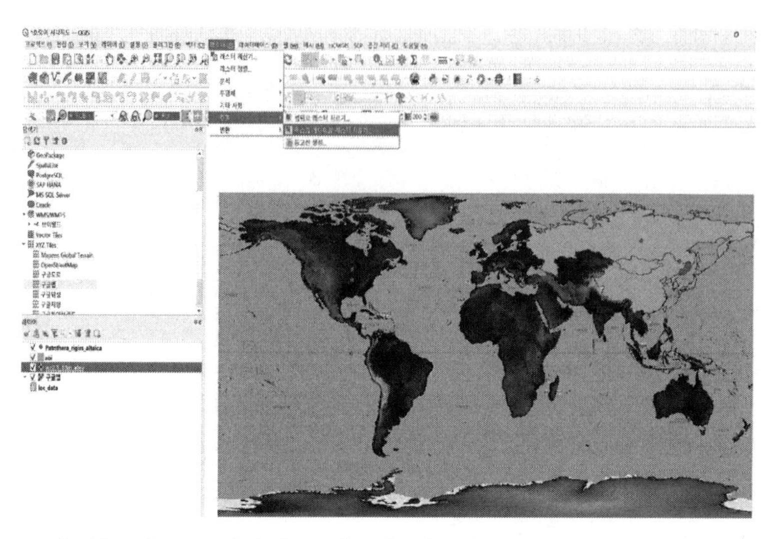

그림 33. 마스크 레이어로 래스터 자르기

마스크 레이어로 래스터 자르기 대화상자에서 입력 레이어 란에는 환경지도 래스터 레이어를 마스크 레이어 란에는 aoi 벡터 레이어를 지정합니다. 대상지역 aoi에 맞게 잘라진 환경 지도는 잘라낸 산출물(마스크) 란의 맨 오른쪽 버튼을 클릭해서 나온 파일로 저장…을 선택한다.

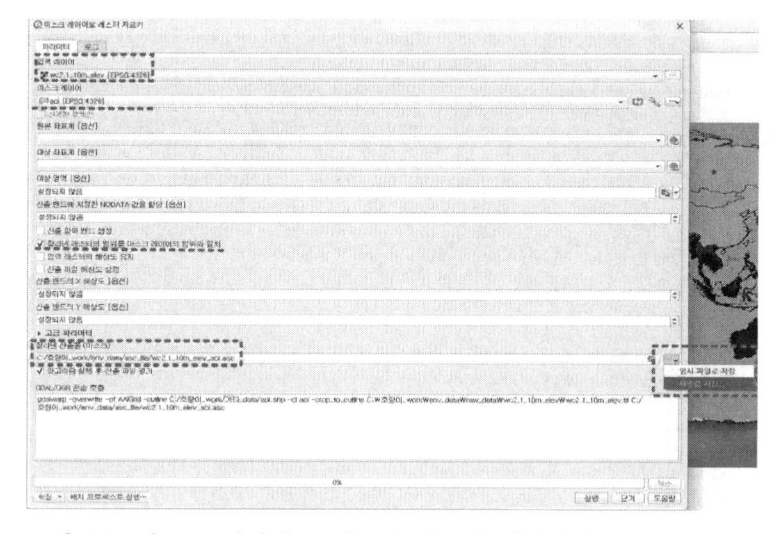

그림 34. 마스크 레이어로 래스터 자르기 대화상자

파일 저장 대화상자에서 c:\호랑이_work\env_data\asc_file 폴더로 이동해서 파일형식을 .asc 로 하고 파일 이름을 wc21_10m_elev_aoi.asc 로 저장한다.

호랑이 위치 데이터와 관련된 GIS 환경데이터는 asc파일 형식으로 저장 되어야 한다. 나머지 19개 생물기후변수 GIS 환경지도도 위와 같은 방법으로 파일 이름 달리하여 자르기를 한다.

예로, wc2.1_10m_bio_1.tif를 wc21_10m_bio_1_asc.asc 로 _asc 접두어만 첨가한다. C:\호랑이_work\env_data\raw_data\ wc2.1_10m_bio 폴더에 19개 생물기후변수가 저장되어 있다.

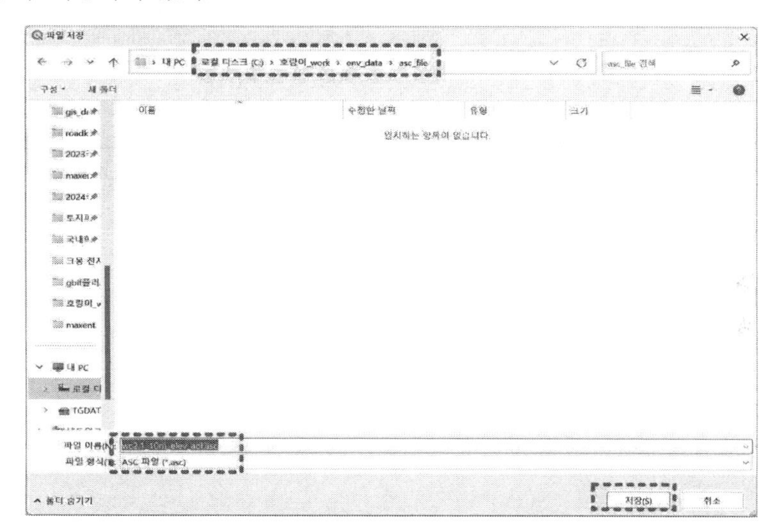

그림 35. 파일 저장 대화상자

최종적으로 해발고도 GIS 환경지도를 아시아지역에 맞게 자르기 한 결과는 그림 36과 같다.

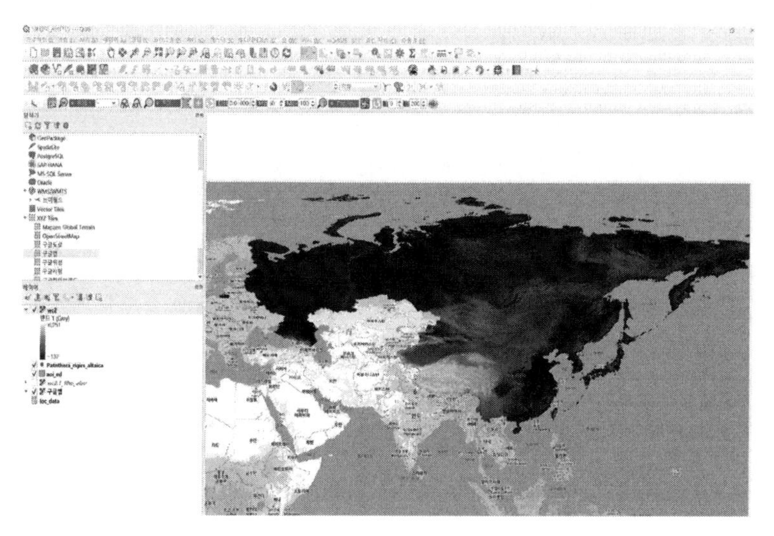

그림 36. 아시아지역에 맞게 자르기 한 해발고도

생물기후변수 GIS 환경지도를 아시아지역에 맞게 자르기 한 결과를 확인할 수 있다.

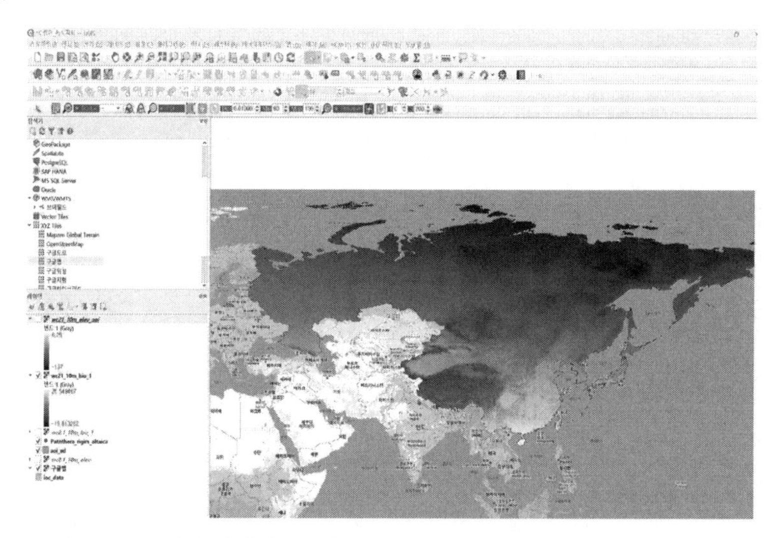

그림 37. 아시아지역에 맞게 자르기 한 생물기후변수

여기서 반드시 확인되어야 할 1가지 내용이 있다. 그렇지 않으면 Maxent 프로그램을 실행 시 오류가 발생하여 호랑이 서식지도가 생성되지 않는다.

확인해야 할 내용은 래스터 영상을 구성하는 셀 개수(행과 열), 셀 해상도이다. 이 내용은 래스터 데이터를 선택하고 마우스 오른쪽 버튼을 클릭해서 나타난 팝업 메뉴에서 속성을 선택한다.

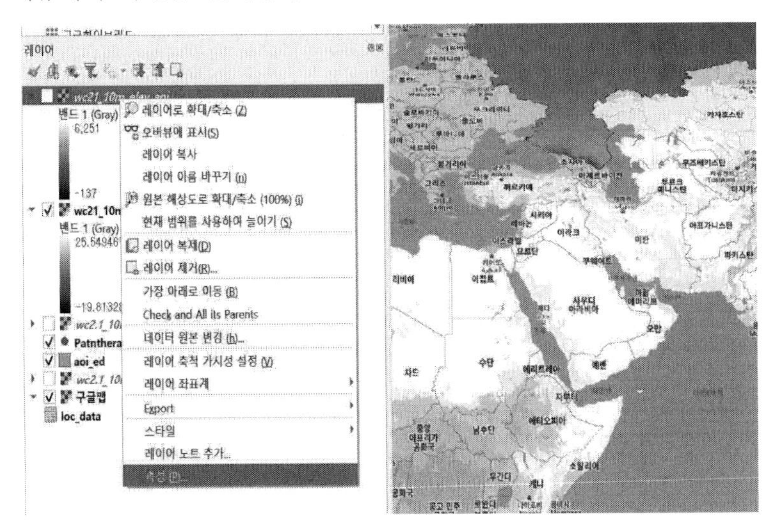

그림 38. 레이어 속성

레이어 속성 대화상자에서 정보를 선택하고 중간부분에 차원, 픽셀크기를 확인한다.

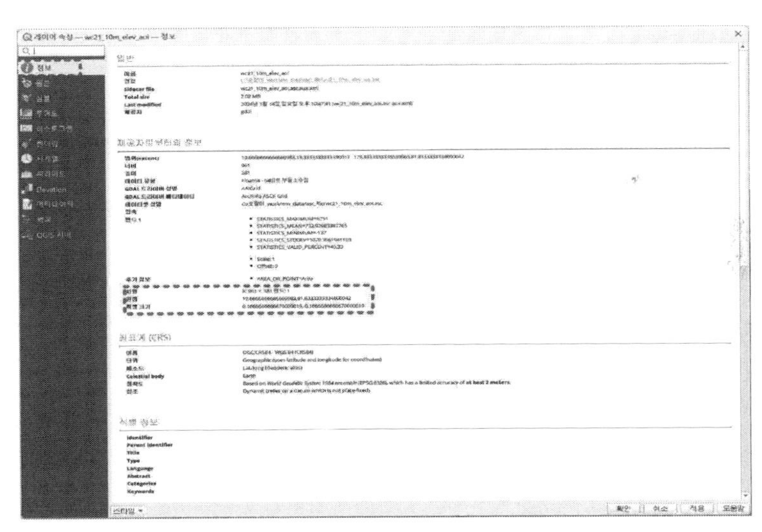

그림 39. 레이어 속성 대화상자

해발고도 GIS 환경지도의 속성 정보 중 차원, 원점, 픽셀크기는 생물기후변수와 동일한 것을 볼 수 있습니다.

표 2. 해발고도 GIS 환경지도 속성

해발고도 GIS 환경지도 속성	
차원	X: 961 Y: 381 밴드: 1
원점	19.6666666666669983, 81.8333333334600042
픽셀 크기	0.1666666666670000019, -0.1666666666670000019

표 3. 해발고도 GIS 환경지도 속성

생물기후변수 GIS 환경지도 속성	
차원	X: 961 Y: 381 밴드: 1
원점	19.6666666666669983, 81.8333333334600042
픽셀 크기	0.1666666666670000019, -0.1666666666670000019

14.7 Maxent 이용한 호랑이 서식지도 예측

호랑이 서식지도를 제작하기 위해서 호랑이 위치 데이터와 GIS 환경지도를 Maxent 프로그램에 입력하여 제작한다. Maxent 프로그램을 실행하기 위해서 앞서 다운받은 Maxent.zip 파일을 압축 푼 C:\Maxent 폴더로 이동해서 maxent.bat를 실행한다.

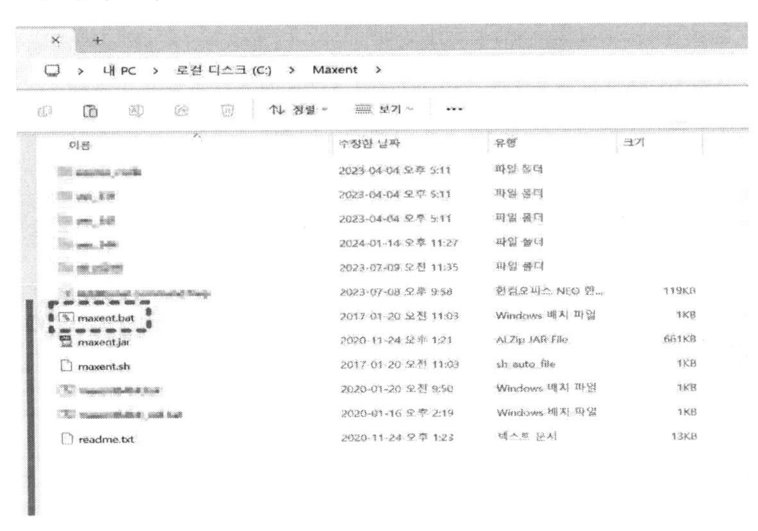

그림 40. maxent.bat 실행파일

실행된 Maxent 프로그램은 크게 7개 기능으로 구분할 수 있다. 7개 기능은 입력 csv파일, GIS 환경지도, 반응함수유형, 출력결과물 형식과 폴더, 실행버튼, 환경설정, 도움말이다.

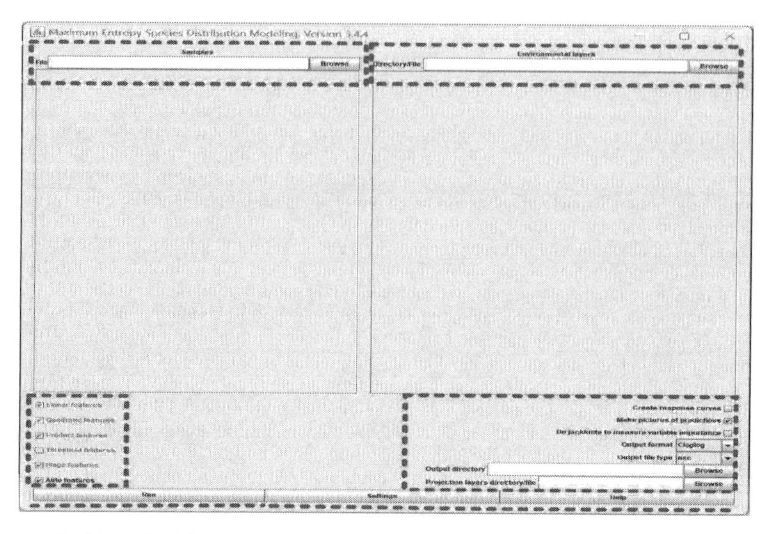

그림 41. 실행된 Maxent 프로그램

Maxent 프로그램을 실행하는 방법은 두 가지 방법이 있다. 만약 Microsoft Windows를 사용하고 있다면 단순히 Maxent 프로그램이 있는 폴더로 이동해서 maxent.bat 파일을 클릭하면 된다.

› 내 PC › 로컬 디스크 (C:) › Maxent ›

정렬 보기

이름	수정한 날짜
source_code	2023-04-04 오후
ver_331	2023-04-04 오후
ver_341	2023-04-04 오후
ver_344	2024-01-14 오후
참고문헌	2023-07-09 오전
Additional command.hwp	2023-07-08 오후
maxent.bat	2017-01-20 오전
maxent.jar	2020-11-24 오후
maxent.sh	2017-01-20 오전
maxent64bit.bat	2020-01-20 오전
maxent64bit_old.bat	2020-01-16 오후
readme.txt	2020-11-24 오후

그림 42. maxent.bat

그렇지 않은 경우 Maxent 프로그램이 있는 폴더로 이동해서 CMD 명령어 창을 열고 "java -mx512m -jar maxent.jar" 을 입력하면 된다. "512"는 컴퓨터 사양을 고려해서 프로그램에 제공하려는 메가바이트 단위의 메모리 양으로 대체할 수 있다. 보통 2048로 대체해서 사용한다.

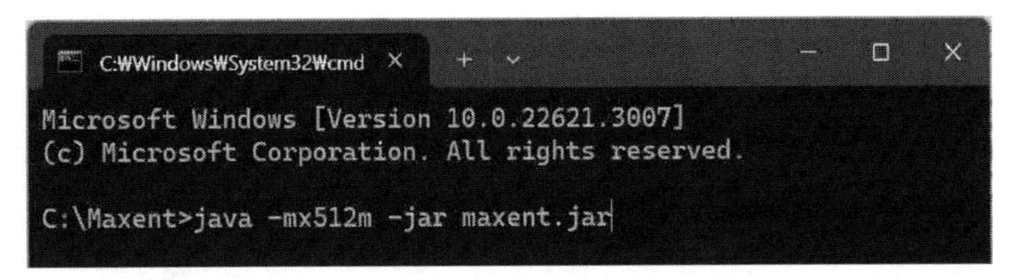

그림 43. CMD 명령어 창 Maxent 실행

maxent.bat 파일을 실행하고 나온 Maxent 프로그램에 3가지 정보를 제공한다. 생물종이 존재하는 위치를 나타내는 파일("샘플"), 환경 변수를 포함한 디렉토리, 그리고 출력 결과 디렉토리이다. 호랑이 서식지도를 제작하는 경우에는 호랑이의 위치 데이터는 c:\호랑이_work\loc\loc_data.csv 파일에, 환경 변수는 c:\호랑이_work\env_data\asc_file 폴더에 있으며, 출력은 c:\호랑이_work\output 폴더에 저장될 것이다. 이러한 위치를 직접 입력하거나 Browse 버튼을 클릭하여 파일을 검색하여 선택할 수 있다.

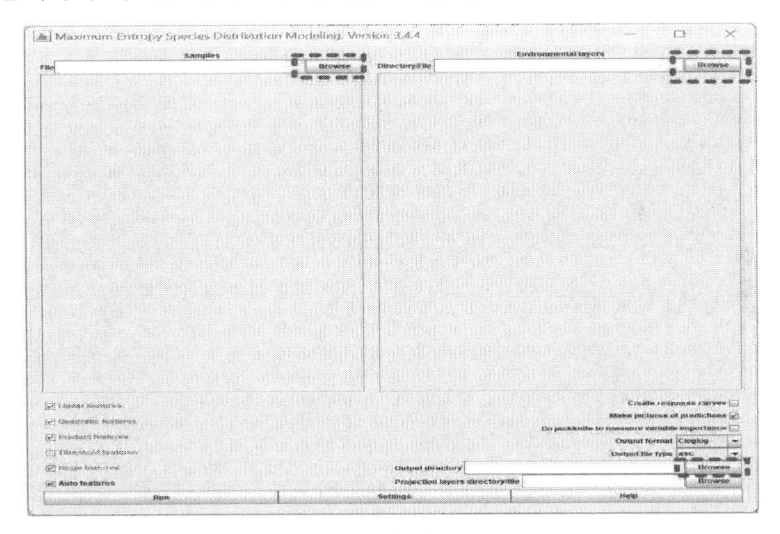

그림 44. Maxent 프로그램에 3가지 정보

호랑이 위치 데이터는 c:\호랑이_work\loc 폴더에 있는 loc_data.csv 파일을 선택한다.

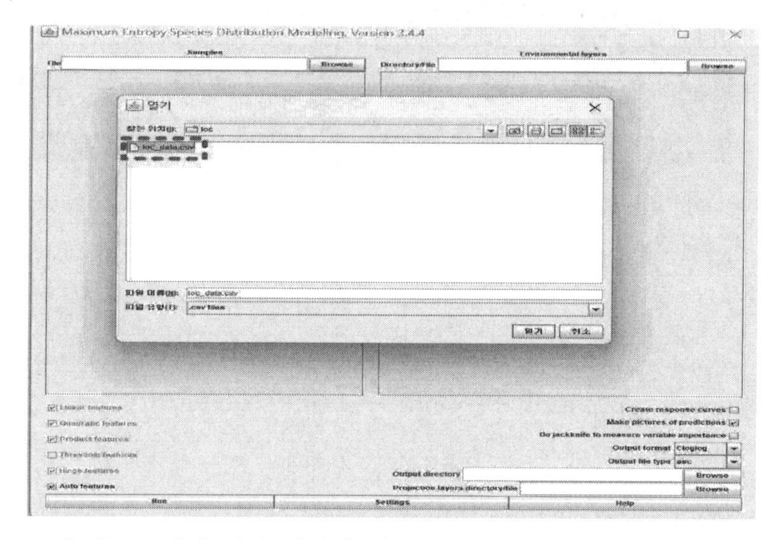

그림 45. 호랑이 위치 데이터 선택

결과적으로 왼쪽 패널에 호랑이 학명을 볼 수 있다.

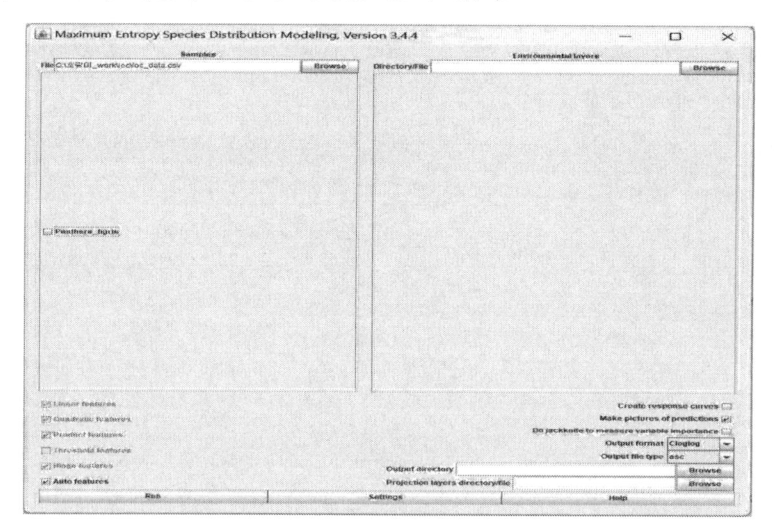

그림 46. 호랑이 위치 데이터 등록

환경 변수는 파일을 선택하는 것이 아니라 해당 변수들이 포함된 c:\호랑이_work\env_data\asc_file 폴더를 선택한다. 폴더 안의 파일까지 찾아 검색할 필요가 없다.

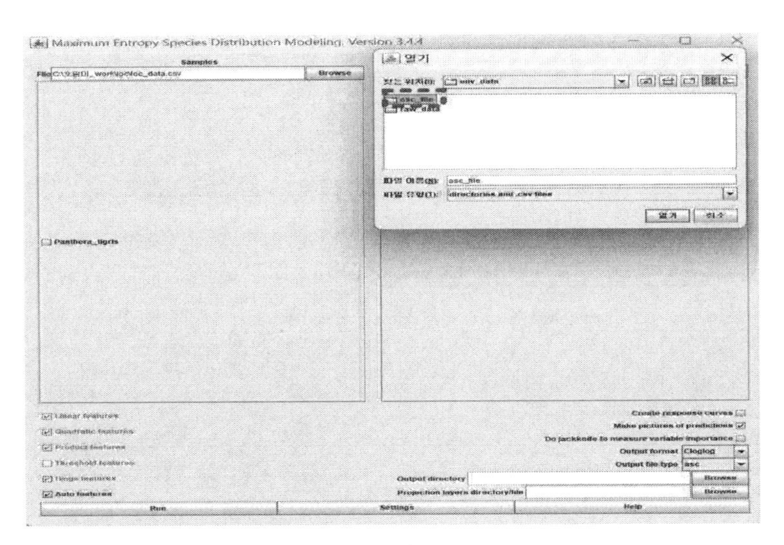

그림 47. GIS 환경지도 폴더 선택

결과적으로 다음과 같이 확인할 수 있습니다. 결과적으로 왼쪽 패널에 20개 환경 변수 이름과 함께 변수의 유형이 범주형(categorical)인지 수치형(continuous)인지를 확인할 수 있다.

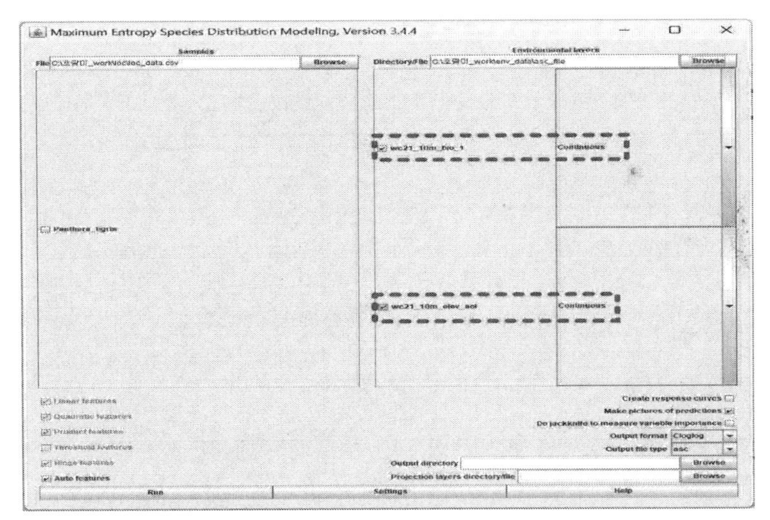

그림 48. GIS 환경지도 등록 확인

실행 결과는 output directory 입력란 Browse 버튼을 클릭하여 c:\호랑이_work\output 폴더를 선택하여 저장하게 한다.

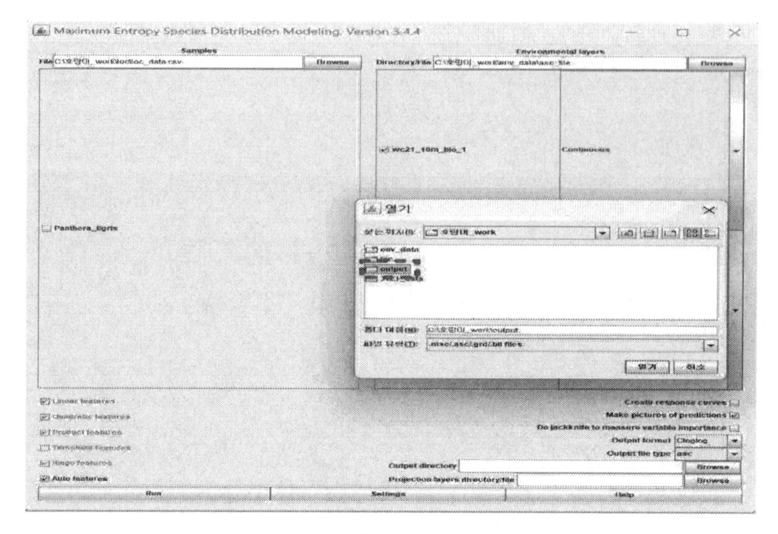

그림 49. 실행 결과 폴더 선택

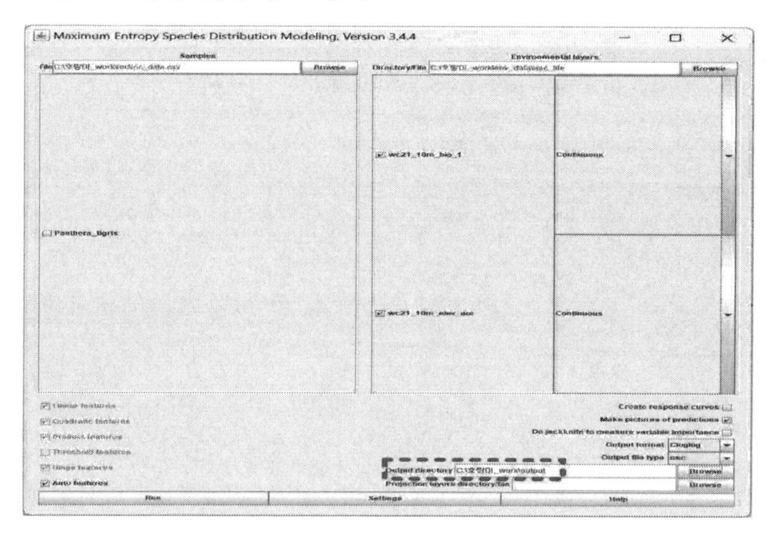

그림 50. 실행 결과 폴더 등록 확인

파일 c:\호랑이_work\loc\loc_data.csv 에는 .csv 형식으로 표시된 호랑이가 존재하는 지점의 위치좌표가 포함되어 있다. 처음 몇 줄은 다음과 같다.

	A	B	C	D	E	F
1	species	decimalLon	decimalLat			
2	"Panthera tigris"	130.624393	49.100403			
3	"Panthera tigris"	131.411475	43.090948			
4	"Panthera tigris"	131.507501	43.324913			
5	"Panthera tigris"	131.536769	43.374888			
6	"Panthera tigris"	131.3136	43.050606			
7	"Panthera tigris"	131.751122	43.223505			

그림 51. loc data.csv 파일

동일한 loc_data.csv 파일에 여러 종이 포함될 수 있으며, 이 경우 Panthera tigris와 함께 패널에 더 많은 생물종이 나타난다. 위치 데이터 파일과 환경 변수는 동일한 좌표계를 사용하여야 합니다. WGS84 경위도 좌표계 외에도 다른 좌표계를 사용할 수 있다. 샘플 파일에서 "x" 좌표는 "y" 좌표보다 앞에 와야 한다. 경도가 위도보다 먼저 와야 한다.

"c:\호랑이_work\env_data\asc_file" 폴더에는 각각의 환경 변수가 ESRI의 .asc 형식의 ascii 래스터 데이터로 여러 개 포함되어 있다. 래스터 데이터는 모두 동일한 지리적 범위와 셀 크기를 가져야 한다.

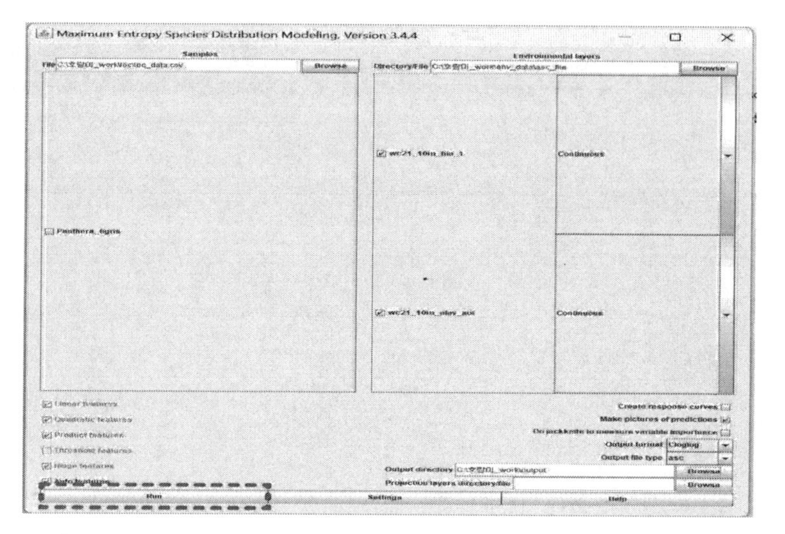

그림 52. Maxent 프로그램 실행

프로그램 실행은 단순하게 run 버튼을 선택하고 오류가 없으면 진행 막대가 나타난다.

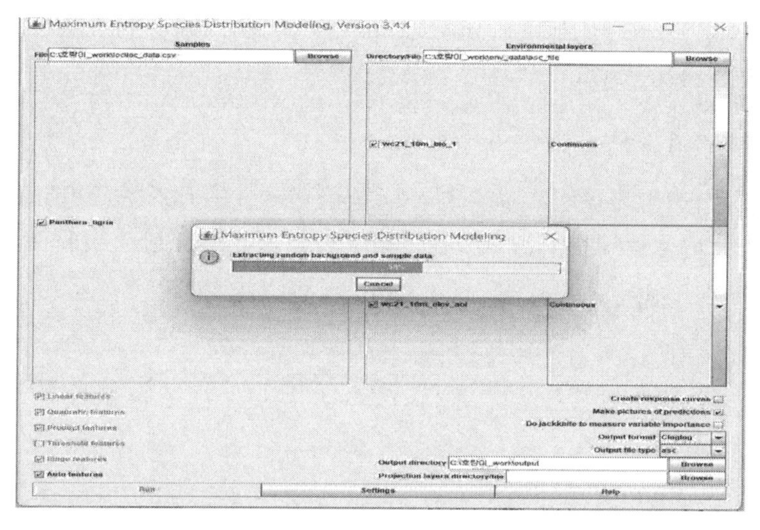

그림 53. Maxent 프로그램 진행

실행이 완료되면 c:\호랑이_work\output 폴더에 여러 결과 파일이 생성되며, 그 중 가장 중요한 것은 "Panthrea_tigris.html"이라는 HTML 파일이다.

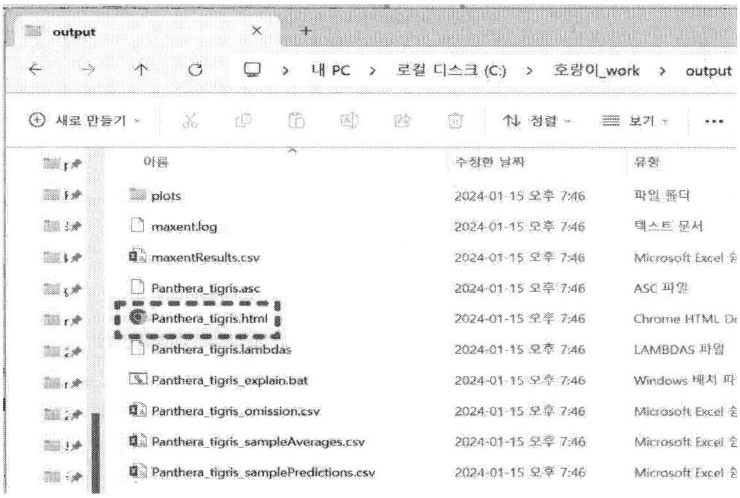

그림 54. Maxent 실행 결과 파일

Panthrea_tigris.html 파일은 호랑이 서식지도가 제작되는데 중요한 정보를 크게 6개 부분으로 나누어 제공한다.

다음 그림에서 Analysis of omission/commission은 누적 임계값에 따른 누락률과 예측된 영역을 나타낸다. 누락률은 훈련 데이터의 존재 레코드 및 (테스트 데이터가 사용된 경우) 테스트 레코드에 대해 계산된다. 누락률은 누적 임계값의 정의로 인해 예측된 누락률에 근접해야 한다.

여기서 "누적 임계값"은 어떤 확률 임계값을 사용하여 모델의 예측을 이진으로 변환하는 데 사용되는 임계값이다. 예를 들어, 0.5의 누적 임계값은 0.5 이상의 예측 확률을 가진 경우를 양성으로, 그 이하의 경우를 음성으로 처리한다. 이런 식으로 누적 임계값을 조절하면 모델의 예측을 조정할 수 있다. 이 그림은 누락률이 누적 임계값에 따라 어떻게 변하는지를 시각적으로 보여주며, 훈련 데이터와 테스트 데이터에 대한 결과를 함께 제시한다.

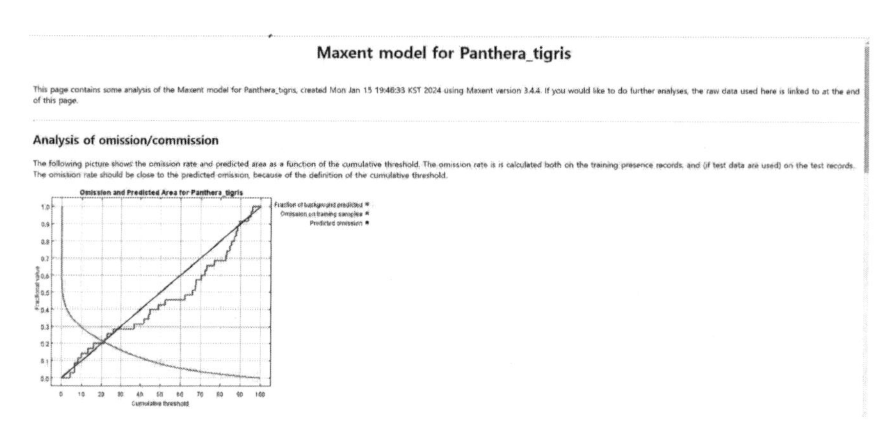

그림 55. 누적 임계값에 따른 누락률과 예측된 영역

다음 그림은 호랑이 서식지도를 제작하는 이용된 모델의 예측 정확도를 나타내는 ROC곡선이다. 모델 예측 정확도를 나타내는 AUC 값이 0.878이다. AUC 값은 0.5가 기본이고 1이하의 값을 갖는다. 1에 가까울수록 정확도가 높다는 의미이다. 0.5이하는 랜덤으로 예측되는 것보다 정확도가 낮다는 것을 의미한다.

좀 더 자세한 내용은 "Steven J. Phillips, Robert P. Anderson, Robert E. Schapire. 2006 Maximum entropy modeling of species geographic distributions. Ecological Modelling, Vol 190/3-4 pp 231-259" 논문을 참고하기 바란다.

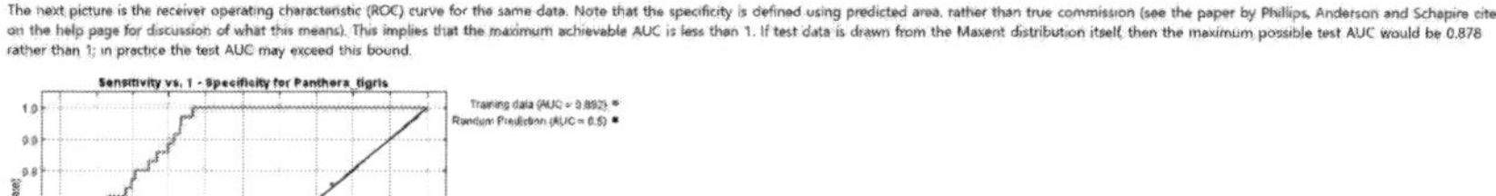

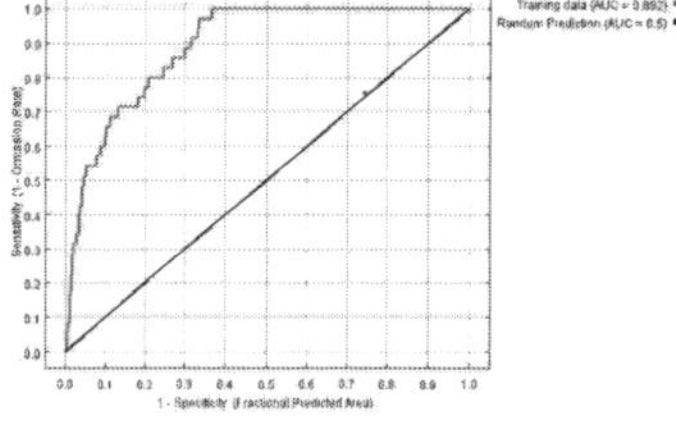

그림 56. AUC 모델 예측 정확도 그래프

다음 그림은 0에서 1까지 실수 값으로 예측된 호랑이 서식지도를 0과 1의 이분법으로 나타내기 위한 기준 값을 보여주는 표이다. 이분법 0은 서식불가지역 1은 서식가능 지역을 의미한다. 일반적으로 10 percentile training presence 에 해당하는 0.251 값을 기준으로 0과 1로 구분하여 호랑이 서식지도를 이분법 지도로 제작하는데 이용한다.

Some common thresholds and corresponding omission rates are as follows. If test data are available, binomial probabilities are calculated exactly if the number of test samples is at most 25, otherwise using a normal approximation to the binomial. These are 1-sided p-values for the null hypothesis that test points are predicted no better than by a random prediction with the same fractional predicted area. The "Balance" threshold minimizes 6 * training omission rate + .04 * cumulative threshold + 1.6 * fractional predicted area.

Cumulative threshold	Cloglog threshold	Description	Fractional predicted area	Training omission rate
1.000	0.052	Fixed cumulative value 1	0.467	0.000
5.000	0.183	Fixed cumulative value 5	0.356	0.029
10.000	0.280	Fixed cumulative value 10	0.295	0.143
4.342	[illegible]	Minimum training presence	0.367	0.000
8.169	0.251	10 percentile training presence	0.314	0.086
21.620	[illegible]	Equal training sensitivity and specificity	0.208	0.200
6.595	0.220	Maximum training sensitivity plus specificity	0.333	0.029
2.849	0.121	Balance training omission, predicted area and threshold value	0.398	0.000
7.548	0.241	Equate entropy of thresholded and original distributions	0.321	0.086

그림 57. 이분법 지도로 제작 기준

다음 그림은 호랑이 서식지도를 보여준다. 호랑이가 서식가능성이 더 높은 예측 조건을 가진 지역을 나타내는 더 따뜻한 빨간 색상이 표시된다. 훈련에 사용된 호랑이 존재 위치는 흰색 점으로 나타나며, 테스트 위치는 보라색 점으로 표시된다.

Pictures of the model

This is a representation of the Maxent model for Panthera_tigris. Warmer colors show areas with better predicted conditions. White dots show the presence locations used for training, while violet dots show test locations. Click on the image for a full-size version.

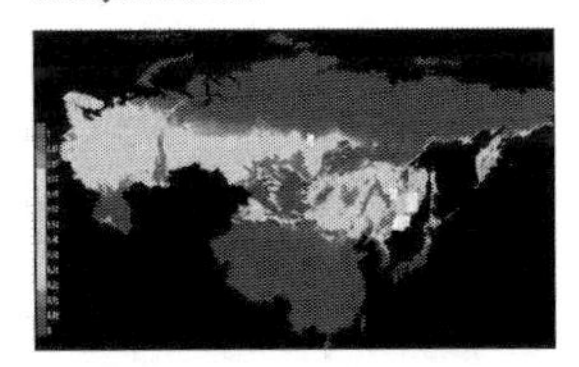

Click here to interactively explore this prediction using the Explain tool. If clicking from your browser does not succeed in starting the tool, try running the script in C:₩호랑이_work₩output₩Panthera_tigris_explain.bat directly. This tool requires the environmental grids to be small enough that they all fit in memory.

그림 58. 호랑이 서식 예측지도

이미지를 클릭하면 전체 크기의 버전으로 호랑이 서식지도를 볼 수 있다.

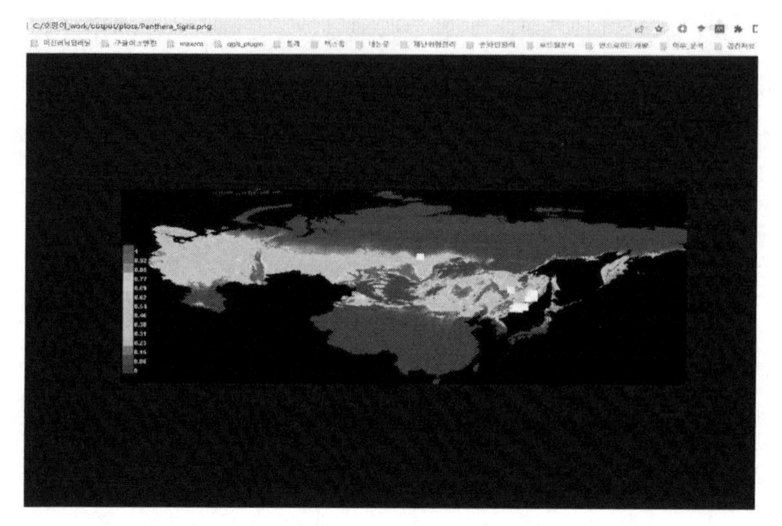

그림 59. 호랑이 서식 예측지도 확대

다음 그림은 호랑이 서식지도를 제작하는데 사용된 환경 변수의 기여도와 중요도를 보여주는 표이다. 여기서는 평균 기온과 해발고도를 이용하였는데 평균 기온의 모델 기여도는 69.9%이고 해발고도의 모델 기여도는 30.1% 로 총 합은 100%이다.

Analysis of variable contributions

The following table gives estimates of relative contributions of the environmental variables to the Maxent model. To determine the first estimate, in each iteration of the training algorithm, the increase in regularized gain is added to the contribution of the corresponding variable, or subtracted from it if the change to the absolute value of lambda is negative. For the second estimate, for each environmental variable in turn, the values of that variable on training presence and background data are randomly permuted. The model is reevaluated on the permuted data, and the resulting drop in training AUC is shown in the table, normalized to percentages. As with the variable jackknife, variable contributions should be interpreted with caution when the predictor variables are correlated.

Variable	Percent contribution	Permutation importance
wc21_10m_bio_1	69.9	71.1
wc21_10m_elev_aoi	30.1	28.9

그림 60. 환경변수 기여도와 중요도

맨 마지막에 있는 다음 그림은 분석에 사용된 데이터를 링크에 연결하여 볼 수 있다.

Raw data outputs and control parameters

The data used in the above analysis is contained in the next links. Please see the Help button for more information on these.
The model applied to the training environmental layers
The coefficients of the model
The omission and predicted area for varying cumulative and raw thresholds
The prediction strength at the training and (optionally) test presence sites
Results for all species modeled in the same Maxent run, with summary statistics and (optionally) jackknife results

Regularized training gain is 1.136, training AUC is 0.892, unregularized training gain is 1.307.
Algorithm converged after 320 iterations (2 seconds).

The follow settings were used during the run:
35 presence records used for training.
10034 points used to determine the Maxent distribution (background points and presence points).
Environmental layers used (all continuous): wc21_10m_bio_1 wc21_10m_elev_aoi
Regularization values: linear/quadratic/product: 0.236, categorical: 0.250, threshold: 1.650, hinge: 0.500
Feature types used: hinge linear quadratic
outputdirectory: C:₩호랑이_work₩output
samplesfile: C:₩호랑이_work₩loc₩loc_data.csv
environmentallayers: C:₩호랑이_work₩env_data₩asc_file
Command line used:

Command line to repeat this species model: java density.MaxEnt nowarnings noprefixes -E "" -E Panthera_tigris outputdirectory=C:₩호랑이_work₩output samplesfile=C:₩호랑이_work₩loc₩loc_data.csv environmentallayers=C:₩호랑이_work₩env_data₩asc_file

그림 61. Maxent 실행 결과의 부가적인 정보

자세한 내용은 Maxent 프로그램의 도움말 버튼을 참고하길 바란다.

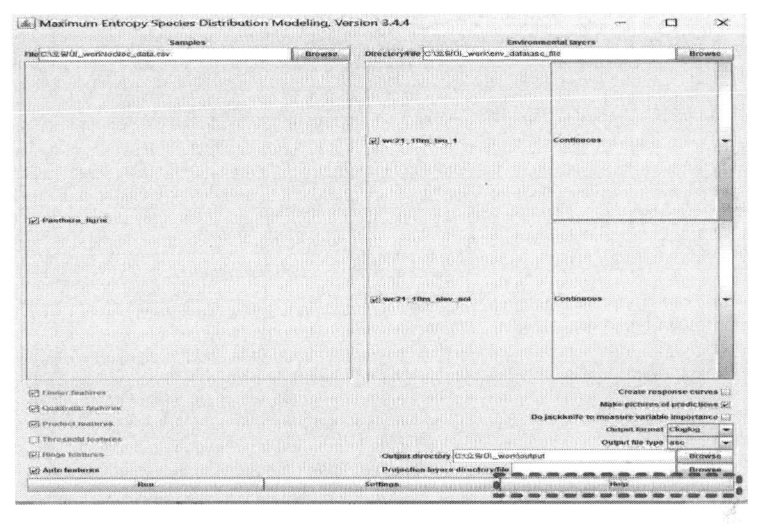

그림 62. Maxent 프로그램의 도움말 버튼

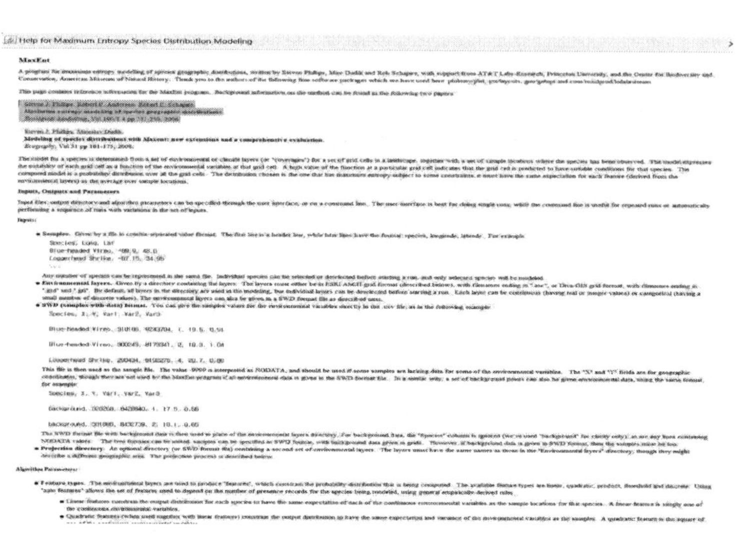

그림 63. Maxent 프로그램의 도움말

14.8 QGIS 프로그램 이용한 호랑이 서식지도 제작

Maxent 프로그램으로 생성된 파일 중에 Panthera_tigris.asc 파일은 QGIS 프로그램에서 불러올 수 있는 호랑이 서식지도 데이터이다. 이 파일을 불러오기 위해서 QGIS 프로그램 메뉴에서 레이어 → 레이어 추가 → 래스터 레이어 추가… 을 선택한다.

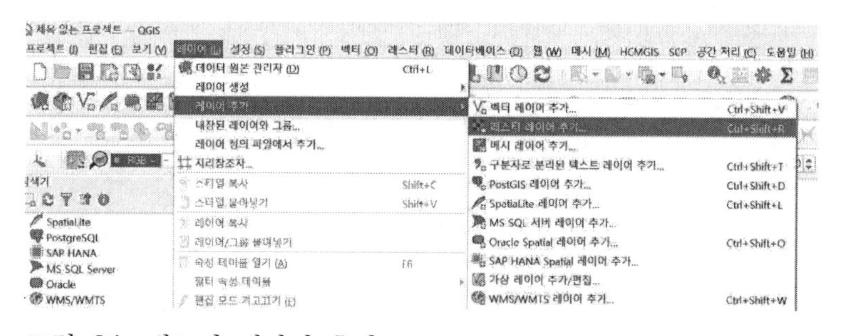

그림 64. 래스터 레이어 추가

데이터 원본 관리자 대화상자에서 왼쪽 패널의 래스터를 선택하고 데이터 셋(들)의 오른쪽 버튼을 선택한다.

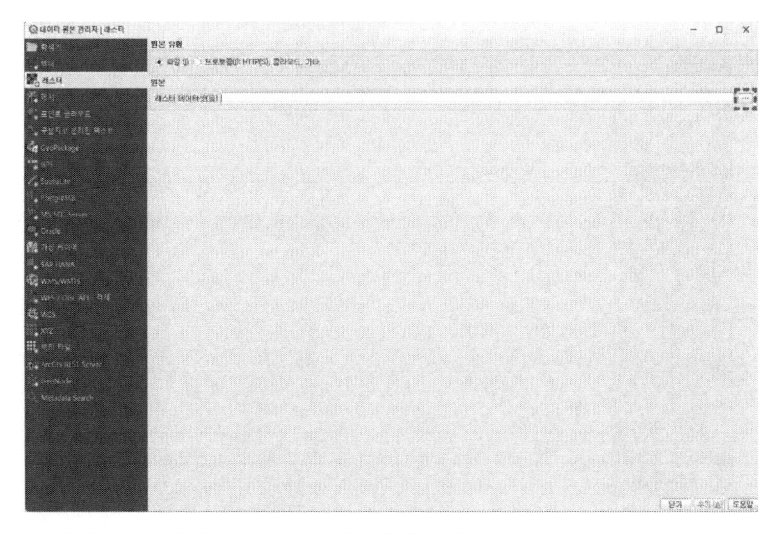

그림 65. 데이터 원본 관리자 대화상자

C:\호랑이_work\output 폴더로 이동해서 Panthera_tigris.asc 파일을 선택하고 열기 버튼을 클릭한다.

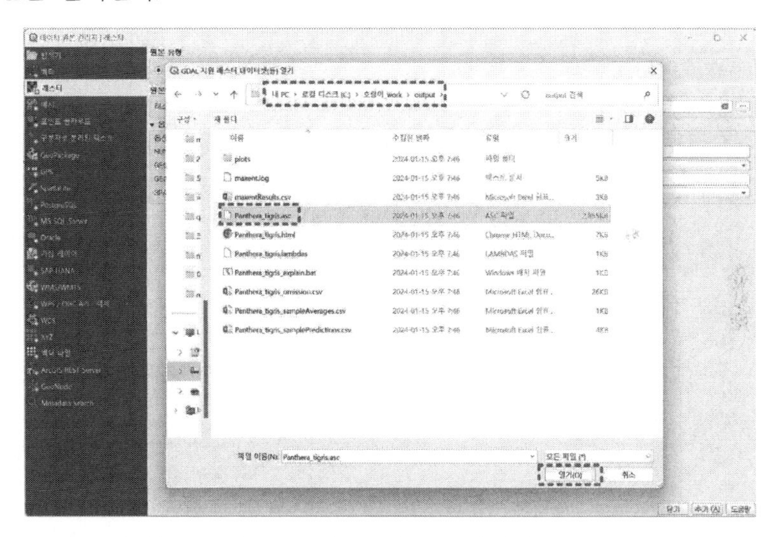

그림 66. 래스터 데이터셋(들) 열기 대화상자

래스터 데이터셋(들) 란에 파일 이름이 등록된 것을 확인하고 추가 버튼을 선택한다.

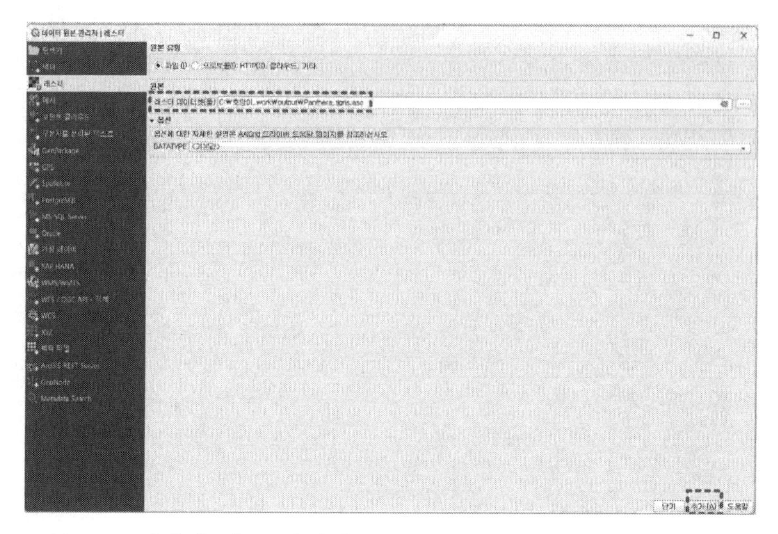

그림 67. 데이터 원본 관리자 대화상자

좌표계 지정하는 대화상자에서 필터에 4326을 입력하여 WGS84 좌표계를 설정하고 확인 버튼을 클릭한다.

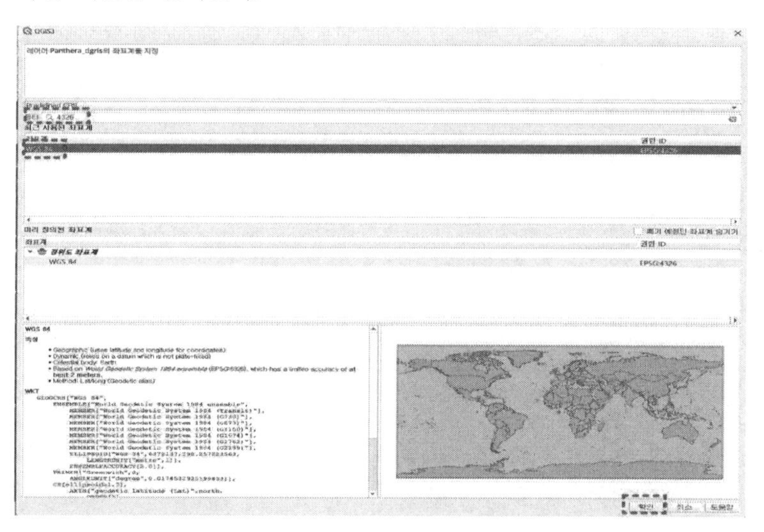

그림 68. 좌표계를 설정

호랑이 서식지도가 QGIS 프로그램의 맵 창에 흑백 영상으로 나타난 것을 확인할 수 있다.

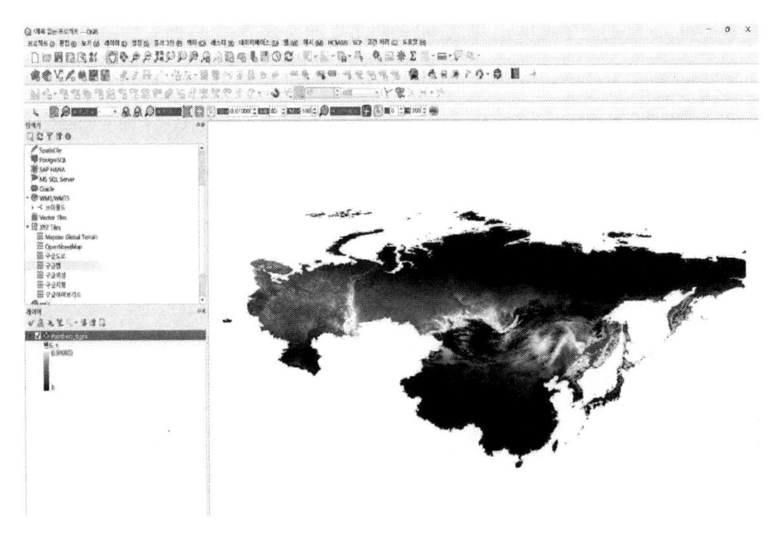

그림 69. 흑백 영상의 호랑이 서식지도

흑백 색상으로 컬러 색상으로 변경하기 위해서 파일을 선택하고 마우스 오른쪽 버튼을 클릭해서 나온 팝업 메뉴에서 속성을 선택한다.

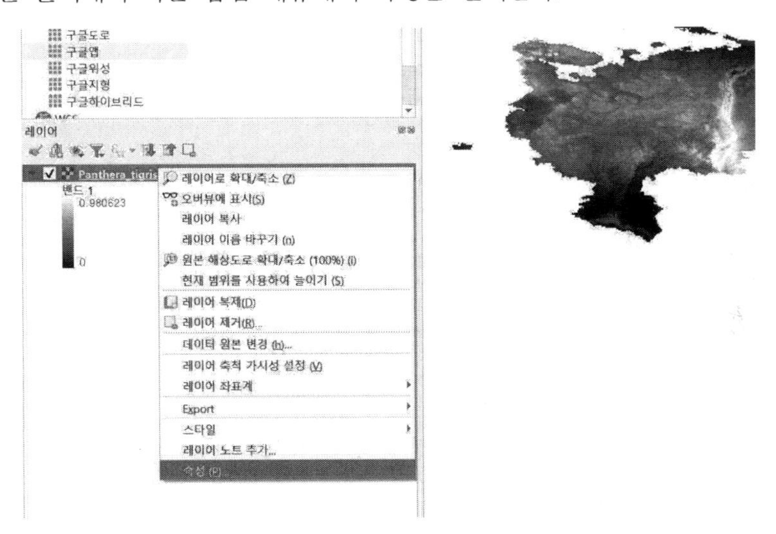

그림 70. 레이어 속성

심볼을 선택하고 렌더링 유형을 단일 밴드 유사색상으로 선택하고 분류 버튼을 클릭하고 색상표 버튼을 클릭해서 색상표 반전을 선택하고 확인 버튼을 클릭한다.

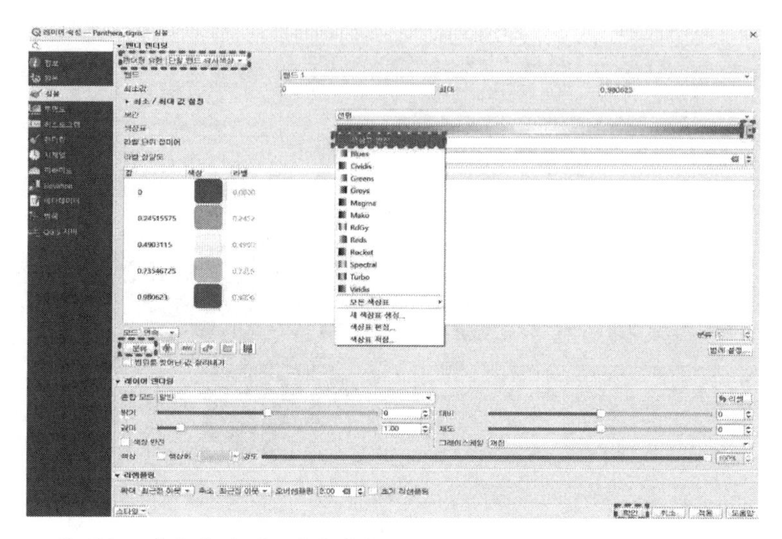

그림 71. 레이어 속성 대화상자

흑백영상에서 컬러영상으로 변경된 호랑이 서식지도를 볼 수 있다. 빨간 색상일수록 호랑이가 서식할 환경일 가능성이 높다는 것을 의미한다.

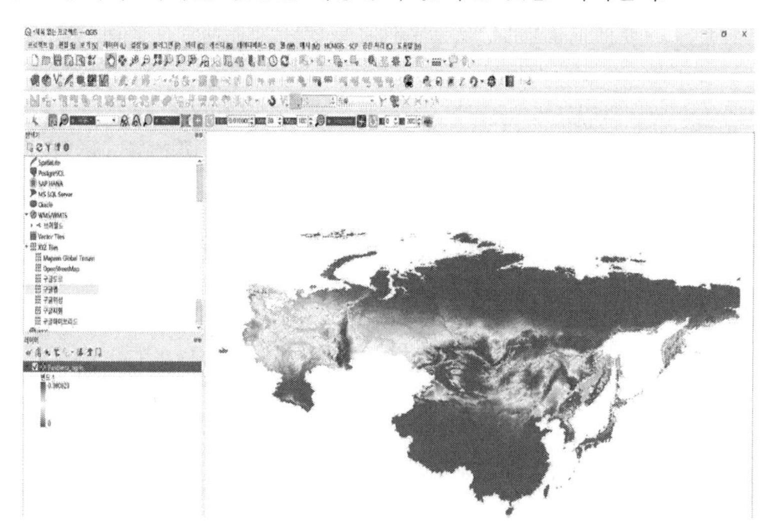

그림 72. 컬러 영상의 호랑이 서식지도

다음 그림은 세계지도와 구글지도를 함께 불러온 결과이다.

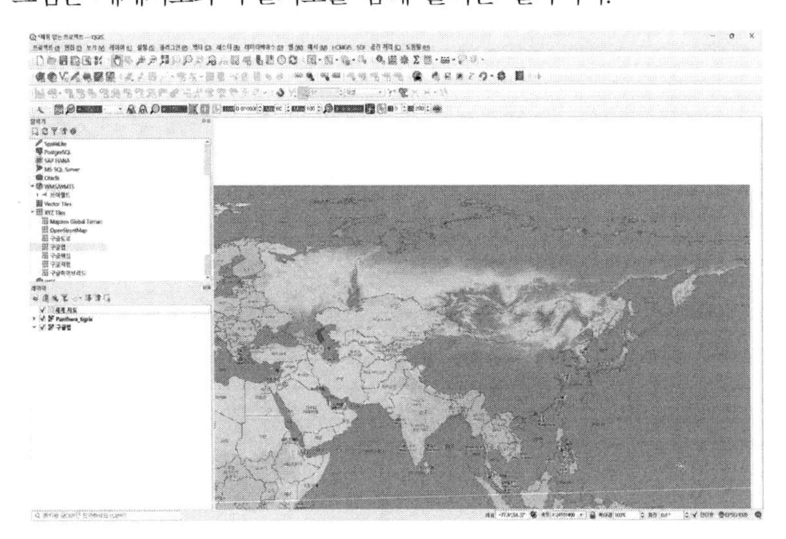

그림 73. 구글지도와 호랑이 서식지도 중첩

작가의 말

지리 정보 시스템(GIS)은 현대의 지리학 및 환경과학 연구에 있어서 중요한 도구로 자리매김하고 있다. 특히, QGIS와 Maxent와 같은 소프트웨어의 등장은 공간 데이터 분석의 정확성과 효율성을 현저히 향상시켰다. 본 책은 이러한 도구와 기술을 활용하여 토지피복지도 제작 및 야생생물의 지리적 분포 예측 과정을 상세하게 소개한다.

책의 핵심 내용 중 하나는 QGIS 프로그램의 기본 기능에 대한 깊은 이해와 함께, GIS의 공간분석 기능을 최대한 활용하는 방법입니다. 독자는 QGIS의 다양한 툴과 기능을 통해 실제 지리 데이터를 처리하고, 토지피복지도를 자체적으로 제작하는 과정을 배울 수 있다. 더 나아가, Maxent 모델을 통한 야생생물의 지리적 분포 예측 방법에 대한 깊은 통찰을 얻을 수 있다.

또한, 본 책은 단순한 문서로의 제공을 넘어, 독자들이 학습의 질을 높이기 위해 영상 강의로의 확장을 제공합니다. 이를 통해 복잡한 개념이나 기술적인 부분을 시각적으로 이해하고, 실제 적용 능력을 향상시킬 수 있다. 저자가 운영하는 커뮤니티를 통해서는 책의 내용을 보다 깊게 이해하고 싶은 독자들이 추가적인 학습 자료나 실전 예제, 그리고 경험을 공유하는 다양한 콘텐츠에 접근할 수 있다.

이 책은 지리 정보 시스템에 대한 기초부터 고급 기술까지의 넓은 범위를 다루며, QGIS와 Maxent를 통한 실용적인 분석 및 예측 능력을 키우고자 하는 모든 연구자, 학생, 그리고 지리 정보 분석가에게 꼭 필요한 지침서가 될 것이다. 본 책을 통해 공간 데이터의 힘을 최대한 활용하고, 현대의 지리정보학, 환경과학, 생태연구에 적극적으로 기여할 수 있는 능력을 갖추게 될 것이다.